D0359812

JUAN RAMÓN JIMÉNEZ.
VIVENCIA Y PALABRA

Isabel Paraíso de Leal

Juan Ramón Jiménez.
Vivencia y palabra

Alhambra

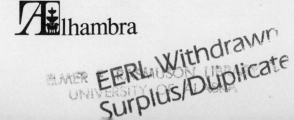

Primera edición, 1976

EDITORIAL ALHAMBRA, S. A.
R. E. 182
Madrid-1. Claudio Coello, 76

Delegaciones:

Barcelona-8. Enrique Granados, 61
Bilbao-14. Doctor Albiñana, 12
La Coruña. Pasadizo de Pernas, 13
Málaga. La Regente, 5
Sevilla-12. Reina Mercedes, 35
Valencia-3. Cabillers, 5

México

Editia Mexicana, S. A.
México. Lucerna, 84 - Desp. 1

Rep. Argentina

Editorial Siluetas, S. A.
Buenos Aires-1201. Bartolomé Mitre, 3745/49

Perú

Editia Peruana, S. R. Ltda.
Lima. José Díaz, 208

n c   27010010

ISBN 84-205-0003-8

Depósito legal: M. 20174 - 1976

Impreso en España - Printed in Spain

Selecciones Gráficas. Carretera de Irún, km. 11,500. Madrid (1976)

ÍNDICE

SEGUNDA PARTE - LA CONQUISTA DE LA ETERNIDAD

*A Maryse Bertrand de Muñoz,
amiga constante.*

*"Dios, ¿quién será el que la vea
llena toda de mi historia?
¡Pobres los que este volver
suyo de mí desconozcan!"*

J. R. J.

"La grandeza y también la limitación de
Juan Ramón fue reducir la belleza al reflejo
del propio ser."

R. GULLÓN.

INTRODUCCIÓN

Vivencia y palabra

Uno de los más espinosos problemas que se presentan al crítico literario es el de la relación entre la vida y la obra de un autor. Puede uno hipertrofiar la vida, siguiendo el método historicista, o bien hacer abstracción absoluta de ella para estudiar exclusivamente la obra, como los "new critics" y otras escuelas estructuralistas: pero ninguna de las dos soluciones nos satisface. Notamos una conexión segura, aunque vaga, entre la vida y la obra: muchos errores de interpretación se han cometido por un conocimiento deficiente de la vida del autor. Pero tampoco la biografía puede explicarnos de manera suficiente el talento del escritor, ni siquiera su estilo...

Por otra parte, la expectación del público lector de poesía es igualmente ambigua: espera simultáneamente de la poesía un *placer estético* y una *lección de vida*. (El "enseñar deleitando" horaciano, bajo todos los ropajes modernos que uno quiera ponerle. Cosa natural, si la Literatura forma parte de las Humanidades, y el objetivo de éstas es enseñarle al hombre quién es él.) La personalidad del poeta, su vida de hombre, es un elemento valorativo importantísimo para el lector, querámoslo o no. Antonio Machado atrae, sí, por sus caminos polvorientos y su limonero lánguido, pero sobre todo por la amistad de hombre bueno y profundo que ofrece desde sus libros. Las "Nanas de la cebolla" de Miguel Hernández, leídas sin conocer su contexto biográfico, resultan algo ripiosas y muy exageradas en la expresión, pero conocidas las circunstancias en que fueron compuestas nos parecen conmovedoramente dramáticas, de adecuada expresión, y pieza antológica de la poesía española. La muerte de Lorca, la de Miguel Hernández o la de Larra siguen aureolando las obras respectivas. El *Cántico espiritual* sería una cumbre en la poesía erótica española si

1

Juan de Yepes no fuera San Juan de la Cruz, pero como lo es, el "Cántico" es una cumbre en la poesía mística. Etc., etc. El lector, nos guste o no, no disocia nunca vida y obra. Y si por casualidad lee algo que le agrada de un autor desconocido, intentará informarse en la primera ocasión que se le presente sobre qué clase de hombre es el autor.

Vida y obra, cosas conexas pero diferentes. Ante este laberinto teórico, la crítica hispana suele cortar por lo sano, es decir, por lo pragmático. Y los estudios titulados "Vida y obra de..." representan, si no la solución del problema, al menos una forma airosa, digna y realista de salir adelante.

Nuestro libro se alinea en esta misma dirección; aunque quizás en camino lateral y paralelo, puesto que la biografía juanramoniana hoy día está ya bastante bien elucidada gracias a los esfuerzos de Graciela Palau de Nemes, Ricardo Gullón y Francisco Garfias, entre otros. Nuestro libro, basándose en los datos aportados por estos investigadores, va a seguir la dirección psicocrítica trazando las grandes líneas de la biografía interior, que se apoya directamente en la biografía externa. Y aquí entra la materia prima de nuestro trabajo: las vivencias del autor. Entendemos por vivencia *un sentimiento, evocado y profundo, de una experiencia pasada.* Se comprende así que la biografía interior sea mucho más sintética y menos rica en detalles que la biografía externa: sólo algunas experiencias se interiorizan y pasan a convertirse en vivencias.

Sentimiento *evocado,* decíamos, y aquí entra el otro punto cardinal de nuestro estudio: la palabra. Si Juan Ramón no hubiera escrito, su mundo poético, sus sentimientos y su problemática profunda nos serían desconocidos. Las "vivencias" no van a explicarnos la genialidad juanramoniana, pero, *al manifestarse en la obra,* nos dan toda la estructura tanto de la obra como de la personalidad que la escribió.

Siguiendo, pues, el hilo de las vivencias *tal como aparecen en la obra de Juan Ramón,* esperamos contribuir a la elucidación global de este importante poeta, aportando una visión panorámica y sintetizadora de su vasta Obra. Porque, vista desde el conglomerado vivencial, la Obra es una gran aventura interior en la que Juan Ramón intenta resolver sus problemas vitales. Juan Ramón, el esquivo, el que toda su vida se negó a vivir entre los hombres, no podía escapar a los problemas humanos que el simple hecho de vivir le imponía: el amor, la muerte, el ajuste consigo mismo (o, si se quiere, la paz de su conciencia), etc. Por eso su Obra se nos representa como una aventura interior —y humanísima— progresiva: cada uno de los problemas es una etapa en su obra que tiene que resolver antes de pasar al problema-etapa siguiente.

El ejemplo de aventura más ejemplar es seguramente el amor. Es la vivencia central de toda su primera época: a través de numerosas rememoraciones de episodios sentimentales, pasiones y arrepentimientos, el poeta busca a *su* mujer. Contra todas las apariencias, lo demás —su propia muerte, Dios, el más allá— le importa bastante poco. Pero tan pronto como consigue a su mujer, en 1916, el tema del amor desaparece casi completamente de la Obra para ceder el puesto central a otros problemas que conglomeran las vivencias de esos años: la lucha contra *su* muerte, el vencimiento de la muerte mediante un más allá eterno. Que Juan Ramón, por su particular estructura mental, no logre clausurar con éxito esta búsqueda, hace que el paso siguiente —la justificación de su vida ante sí mismo, en la vejez— se apoye sobre bases provisionales y movedizas, y por tanto todo el edificio de sus últimas aventuras vitales se tambaleará hasta el fin de sus días.

La Obra, pues, como vida interna paralela. ¿No es, tal vez, éste un enfoque que puede reunir esos dos extremos —complementarios extremos— del hecho poético: la biografía y el libro?

Una historia de años y pasión

Decía Baudelaire: "juzgar es simpatizar u odiar". El libro crítico surge de un encuentro entrañable, positivo o negativo, con la obra de un autor. En nuestro caso, el juicio se alimenta de ambas fuentes. El encuentro positivo se remonta al final de la infancia y al poema "Viento negro, luna blanca". Aquel romanticismo, aquellas pinceladas de sueño y dolor, ¿no eran exactamente la expresión de nuestra angustia silenciosa? Y poco después, luminosamente, *Platero y yo* nos abría un universo mágico, parecido al nuestro pero transfigurado por la mirada poética; un libro "donde la alegría y la pena son gemelas", como decía el autor, porque la poesía las igualaba en nostalgia y maravilla.

Los años de Universidad, con su avalancha de nombres y clasificaciones, relegaron a Juan Ramón a un lugar prominente y solitario: era el Gran Poeta, el "padre de la generación del 27", el Inefable, el Difícil. Y como para confirmarlo, la lectura del laberíntico *Estío* nos distanció del poeta por unos años. Pero, en los azares de la profesión y en la lejana Universidad de Montreal, Juan Ramón aguardaba definitivamente: Un curso sobre poesía española contemporánea —repetido tres años— y, sobre todo, un Seminario de M. A. sobre procedimientos estilísticos de Juan Ramón, dado anualmente desde 1969, nos hicieron entrar de lleno en su Obra y en su vida. Y entonces surgió el chispazo crítico: el interés del misterio, la simultánea atracción por su obra y repulsión por su biografía, el apasionado afán de conciliar los contrarios. Aunque el contenido de los cursos permitía pasar por alto los aspectos personales estudiando asépticamente la Obra, y aunque nuestras publicaciones sobre el poeta seguían esta misma línea, la llamada crítica persistía, actuando calladamente desde el fondo del espíritu. Hasta que, por fin, la síntesis de contrarios se ha producido, y los aspectos positivos y negativos, iluminándose recíprocamente, han confluido en una interpretación unitaria: la Obra es la verdadera aventura vital de Juan Ramón.

Este libro, pues, tiene como sustrato largos años de fascinación, y, como causa inmediata, una obsesionada lucha entre antipatía y respeto admirativo.

Sobre la agresividad que Juan Ramón provoca en sus críticos

En nuestras lecturas de artículos y libros sobre Juan Ramón, particularmente en los libros, hemos encontrado algo que ha aliviado mucho nuestro espíritu: comprobar que la difícil personalidad del poeta provocaba en los demás la misma hostilidad —y a menudo más— que había producido en nosotros. Sin llegar a la virulencia del último Cernuda, la antipatía subyace en muchos pasajes de los mejores críticos del poeta. (Y no citaremos nombres ni pasajes para que nadie se moleste, pero el lector curioso podrá comprobarlo por sí mismo si lo desea.)

Otra cosa llamativa al considerar la masa de bibliografía sobre Juan Ramón es observar que los estudios en que la agresividad es más patente y estructurada, son, en general, los más recientes, los publicados después de la muerte del poeta y por críticos que no lo conocieron personalmente. En los críticos que trataron al poeta, la hostilidad se dulcifica mucho, y en los pocos que tuvieron trato asiduo o amistad de años, como Juan Guerrero Ruiz, la imagen de Juan Ramón es totalmente positiva.

En esta misma línea (mayor simpatía cuanta mayor intimidad) podemos citar como caso extremo a la misma esposa del poeta, la que tanto le aguantó. El mismo año de su muerte, el 1 de abril de 1956, escribía en su *Diario:* "¡Qué haría yo sin él! ¡Cuarenta años en que nos hemos ido queriendo cada vez más!"

Y siguiendo en nuestras indagaciones, hemos visto que otros escritos confirman esta doble imagen que el poeta da de sí mismo según atendamos a su obra o a su realidad privada. (No hablaremos de la "realidad literaria", de las deplorables relaciones en su época madrileña con otros escritores: creemos —y lo probaremos más tarde— que la actitud de rechazo juanramoniana era en verdad una defensa desesperada de su yo.) Doble imagen, pues, en la vida y en la Obra: por ejemplo, ante Zenobia, en las cartas de amistad y noviazgo —donde se muestra humilde, enamorado, casi encantador— y en el libro simultáneo, *Estío,* donde entre otros poemas verdaderamente amorosos, vemos al poeta con frecuencia superior, despectivo hacia la amada y hasta insultante.

Otro ejemplo: el poema núm. 10 de *Rimas,* muy estimado por Juan Ramón, que lo reprodujo reiteradamente en las tres Antologías, y cuyo comienzo es:

> *¿A qué quieres que te hable?*
> *Deja, deja,*
> *mira el cielo blanquecino, mira el campo*
> *inundado de tristeza.*
>   *Sí, te quiero mucho, mucho.*
> *¡Ay! aleja*
> *tu mejilla de mis labios fatigados;*
> *calla, calla, mi alma sueña.*
>
> ....
>
> *No me mires angustiada, no suspires,*
> *tus suspiros me molestan.*

Etcétera. Inmediatamente algo se subleva en nosotros ante tanta altivez e impermeabilidad afectiva. Pero si pensamos que el incipiente poeta de veinte años se encontraba al escribir estas palabras en un manicomio francés, solo, sin nadie alrededor que le quisiera como él deseaba, y viendo fantasmas y monstruos por todas partes, entonces nuestro ánimo se inclina a su favor. Y comparando una imagen con la otra, no sabemos a qué atenernos.

Estas consideraciones y algunas más, como el gran sentimiento de culpabilidad del poeta y sus tendencias masoquistas, nos han llevado a pensar que tal vez la Obra encierre una trampa: *el inconsciente deseo juanramoniano de hacerse odiar a través de ella.* La tan cantada Obra, su vida interior en palabra, su orgullo máximo, sería así simultáneamente su salvación ante el tiempo, y también su autopunición.

Cuestiones de método

Una Obra admirable que esconde —sospechamos— un deseo autopunitivo del poeta. Una biografía cuyas vivencias están bastante alejadas de la fuente original por el persistente rechazo juanramoniano de la vida. Un autor que nos envía imágenes contradictorias de sí mismo. ¿No es un rompecabezas insoluble?

Hemos de confesar que sí, que la crítica sobre Juan Ramón tiene necesariamente algo de rompecabezas —y ahí está una abundantísima bibliografía para probarlo—: no podía ser de otra forma con este poeta. Por nuestra parte, hemos seguido en este trabajo el método más elemental, paradójicamente, para abarcar tanta complejidad: el método cronológico, desde *Ninfeas,* libro lleno de "literatura" en el sentido juanramoniano de la palabra, hasta el poemario "Ríos que se van", últimas notas de la gran sinfonía poética.

Naturalmente, dada la enorme producción de nuestro poeta, si hubiéramos estudiado cada obra por separado, las dimensiones de este estudio hubieran sido enciclopédicas. Pero por fortuna algunas obras de Juan Ramón ya han recibido la atención necesaria de los críticos, y el citar estos estudios abrevia nuestra tarea. Por otra parte, casi toda la prosa queda excluida de nuestro estudio por dos razones: porque los libros de M. Predmore y M.ª Antonia Salgado y los numerosos trabajos sobre *Platero* ya cubren el campo, pero sobre todo porque la prosa refleja menos bien las vivencias que el verso. La prosa se sitúa siempre —en Juan Ramón por lo menos, aunque sospechamos fuertemente que en los demás autores también— más cerca de la biografía, de la realidad histórica del autor, pero por contrapartida mucho más lejos de su realidad profunda. De ahí que utilicemos abundantemente los libros de prosa en nuestro trabajo, pero no para analizarlos en sí mismos, sino como test de realismo para nuestras teorías elaboradas desde el verso.

Haciendo esto pasamos por alto dos de los más grandes libros escritos en nuestro siglo: *Platero y yo* (1914-1917) y *Españoles de tres mundos* (1942). Libros revolucionarios de la prosa contemporánea, por su cristalina sencillez el uno y por su incendiado barroquismo el otro, son sin embargo obras que quedan algo al margen de la aventura interior del poeta. En la prosa, Juan Ramón se abre a los hombres mucho más que en el verso, e incluso, en las obras de prosa más importantes *(Platero* y, sobre todo, *Españoles),* el enfoque es *alterocéntrico.* Este enfoque produce, naturalmente, un mayor sentimiento de simpatía en el lector. La agudeza de sus observaciones, la sensibilidad extraordinaria ante la Naturaleza, el cuasi-franciscano amor hacia las criaturas elementales en *Platero,* la extraordinaria captación psicológica, de tipo expresionista, en *Españoles,* etc., producen en el lector admiración ante la obra y simpatía hacia la persona del autor. Pero a pesar de todo esto, y aunque nos duela, debemos descartarlos. Este estudio presupone la lectura y consulta de toda la obra juanramoniana publicada, pero la atención se centrará en los libros de verso, por ser éstos los que mejor vehiculan la aventura interior del poeta.

Y dentro aún de los libros de verso, procuraremos tratar más ampliamente aquellos que, siendo representativos del proceso vivencial juanramoniano, han sido menos estudiados por la crítica hasta hoy —*La estación total, Rimas, Estío,* etc.—, y en cambio pasaremos más deprisa por aquellos otros que, al ser capitales en nuestro poeta —*Diario de un poeta reciencasado, Animal de fondo,* etc.— han recibido ya una atención crítica adecuada y justa.

Unas palabras sobre las abreviaturas que usaremos en este trabajo. Nuestro "siglo de siglas" —como lo llama Dámaso Alonso— es muy aficionado a ellas, y el uso de "J. R. J." se remonta hasta el mismo Juan Ramón, "el cansado de su nombre". Sin embargo, por preferencia personal, hemos usado las menos posibles, y sólo en algunos títulos de obras que se repetían mucho:

$$L.P. \quad = Libros\ de\ Poesía$$
$$P.L.P. = Primeros\ Libros\ de\ Poesía$$
$$T.A.P. = Tercera\ Antolojía\ Poética$$
$$L.I.P. \ = Libros\ Inéditos\ de\ Poesía$$

En algunos otros casos en que el título del libro era largo, hemos simplificado su cita mediante la palabra más significativa, y siempre en contextos que no se prestasen a confusión: *Diario* (de un poeta reciencasado); *Españoles* (de tres mundos), etc.

Como hacía el poeta, escribimos normalmente la palabra Obra con mayúscula para referirnos a su producción total, verso y prosa. Y siguiendo la tradición de los estudios juanramonianos, reproducimos la ortografía del poeta con fidelidad. Como es sabido, desde 1916 adoptó Juan Ramón una ortografía algo diferente de la usual, cuyas modificaciones principales son: sustitución de la grafía "ge", "gi" (fonema velar fricativo sordo) por "je", "ji", reservando la "g" para el fonema velar sonoro; supresión de la "h" en la exclamación ¡oh!; supresión de las implosivas *-p, -b,* en casos como "oscuro, setiembre"; reducción del grupo —ns— mediante supresión de la *n* trabante en casos como "mostruo", y de la *s* en casos como "inconciente"; y empleo de la grafía "s" en vez de "x" ante consonante, por ejemplo, "escelso".

Sobre esta cuestión hay una página aclaradora del poeta, publicada en sus últimos años en el periódico *Universidad*, de Puerto Rico, y en ella explica Juan Ramón que "cuando yo era niño, a fines del siglo XIX, un grupo de escritores distinguidos promovieron esta costumbre de simplificación ortográfica. El diccionario que yo usé siempre y sigo usando es el *Diccionario Enciclopédico de la Lengua Española* [...] ordenado por don Nemesio Fernández Cuesta. En él están escritas, como yo las escribo, todas las palabras que yo escribo como en él están escritas. Este diccionario era de uno de mis abuelos [...] En fin, escribo así porque yo soy muy testarudo, porque me divierte ir contra la Academia y para que los críticos se molesten conmigo [...] además de que para mí el capricho es lo más importante en nuestra vida." (*Estética y ética estética*, pp. 118-120.)

Lamentamos quebrantar en parte la leyenda sobre la extravagancia ortográfica de Juan Ramón difundiendo este texto —que prueba que "adoptó" y no inventó el sistema—, y sobre todo afirmando que *todas estas modificaciones* (salvo la reducción del grupo -ns- a -n-: "inconciente"), *son perfectamente fonéticas:* incluso alguna de ellas (casos "setiembre, oscuro") ha sido aceptada luego por la Real Academia. Y también lamentamos tener que desdecir algunas afirmaciones del poeta en el mismo texto: "Un tío mío, hombre de gran cultura [...] escribía así y me pidió que lo hiciera; y como me gustaba, lo hice. De modo que *como me acostumbré a escribir así desde niño,* me pareció absurdo escribir de otra manera." Puesto que esta ortografía aparece en la obra juanramoniana sólo en el umbral de su segunda época —1916—, y nunca aparece antes, tenemos que deducir: o que Juan Ramón elabora aquí otro capítulo de su leyenda personal, o que considera sus treinta y cinco años como plena infancia...

Finalmente, sólo nos queda advertir que, para aligerar nuestro estudio del mayor número posible de referencias bio-bibliográficas, damos en apéndice un esquemático prontuario de las fechas claves del poeta.

PRIMERA PARTE

LA AVENTURA DE AMAR

I

EL RECHAZO DE VIVIR Y EL MIEDO A MORIR: *RIMAS* (1901)

Desde el comienzo de la creación en verso de Juan Ramón, encontramos ya una de sus características: la irrealidad, la sustitución del mundo real externo por otro interno. Irrealidad total en la modernista *Ninfeas* y parcial en *Almas de violetas,* con más apoyaturas en el mundo moguereño que le rodea. *Rimas,* el primer libro aceptado por el poeta (quien condenó al olvido a los dos anteriores, incluyendo en *Rimas* los poemas que le parecían aún válidos de ellos), parte de esta irrealidad parcial de *Almas de violetas* —la transmisión de ambientes moguereños existe también, traídos por el recuerdo, y yuxtapuestos a los aires franceses que rodean al poeta—, pero la realidad está filtrada doblemente: la realidad de sus recuerdos está filtrada por la nostalgia, y la realidad de su presente francés, por su situación de recluido en un hospital psiquiátrico.

En una conocida "Autobiografía", que Juan Ramón escribió para la revista *Renacimiento,* en 1907, el poeta localiza *Rimas* en sus "veinte años" y en su contexto de enfermedad: "... la muerte de mi padre [en 1900] inundó mi alma de una preocupación sombría; de pronto, una noche sentí que me ahogaba y caí al suelo; este ataque se repitió en los siguientes días; tuve un profundo temor a una muerte repentina [...]. Me llené de un misticismo inquieto y avasallador; fui a las procesiones, rompí todo un libro [...] y me llevaron al Sanatorio de Castel d'Andorte, en Le Bouscat, Bordeaux. Allí, en un jardín, escribí *Rimas,* que publiqué en Madrid el año siguiente. Era el libro de mis veinte años."[1]

Así es como el tema de la muerte hace su aparición oficial en la Obra. Pero, curiosamente, no es la muerte *del padre* la que importa en realidad al poeta, sino la suya propia. Y por eso, en todo el libro de *Rimas,* entre multitud de poemas a niños o niñas muertos, sólo en dos ocasiones se hace eco de la tragedia familiar[2]: en un verso del poema 56, y en seis versos del

---

[1] *Renacimiento,* II, p. 426.

[2] Más adelante, en los libros de prosa —en "Vida y época", 1910-1954—, hablará Juan Ramón algo sobre el que le dio la vida: en "Mi padre" y "Las tarjetas" (*Libros de Prosa,* Madrid, Aguilar, 1969,

31, "Sombras": "En un sillón vacío vagan gestos / y miradas que lloran y recuerdan", etc. En cambio, cantidad de poemas hablan de un niño muerto, de una niña muerta, del cementerio de los niños, etc. Casi podríamos decir que son éstos los que dan el tono propio a *Rimas,* frente a las fantásticas *Ninfeas* y a las semejantes pero dispersas *Almas de violetas.* Y los interpretamos precisamente como "desplazamientos" de su terror a morir *él,* Juan Ramón, casi en la infancia. Repitiendo una y otra vez el tema, espera habituarse a la idea, domesticarla —casi diríamos conjurarla—, como hará luego con mayor intensidad en su segunda época. Y viéndolo "desde fuera", proyectado en imágenes de niños y niñas, extraer toda la belleza patética del tema y hacerla revertir sobre la poética pena de su espíritu.

Porque hay un curioso deseo por todo el libro —como por todos los otros de la primera época— de sentirse triste, y de complacerse en la melancolía:

> *Y me dijo mi alma: ¿Por qué quieres*
> *esta noche alegrar tu corazón?*
> *¿No es más dulce que el mundo de la dicha*
> *el mundo del dolor?*
> ....
> *Miré a lo lejos, dentro de mi vida,*
> *y comprendí tan plácida verdad;*
> *y le dije a mis labios: ¿Qué es más dulce:*
> *sonreír o llorar?*
>
> (P.L.P., p. 72.)[3]

El libro entero está atravesado por dos manifestaciones de sentimiento: la sonrisa y el llanto. Pero no antitéticas, sino complementarias: "Murió riendo el niño" (p. 125), "llorando sonreía" (p. 130), "y mi llanto trocóse en sonrisa de inmenso pesar" (p. 193), etc. Hasta la inocente niña, asesinada por el amante celoso, muere "sonriendo, sonriendo" (p. 94). El joven poeta debía, por encima de toda verosimilitud, encontrar en esta si-

---

pp. 1193-1194). Pero, en este momento, tenemos la impresión de que la muerte de su padre fue más bien un alivio para el poeta, ya que era él el único de la familia que le obligaba a estudiar. Y como reacción inconsciente contra esa agresividad no expresada, al morir su padre el poeta se culpabiliza y manifiesta de manera aparatosa en la vida su "duelo": para que no queden dudas (a los demás) de cuánto sintió la muerte de su padre. Sin embargo, ni *Rimas* ni los textos en prosa ni el resto de la Obra recoge sentimientos de amor filial. (La Obra, más que la biografía, espeja la verdad profunda de Juan Ramón.)

[3] Otros poemas representativos de este mismo regusto por sufrir (en abstracto) son el 1, el 6 ("Triste amor"), el 12 ("Primavera y sentimiento") y el 64 ("A mis penas").

tuación el sublime patetismo que la vida normal no le brindaba. Y que era consciente del regusto de las lágrimas nos lo prueba uno de sus aforismos: "Quiero hacer belleza triste, aun a costa de mi misma vida" ("Notas", 1907-1917, en *Libros de Prosa,* 1, p. 754).

Irrealidad, patetismo de sonrisas llorosas, niños muertos ... Tal vez por todo esto la imagen de sí mismo que el poeta nos pasa en *Rimas* no es la de un joven de veinte años, sino la de un adolescente triste, casi un niño —no más allá de los quince años—. Y algunos poemas, extremos en el libro, nos resultan cómicos a fuerza de ingenuidad, como el de "Florecita" y el "Cuento" de la blanca reina a la que le nace inesperadamente (?) un hijo negro, el cual, al sentir el rechazo de su madre, se muere de pena sin más preámbulos.

Ingenuidad y desamparo, añadido a una concepción de la realidad como inmunda ("¿por qué el cielo purísimo / se mancha al reflejarse / en la inmundicia lóbrega del lago?", [p. 196])[4]. El mundo es tan repulsivo, que la muerte de los niños es bendición para ellos: "¡Silencio!, que no vea / las cosas de aquí abajo, / [...] y al despertar riendo / en ese cielo mágico, / en ese claro cielo / que, niños, nos forjamos, / que no, que no se acuerde / de que en el mundo estuvo desterrado!" (pp. 125-126).

Ante la realidad hostil, la única salida que encuentra el joven Juan Ramón es la huida hacia dentro, el rechazo de vivir, el sustituir la vida real por un vivir en sueños:

> *Yo amo a los soñadores cuyas almas*
> *tienen sus ojos a la nada abiertos,*
> *esperando que pasen las quimeras*
> *para brindarles vida y sentimiento.*
> (P. 110.)

Vivir hacia dentro. El enclaustramiento del poeta a lo largo de toda su vida —en sus pensiones madrileñas, en la soledad de su pueblo, en la soledad acompañada de sus pisos de Madrid junto a su mujer—, ¿no es la manifestación de ese no querer integrarse a la vida de todos?[5]. Y, con proce-

---

[4] Este poema apareció por primera vez en *Ninfeas.* La concepción del mundo como hostil y negativo, pues, no data de *Rimas,* sino que es consustancial con la palabra juanramoniana, y sólo *Animal de fondo* escapará a esta constante.

[5] En este punto, como en otros muchos, Juan Ramón coincide —de modo involuntario, nos parece— con el movimiento simbolista. (Recuérdese la frase de Villiers de l'Isle-Adam: "¿La vida? Nuestros criados la vivirán por nosotros...") Para los simbolistas, la exploración de la vida es inútil y vulgar; la única posible exploración es el arte, el sueño, la imaginación y el no-ser. Estar desconectado de la

dimiento típicamente suyo, anular la realidad externa es negarla e interiorizarla:

> *He sentido que la vida se ha apagado:*
> *sólo viven los latidos de mi pecho:*
> *es que el mundo está en mi alma;*
> *las ciudades son ensueños.*
>
> (P. 102.)

Crear un mundo más bello y menos terrible que el real[6]. Y así, prolongando la línea modernista de *Ninfeas,* Juan Ramón empieza a crear sus paisajes interiores. La espléndida naturaleza de Arcachon, el castillo de Sauveterre-de-Béarn y el refinamiento de la cultura francesa, confluyen en poemas donde el exotismo domina: valles perdidos, caballeros, orgías,

---

vida es para los simbolistas un fin en sí mismo, y un medio para entrar en el templo esotérico donde sólo unos pocos iniciados entran. Otras analogías entre Juan Ramón y los simbolistas: 1.º) Superar el romanticismo decimonónico para crear efectos ultrarrománticos. 2.º) Afirmación de un mundo de belleza ideal que puede realizarse a través del arte. 3.º) La Poesía es una especie de religión que pide la devoción absoluta de sus seguidores. 4.º) Filosóficamente, los idealistas alemanes (Kant y Hegel sobre todo) son los guías del simbolismo, más algunos otros de tendencias místicas más o menos heterodoxas: Swedenborg, Boehme, Blake. En conjunto, el subjetivismo o idealismo extremo predomina, y Juan Ramón hubiera podido hacer suya la frase de Bradley: "Nothing in the end is real but what is felt, and for me, nothing in the end is real but what I feel". 5.º) La música es preocupación común de los simbolistas (y de Juan Ramón a partir de *Arias tristes):* es el arte más próximo a la poesía, y proporciona al poeta una indefinida sugerencia de estados emotivos vagos que favorecen el nacimiento de la experiencia poética. 6.º) Como Poe en sus escritos teóricos, Juan Ramón en sus aforismos separa la verdad y la belleza, y afirma la superioridad de esta última. 7.º) Como Poe, Juan Ramón (menos en "Espacio") considera al poema corto como el medio lírico por excelencia: el poema corto es la expresión de una sola emoción o de un estado anímico determinado. 8.º) También Juan Ramón (en su primera época sobre todo) puede hacer suyas las palabras de Poe: "Beauty of whatever kind, in its supreme development, invariably excites the sensitive soul to tears. Melancholy is thus the most legitimate of all the poetic tones." Y de hecho, hacia el final de su vida, Juan Ramón escribe: "Yo lloro siempre que la belleza aparece frente a mí [...] El acto de llorar es un acto poético, y por eso no lo he eludido nunca en mi vida ni en mi escritura." 9.º) Finalmente, encontramos grandes analogías entre otro de los filósofos predilectos del Simbolismo, Schopenhauer, y Juan Ramón en su segunda época: para Schopenhauer la contemplación de la Idea o forma eterna hace que el individuo pierda su individualidad y se vuelva puro, sin dolor, sin voluntad (Juan Ramón: "sin esfuerzo") y fuera del tiempo.

(Sobre Simbolismo, vid.: Guy Michaud, *Message poétique du Symbolisme,* Paris, Librairie Nizet, 1961; Joseph Chiari, *Symbolism from Poe to Mallarmé. The Growth of a Myth,* London, Rockliff, 1956. El simbolismo y, sobre todo, los procedimientos estilísticos simbolistas de Juan Ramón, han sido estudiados por Emmy Neddermann, *Die symbolistichen Stilelemente im Werke von Juan Ramón Jiménez,* Hamburg, Seminar für Romanische Sprachen und Kultur, 1935. Cf. también "Juan Ramón Jiménez, sus vivencias y sus tendencias simbolistas", en *Nosotros,* Buenos Aires, 1936.)

[6] Años más tarde, en "La alameda verde" (1906-1912), escribirá Juan Ramón: "Me dicen: ¿por qué no sales a la vida? Te dará nuevas emociones... ¡Bah! Estoy creando un nuevo universo." (*Libros de Prosa,* 1, p. 486.)

ahorcados[7], gitanos, becqueriana amada ideal que huye por tupidos bosques, etc. Y, junto a este mundo "culturalista" en que el tiempo se anula mediante superposición de hechos legendarios, el mundo celeste en que el tiempo no existe: gasas, niebla, sueños, cielo, estrellas, ángeles... Lo exótico, lo fantástico, lo desconocido, el misterio: el mundo interior.

Enclaustramiento siempre, a lo largo de toda su vida. Huida de la realidad: mundo y hombres. Y como tarea, la creación de un mundo más bello, en soledad. Las cartas de Juan Ramón a Rubén Darío y a Antonio Machado repiten el tema casi obsesivamente: "¡Si yo tuviera esa libertad que todos tienen! Aquí estoy aislado completamente, y sólo veo a dos o tres personas. Todos son crueles. Me da miedo conocer gente nueva; sueño que cada uno trae un fondo de espinas, y nosotros, los que somos de cristal, de flores, de cosas sutiles y frágiles, no podemos resistir mucho; pronto la vida se cerca de hilos blancos —usted lo dice—; una ceniza de plata, como las amapolas marchitas" (Carta VI a R. Darío, *Cartas,* 1, 39)[8].

De este aislamiento en la soledad creadora se quejará siempre Juan Ramón. Pero, como mostraremos en el capítulo sobre *Animal de fondo,* la soledad del creador no es una tortura para él, sino una *necesidad de su espíritu,* anterior a la creación y no consecuencia de ella.

Y si el aislamiento juanramoniano es más profundo que el habitual en otros creadores (hospitales psiquiátricos, soledad del campo, soledad en pleno Madrid, etc.) es porque Juan Ramón representa las coordenadas creativas de manera absoluta y radical. Es el creador por antonomasia: el que se refugió en la enfermedad para realizar más libremente su imperativo interior de creación.

---

[7] El recuerdo del Baudelaire macabro y el de la "Ballade des pendus" de Villon se conjugan en el poema 47, "Si fuésemos malditos y colgados", con la asimilación colectiva de "poetas" a "malditos" y "ahorcados".

[8] Y mucho más tarde (¿1911?) en la carta a una mujer que desea dedicarse a la literatura, la malevolencia de la gente aparece desmesurada y caricaturizada. (*Cartas,* 1, Madrid, Aguilar, 1962, pp. 90-91.)

Sobre la "enfermedad" de Juan Ramón

Por el fragmento antes citado de la "Autobiografía" del poeta, podríamos pensar que fue la muerte de su padre la que desencadenó la neurosis juanramoniana. Pero las líneas anteriores a ese fragmento nos ponen en guardia: En su primer viaje a Madrid, en abril de 1900, Juan Ramón no resiste más de dos meses el contacto con "el mundo" y, tras dejarle a Villaespesa los manuscritos de *Ninfeas* y *Almas de violetas, "Me sentí muy enfermo* —dice—, y tuve que volver a mi casa; la muerte de mi padre inundó mi alma...", etc. Es decir, el sentirse "muy enfermo" es anterior a la muerte de su padre, aunque tras ésta empeore aún.

Y la biografía más completa de Juan Ramón, la de Graciela Palau, nos muestra los primeros signos de la "enfermedad": Al terminar sus estudios colegiales (hechos con los jesuitas de Puerto de Santa María, Cádiz), en 1896, Juan Ramón desea dedicarse a la pintura en Sevilla, pero su padre, hombre realista, quiere que asegure su futuro mediante una carrera universitaria, y le inclina a que estudie Leyes. Nuestro Juan Ramón de quince años va, pues, a Sevilla a estudiar Leyes y Pintura. Allí "descubre" la poesía leyendo a Bécquer, y empieza a enviar poemas a periódicos locales, que se los aceptan. Entonces abandona los estudios y se dedica a escribir. Naturalmente, le suspenden, y el problema se le plantea: ¿cómo enfrentarse con su firme y voluntarioso padre? *Entonces, enferma.* (Según la "Autobiografía" del poeta, a causa de sus desvelos sevillanos leyendo poesía y escribiendo, sufre los desmayos.) Y la familia, protegiendo al muchacho contra la firmeza del padre, lo retiene en casa, donde Juan Ramón se dedica libremente a su creación y a la correspondencia con los escritores de la época.

Para explicar el súbito surgimiento de la enfermedad en el poeta, no podemos echar en olvido una posible carga hereditaria: su madre, al nacer él, "padeció un choque de tipo neurótico, del cual tardó en reponerse; sabemos que estuvo mucho tiempo sin querer hablar"[9]. Pero es ahora, al recibir los suspensos y tener que enfrentarse con su padre, cuando la enfermedad se le desarrolla, y sufre "desmayos".

Lo primero que se nos ocurre pensar es que aparece la enfermedad de

---

[9] Carlos del Saz-Orozco, *Desarrollo del concepto de Dios en el pensamiento religioso de Juan Ramón Jiménez,* Madrid, Razón y Fe, 1966, p. 27. Cita unas inéditas "Lecciones sobre Juan Ramón Jiménez" de R. Gullón.

Juan Ramón precisamente en este momento como *protección* contra la esperable regañina de su padre[10]. Si nuestra hipótesis es cierta, esta enfermedad podría ser una neurosis histérica[11], y los desmayos, ataques catalépticos. (Véase la descripción de este estado, "que no es completamente inconsciente ni amnésico", en Henri Ey, P. Bernard y Ch. Brisset, *Manuel de Psychiatrie,* París, Masson, 1963[2], p. 399.)

Confirma nuestra modesta y profana opinión la doble versión que tenemos del gran estallido de la enfermedad al morir el padre. Oficialmente, Juan Ramón nos dice en *Renacimiento* que una noche sintió que se ahogaba y *cayó al suelo,* y *"este ataque se repitió en los siguientes días".* En cambio, en una carta a su hermana Victoria (que tuvo que ser testigo presencial de los desmayos de su hermano), con motivo de un desmayo que sufre Victoria en la iglesia, hacia el 1948, le dice: "Todos tenemos esa propensión. Papá murió de una embolia cerebral, yo he tenido tres durante mi vida: una de joven, en Moguer, *cuando me caí sin sentido sobre la cama,* con aquel dolor terrible en el pecho, y que fue una embolia coronaria; otra en Madrid en un pie, cuando amanecí con la mitad del pie derecho todo morado; y la última hace dos años, en el ojo derecho. Cuando las embolias son en partes menos importantes del cuerpo, son leves" *(Cartas,* 1, p. 204). Esta segunda versión, bastante menos dramática y probablemente la verdadera, no hace ninguna mención a otros ataques posteriores, y además coincide con el desmayo histérico, que es "pérdida de conocimiento con caída *no brutal"* (Ey, p. 395. La cursiva es nuestra).

Con la muerte del padre, hacia el que Juan Ramón debía de sentir agresividad más o menos consciente por simbolizar la autoridad externa que puede imponerle un orden (algo que le repugnará toda su vida), el poeta, movido por el sentimiento de culpabilidad, debió de extremar su enfermedad y caer en alguna descompensación psicótica, ya que su familia, por fin, se da cuenta de que la enfermedad del poeta no es física, sino psíquica, y le interna en el Sanatorio de Le Bouscat, dirigido por el Dr. La-

---

[10] Este mecanismo fue detectado por María Martínez Sierra años más tarde. En una carta al poeta, María le decía que era *"un niño de los que sabían ponerse enfermos a tiempo* para salirse con todos sus gustos y ganarse todos los mimos y hacer siempre su santa voluntad". (Cf. 6. Palau: *Vida y obra de Juan Ramón Jiménez,* Madrid, Gredos, 1974, p. 344. La cursiva es nuestra.)

[11] Siempre es arriesgado para un no profesional emitir una opinión así, y más aún a distancia, sin haber conocido personalmente al poeta. En el caso de Juan Ramón, el diagnóstico se complica además con rasgos *obsesivos* de personalidad, frecuentes *crisis depresivas neuróticas,* y alguna que otra *descompensación psicótica* en las edades críticas. Sin embargo, la gran mayoría de datos juanramonianos apuntan hacia la neurosis histérica, y, por otra parte, como pronto veremos, esta enfermedad puede dar cabida a todas esas otras manifestaciones patológicas.

lanne. Eufemísticamente, como siempre que el poeta se refiere a su enfermedad, dice "sanatorio", y no "manicomio", pero en algunas de sus primeras prosas (el cuento "La corneja", entre otras) la naturaleza del lugar queda clara. Juan Ramón se lamenta, como de costumbre, del corazón, que envía "poco impulso para mis piernas débiles", pero en cambio pinta a sus compañeros con fidelidad, como pobres locos: el hombre "empeñado en partir con los dientes las piedrecitas blancas del suelo enarenado"; la viejecilla que se cree una corneja y se encarama a los árboles, etc.[12]

De este estado mental anómalo hay que partir para comprender bien *Rimas*. Para interpretar textualmente poemas como el 19, "Nocturno", donde leemos:

> *Por los árboles henchidos de negruras*
> *hay terrores de unos monstruos soñolientos,*
> *de culebras colosales arrolladas*
> *y alacranes gigantescos;*
> *y parece que del fondo de las sendas*
> *unos hombres enlutados van saliendo.*

(P. 103.)

Y unos meses después, a fines de 1901, se traslada a España, a otro Sanatorio: El del Rosario, en Madrid, donde reside dos años, recibe los cuidados del Dr. Simarro, y escribe *Arias tristes*. En este libro (1901-1903) se aprecia aún fuertemente la enfermedad de Juan Ramón: en los poemas IV (p. 261), IX (p. 268), XII (p. 274) y XVII (p. 280). Básicamente, estos poemas narran la aparición reiterada de un hombre enlutado y silencioso, invisible para los demás, que atemoriza al poeta desde el jardín. Afloran también repetidamente las ideas suicidas[13]. Lo notable —y concordante con nuestra interpretación— es que los contemporáneos del poeta, que iban a visitarlo al Sanatorio del Rosario (es la época en que Juan Ramón funda con otros jóvenes amigos la revista "Helios") no lo percibiesen como realmente enfermo.

Entre 1903 y 1905 la mejoría debió de ser notable, pues el Dr. Si-

---

[12] *Libros de Prosa*, 1, pp. 109-118. F. Garfias afirma en el Prólogo que estas prosas debieron de ser escritas en 1903 ó 1904.

[13] Juan Ramón negará más tarde el haber estado enfermo en esta época. El 1 de enero de 1931, hablando con Juan Guerrero Ruiz, le confía a propósito del "Sanatorio del Retraído" (como él llamaba al del Rosario) "que él fue a vivir al sanatorio no porque estuviera enfermo sino porque necesitaba vivir entre árboles" (*Juan Ramón de viva voz*, Madrid, Insula, 1961, p. 69). Pero en cambio otro día, olvidado quizá de las palabras anteriores, le confiesa que tuvo "una neurastenia aguda como consecuencia de la muerte de su padre y que ésta fue la causa de sus estancias en el sanatorio"; *ibíd.*, p. 160.

marro se lo llevó a vivir con él, y también a otro futuro médico importante: Nicolás Achúcarro. De estos años son *Jardines lejanos* (1904-1911)
y *Pastorales* (1905), donde el mismo tétrico hombrecillo sigue apareciendo, así como las ideas suicidas, pero ya más atenuadamente (pp. 563 y
451). Cuál sería el estado del poeta en este período, podemos entreverlo
por una carta del Dr. Simarro a Juan Ramón el 8 de septiembre de 1904.
El poeta ha ido a pasar una corta temporada a Moguer, y para regresar a
Madrid el doctor le anima a que lo haga solo: "No es necesario que su
hermano de usted se moleste en acompañarle [...] pues usted puede muy
bien venir solo, con poco esfuerzo de voluntad que usted haga; y debe sin
duda hacerlo, *para conseguir más completo dominio de sí mismo y desva-
necer las obsesiones puramente imaginarias,* que no tienen más poder que
el que usted mismo les conceda."

Y en este estado de relativa normalidad siguió la mayor parte de su
vida: siempre consultando a los médicos sobre supuestas enfermedades, y
lleno de "manías" más o menos poéticas: la intolerancia a los ruidos y a
los olores, el insomnio, las quejas hipocondriacas, etc.[14] (El repertorio de
las enfermedades del poeta se encuentra detallado en el libro de Juan
Guerrero Ruiz: *Juan Ramón de viva voz.* Por él vemos que sus dos grandes temas de conversación eran su mal estado de salud y lo mucho que
trabajaba en su Obra.) A este estado de equilibrio precario en que vivirá,
muchos años, alude en la prosa "Mi loco" (sin fecha, ¿1920-1930?):

> Muchas veces he sentido dentro de mí como otro yo que empezaba a
> perder la razón o, más bien, como el comienzo, en su yo más profundo, de
> mi propia locura más superficial. Ese yo gritaba sin sentido y yo oía perfec-
> tamente sus gritos. Un segundo más y el otro yo profundo hubiera llegado
> a mi superficie.
> Pero siempre no he tenido *(sic)* fuerza suficiente para vencer o ven-
> cerme.[15]

---

[14] Sobre la evolución de la neurosis histérica dice H. Ey: "[elle] est comme toute névrose une
forme d'anomalie de la personnalité qui constitue une affection *chronique.* Sans doute la névrose reste-
t-elle *plus longtemps latente que manifeste* dans le cours de l'existence. Mais elle a *une tendance parti-
culière à s'exprimer* [...] *d'abord à un certain âge* (adolescence, puberté, puis à l'âge critique) et ensuite
à se renouveler à l'occasion de certaines situations pathogènes [...]. La névrose elle-même évolue par
poussées et *tend souvent a se stabiliser sous forme mineure quand le sujet a pu acquérir malgré ses
défenses une maturité plus grande* [...]. Parfois cependant —mais rarement— la névrose hystérique
"tourne mal" et c'est le cas notamment des hystériques qui se dissocient et tombent dans la désagréga-
tion schizophrénique [...]. Il arribe aussi que des crises de "dépression névrotique" se rencontrent chez
les hystériques et prennent allure de véritables mélancolies"; *ibíd.,* pp. 405-406. (La cursiva es nuestra.)

[15] En *Estética y ética estética,* Madrid, Aguilar, 1967, p. 35. Nótese el estupendo *lapsus calami* del
poeta en el segundo párrafo de la cita. Frente a la relativa sinceridad analítica del primero, casi escrito

Después de su exilio en 1936, las crisis depresivas se hacen más frecuentes, y desde 1941 las hospitalizaciones se suceden hasta su muerte, separadas por períodos de respiro, en que la creatividad vuelve (como en 1948, en que escribe *Animal de fondo,* y en 1952, "Ríos que se van"). En estos años últimos las pérdidas de contacto con la realidad se hacen más frecuentes —aunque nunca regulares—: como el 13 de marzo de 1955, en que de pronto se pone a reprochar a Zenobia el haber tirado al suelo la carta que Goethe le escribió cuando tradujeron *Platero* al alemán [16], bien en su hospitalización de 1957 tras la muerte de Zenobia: confundía a la enfermera con su difunta madre; etc. Sin embargo, el estado más frecuente durante estos años es el neurótico: accesos de cólera, en que daba "gritos espeluznantes" y violentaba a Zenobia; crisis depresivas, con llanto, postración, trastornos digestivos, rechazo de la comida y (aparente) desinterés por lo que sucedía a su alrededor, etc. Todo ello manifestaciones de la neurosis histérica, agravada en estos años.

El diagnóstico de los médicos que visitaron al poeta en este período (según los datos recogidos por R. Gullón en *El último Juan Ramón Jiménez*) debía de ir en este mismo sentido, pues aconsejaron a Zenobia "no mostrarse tan pendiente de Juan Ramón" (p. 134). Y el eminente psiquiatra Miguel Prados, hermano del poeta Emilio Prados, que había ido desde Canadá para visitarle en 1955, recomendó también a Zenobia que no consintiera a Juan Ramón "ni malas palabras ni violencia de ningún género" y que hiciera una vida normal, sin concesiones. Y en efecto, las pocas veces que la amable Zenobia obró con firmeza (dejándole solo cuando el poeta comenzaba una de sus crisis, o haciendo un pequeño viaje sola para que durante su ausencia se tranquilizase Juan Ramón) el resultado fue excelente. Pero la gran mayoría de las veces no podía, como cuando: "Enferma con gripe, tuvo que acudir al Auxilio Mutuo donde Juan Ramón llevaba doce días hospitalizado; la obligó a dejar la cama, a fuerza de requerimientos telefónicos, haciéndole pasar la noche a su lado". (Gullón, *ibíd.,* p. 135). (Es sabido que la capacidad de "manipulación" que tienen los enfermos histéricos es inigualable, y por otra parte siempre encuentran personas que se presten a ellas: "Les bénéfices secondaires de la

---

para sí mismo, el segundo está escrito para los lectores. Quiere una vez más enmascarar su enfermedad, decirnos que con su voluntad siempre ha logrado controlar su locura; pero su inconsciente le juega la pasada de hacerle escribir lo que él piensa de verdad: "siempre *no* he tenido fuerza suficiente..." (Sobre la sinceridad de los lapsus es clásico el estudio de Freud, *Psicopatología de la vida cotidiana,* en *Obras Completas de Freud,* Madrid, Biblioteca Nueva, 1948, pp. 627-766.)

[16] En R. Gullón: *El último Juan Ramón Jiménez,* Madrid, Alfaguara, 1968, p. 138.

névrose rivent ainsi le névrosé à sa névrose et le portent à réduire son entourage dans l'esclavage de ses caprices" dice H. Ey, p. 406.)

El mismo Gullón parece opinar en la misma línea: "... el desinterés de Juan Ramón por cuanto acontecía a su alrededor era más aparente que real; tan pronto como no se sentía observado, leía periódicos y revistas, abría paquetes, se enteraba de todo." (Ibíd., p. 140) "Es difícil precisar dónde acababa la enfermedad y empezaba el antojo" (p. 141). (Esto es precisamente lo más irritante en las personalidades histéricas: el carácter de "simulación", de teatralidad. "C'est que l'hystérique en effet est un névrosé dont la symptomatologie est si expressive et intentionnelle qu'elle *paraît* être [...] purement psychique." (H. Ey, pp. 408-409.)

Pero, en fin, demos un salto atrás otra vez, hasta *Rimas,* para ver cómo el rechazo de vivir puede conjugarse con el temor a una muerte próxima (ya que en lógica estricta ambos términos se contradicen), y cómo la "enfermedad" juanramoniana incide sobre esta problemática.

En páginas anteriores hemos visto que los muchos niños que mueren en *Rimas* lo hacen "sonriendo". Porque el morir es menos trágico que el tener que vivir en un mundo hiriente. Y porque Juan Ramón en el fondo de sí mismo *sabe que no está amenazado de muerte,* sino de vida, sabe que tiene toda la vida por delante. Y por eso el temor a vivir suena en el libro con acentos más auténticos que el temor a morir. (Hasta en el detalle de que los que mueren son "los otros" niños: desplazamientos suyos, pero no él mismo. Y la única vez que se refiere a su propia muerte, en el poema 32, es para explotar la idea: se lo dice a su novia-niña para provocar la ilimitada ternura compasiva de ella.)

El temor a vivir (tener que integrarse en un mundo ajeno, sujeto a normas externas, y antipoético) nos parece más verdadero. Es, además, *anterior* al temor de morir: aparece ya en *Ninfeas.* Lo más importante, pues, para Juan Ramón es evitar su integración a la vida (carrera universitaria primero, trabajo constrictor después, normas sociales siempre), cosa que logrará escudándose en la enfermedad. Y el rasgo más divulgado de esta enfermedad será la manifestación de una obsesión por morirse en breve (no la obsesión en sí, que, como veremos por la Obra, le llega hacia los cuarenta años, más o menos como a todo el mundo, sino la *manifestación,* el despliegue del tema ante los demás): en la última parte de su vida no soportaba siquiera que le dijeran "Hasta mañana" al despedirse, y respondía que al día siguiente estaría muerto ya.

Pensamos también que el temor a vivir le hace a Juan Ramón agarrarse a una supuesta enfermedad *física* congénita que le servía de protección honrosa contra su integración a la vida: el "bloqueo cardiaco" o "embolia", como él la llamaba. Esta es la enfermedad, nunca confirmada por los médicos, que aparece a lo largo de toda la Obra en prosa y verso, y en la que el poeta parece que creyó —o quiso creer— firmemente, para no ver la etiología mental de sus males [17].

No podemos tampoco negar una base aparencial de realidad a los males "cardiacos" juanramonianos: taquicardia o bradicardia, algún desmayo confortable ("ataque cataléptico"), perder en alguna ocasión parcialmente la sensibilidad de las piernas ("anestesia"), etc. —de todo esto se quejó en diferentes momentos de su vida y de su obra—: La neurosis histérica o "de conversión" neutraliza la angustia "disfrazándola con expresiones psicosomáticas artificiales" (H. Ey, p. 355). Al ser la histeria una "neurosis caracterizada por la hiperexpresividad *somática* de las ideas, de las imágenes y de las pulsiones inconscientes" [18], actúa fácilmente sobre los fenómenos vitales y produce desarreglos.

Es, pues, el temor a vivir del poeta el que organiza en torno suyo un cortejo de defensas y males imaginarios. Y, por debajo de ese temor a la vida, el más profundo y real que el poeta tuvo, se extiende un gran misterio que se nos escapa sin remedio: ¿Es la creatividad (o el destino vocativo) la que moviliza para sus propios fines el temor a vivir del poeta, o bien es el temor a vivir el que desencadena la creatividad —y con ella la creación— de otro mundo interno y subjetivo?

Una religiosidad sin raíces

Ante la sistemática sustitución del mundo real por el interior, el lector cristiano puede decirnos: "Pero el mundo como valle de lágrimas no es, desgraciadamente, un descubrimiento de Juan Ramón. ¿No pudo sacar fuerzas de su religión católica para vivir, en vez de tener que soñarse un mundo?

No: el catolicismo de Juan Ramón, tal como aparece en *Rimas,* es vitalmente insuficiente. Es un cristianismo decorativo, modernista, en el poema "Vidriera". ("En la vidriera, Cristo eleva su agonía / hacia el azul,

---

[17] Cuenta Gullón que el día 26 de febrero de 1952, Zenobia anotaba en su Diario: "Juan Ramón y yo hemos pasado, cada uno, por una fuerte crisis. El de locura; lo mío, cáncer. Pero creo que el sufrimiento por lo de él fue infinitamente mayor." Y el poeta tachó la palabra "locura" y puso encima: "corazón".

[18] H. Ey, ob. cit., p. 393. (Cursiva y traducción, nuestras.)

soñando con almas virginales / que miren tras los cielos de la melancolía / un lírico triunfo de soles orientales".) O es sentimiento pueril, como en el poema "Solo", donde el poeta se desespera porque han trasladado *la imagen* de la Virgen desde la ermita hasta el pueblo con motivo de una procesión[19]. O, lo que es peor, es una religión masoquista:

¡Qué inefable la calma de la eterna penumbra
de aquel templo! Mi alma pudo allí sonreír...
Es que Dios nos alegra, es que Dios nos alumbra
cuando ve que queremos padecer y sufrir.

...

¡Es que el alma florece cuando anhela martirios,
cuando amante y rendida se somete al dolor
y desdeña el perfume de los regios delirios
y se eleva al azul delirante de amor.

(P. 182.)[20]

A los veinte años, entender el catolicismo de este modo significa haberlo descartado ya como fuerza de vida. ¿No vio el poeta a su alrededor ejemplos vivos de religión evangélicamente vivida? Tal vez los hubiera, pero él no los vio porque *no podía verlos* (como no lo vio siquiera en su propia mujer, más tarde): no era receptivo para el cristianismo. Era impermeable al carácter activo y al carácter alterocéntrico ("ama a Dios sobre todas las cosas y al prójimo como a ti mismo") del mensaje evangélico. Su religiosidad es más bien un cosquilleo sentimental gratificante que empieza en el Misterio y termina en sí mismo, o al revés. Algo no racional sino emotivo; algo en lo que los demás no entran; algo como

---

[19] La presencia de la Virgen parece ser la más frecuente y perdurable en la obra juanramoniana; pero en seguida notamos que no es el carácter divino lo que el poeta busca en ella, ni la objetividad mariana del Evangelio, sino la imagen de *mujer ideal.* Así, en *Pastorales* (1905), narrando el poeta uno de sus muchos momentos de tristeza y soledad, sin sus novias antiguas, exclama: "...la Virgen ya no me quiere, / ¿en dónde estará Francina? / Estrellita no ha venido, / no ha venido Florecita." (P. 646.) O en otro poema (p. 539), la Virgen está puesta, junto con Caperucita, los elfos y una tal Estrellita, al mismo nivel de mitología personal esteticista: "Todo en la noche es olvido, / ...¿Es la Virgen? ¿Es que pasa / el alma de algún cabrero / [...] ¿Era Estrellita? ¿Lloró / la Caperucita? ¿Blancas / sombras llenaban el valle? / ¿Danzaban los elfos danzas", / etc. Y más adelante, en *Las hojas verdes* (1906), poema "Otra novia blanca", dice blasfemamente hablando de una de sus amadas: "No me atreví a acariciar / la blancura de sus manos... / Vistió de virgen María / para mi espíritu santo; / y mi amor pasó en silencio / por su cuerpo inmaculado, / como el sol por un cristal, / sin romperlo ni mancharlo." (P. 716.) Y otra irreverencia, en *Pastorales*, p. 685.

[20] Vemos una relación entre el carácter masoquista de esta religiosidad y el regusto de sufrir ("¡Penas mías, yo os bendigo! / ¡Yo os bendigo, penas mías, / negras tablas salvadoras / del perfume de mi vida!", pp. 184-185). Y también entre estos dos elementos y el sentimiento extraño de culpabilidad del poema 27.

una ilusión de mística sin previa ascesis. Con esta base espiritual, no podía evidentemente encajar ni en el cristianismo ni en otras religiones en que las ideas de "esfuerzo" y de "actuar en favor de los demás" fueran importantes. Y por eso creemos que la creación de una religión propia con un dios personal e intransferible, casi cincuenta años más tarde, fue para Juan Ramón no un capricho[21], sino una necesidad de su espíritu. Pero en 1901, cuando otro problema más cercano —el ansia de ser amado— le acosa, la creación de un dios que le anulase la fealdad del mundo hubiera sido prematura.

Un amor fugaz y otro fugacísimo

Por las páginas de *Rimas,* compensando la soledad fría del presente, notamos algo de vida verdadera: una historia sentimental. Nada menos que dieciséis poemas nos la dan: los que llevan los números 4, 5, 6, 7, 8, 10, 18, 27, 32, 39, 41, 55, 60, 63, 67 y 70. El lenguaje es casi siempre sencillo, directo; la estrofa preferida, el romance dividido en cuartetas; la emoción deriva del contenido vivido, de la ingenuidad y de la sinceridad de la anécdota. El poeta nos da la historia punto por punto, y si la crítica (al menos la que hemos consultado) no la ha recogido, debe de ser porque ya en esta temprana obra Juan Ramón pone en juego uno de sus procedimientos compositivos favoritos: dislocar la continuidad lógica de los poemas, diseminar la historia por el libro como piezas revueltas de un rompecabezas, para alejar al libro de la comprensión inmediata[22].

Los puntos de referencia de la historia están, sin embargo, claros: 1.º Época feliz. Él y ella, niños todavía, se hacen novios un día de otoño y él inaugura el noviazgo dándole un beso en la mejilla, el primero que ella

---

[21] Luis Cernuda, en el capítulo que dedica a Juan Ramón en sus *Estudios sobre Poesía Española Contemporánea* (Madrid, Guadarrama, 1957) habla de la "inconsciencia de lo divino" en Juan Ramón por la superficialidad esencial de su carácter, y sugiere que creó *Animal de fondo* por seguir la moda literaria de los jóvenes. Lamentamos disentir de crítico tan amargo como agudo. En nuestra opinión, el espíritu juanramoniano no puede aceptar ni siquiera recibir el mensaje cristiano; pero al mismo tiempo el problema religioso le acucia: cuando su "yo" o su imagen interna están gravemente amenazados.

[22] En sus conversaciones con Juan Guerrero, el 28 de abril de 1931, Juan Ramón le cuenta que el libro *Rimas* estaba originalmente dividido en tres partes, "Paisajes de la vida", "Primavera y sentimiento" y "Paisajes del corazón", y de esta última dice que "era poesía intimista", como aquella que empieza: "En el balcón, un momento". Pero Reina, Benavente y Pellicer le alteraron el orden de los poemas y el contenido del libro, añadiéndole poemas de los libros anteriores desechados por él (*Juan Ramón de viva voz,* p. 163). (Si esto es cierto, el poeta aprovecha la enseñanza para *Estío* y otros libros posteriores.)

recibe (poema 39); el poeta está radiante con el amor de ella; fuera, el otoño habla de la muerte, pero él lleva dentro la primavera (poema 18); un día en que la casa está en penumbra y los demás no los ven, él vuelve a besarla en la mejilla (poema 4); al regreso de una excursión campestre, y aprovechando la distracción de los compañeros, se besan de nuevo (poema 41); en la mañana fría de otoño él le confía su espíritu triste y ella le confiesa que le quería desde hacía mucho (poema 67).

2.º Época de despego del poeta. Él le dice que va a morirse pronto, lo cual provoca en ella "lágrimas de una ternura infinita" (poema 32); al fin, él le confiesa que se va a ir del pueblo "a donde el cielo / esté más alto y no brillen / sobre mí tantos luceros" (poema 8). Ante novio tan poético y raro, la pobre niña "se quedó muda y triste / vagamente sonriendo". O bien "me envolvía con sus ojos / y llorando sonreía". El poeta se nos retrata aquí como enfermo, con poéticas manías, y amado pero no amante: muy "fin-du-siècle". Y, más representativamente aún, en el poema 10, inmortalizado más tarde en la *T.A.P.* como "Paisaje del corazón": "¿A qué quieres que te hable? / Deja, deja, / mira el cielo blanquecino, mira el campo / inundado de tristeza. / / Sí, te quiero mucho, mucho. / ¡Ay! aleja / tu mejilla de mis labios fatigados; / calla, calla, mi alma sueña." (P. 85.) Esta cruel autosuficiencia, esta actitud de Bradomín ensoñador, debía de considerarse en la literatura de entonces como exquisito refinamiento. Hoy el poema y la actitud nos resultan inaguantables. Pero nos queda una duda dentro: ¿Escribe esto Juan Ramón por esnobismo de época, como transcripción directa de sus sentimientos *vividos* entonces, o para castigarse a sí mismo presentándonos una imagen antipática? Tal vez confluyan los tres motivos en el impulso creador.

3.º Epoca de abandono. La niña por fin reacciona (poema 60) y demuestra al poeta que le conoce mejor que él mismo:

> —No me quieres —me dijo de nuevo—,
> ya tu amor me ha olvidado;
> yo no soy tu ideal; tu quisieras
> el cariño de algún ser extraño,
> de algún ser de otro mundo,
> pero ¡yo te amo
> más que nadie adorarte pudiera!
> ....
>
> —¿Y si yo me muero? —dijo sonriendo,
> sonriendo con un dejo amargo—;
> y si yo me muero,

¿podré ser tu ideal adorado?
—No sé —respondíle.

....

La besé distraído;
me besó sollozando.

(Pp. 177-178.)

A partir de aquí, la fantasía (y la culpabilidad) se le desbridan a Juan Ramón: de tanto llorar, la "pobrecita" pierde "sus ojos risueños" (poema 55); ella va a morirse en el otoño próximo (núm. 6: "Triste amor"); él, desde su destierro francés, va a besarla en espíritu (núm. 5: "Llanto"), porque "Yo he soñado que la pobre / se está muriendo de pena"; se muere, en efecto, y mientras ella se queda sola en su tumba (núm. 63), pudriéndose con todo lujo de detalles (núm. 27), él se siente culpabilísimo y le renace la añoranza de ella, mejor dicho, del amor tan enorme que ella sentía por él, ahora que nadie le quiere (núms. 27 y 7, "Noche de mayo").

Hay demasiado romanticismo adolescente en la conclusión de la historia —indicio de irrealidad—. Más próximo a lo que pudo ser el fin verdadero de ella, nos parece, en cambio, el poema 70, encantador en su expresión directa, como los del primer grupo. El la ve a la puerta de su casa ("tras la verja / de su jardín", magnifica Juan Ramón) y:

Al soñar en su inocencia
y en mi injusto alejamiento,
hubo una lluvia de lágrimas
en el mundo de mis sueños.
Ella acarició mis ojos
con sus ojos, desde lejos;
cuando yo miré los suyos
miró avergonzada al suelo.
Y me acerqué melancólico,
lleno de remordimiento,
porque una voz me decía
desde el alma: no eres bueno.

....

Ella no alzaba los ojos,
y le dije: Te prometo,
si perdonas mis agravios,
cambiarte por mis ensueños.
Sentí el amor de otros días,
le hablé con labios de fuego,
y ella siguió seria y triste
mirando al suelo en silencio.

(Pp. 194-195.)

Este fue seguramente el final. Y ecos, reviviscencias de este episodio sentimental, vuelven a aparecer en los libros siguientes. Por ejemplo, en *Jardines lejanos,* p. 487, o en *Elegías,* p. 850; incluso mucho más tarde, en 1911-1912, cuando el poeta recapitula en "Libros de amor" sus historias vividas y pasadas: Nos referimos a dos poemas de la parte I, "Pasión primera": "¡Oh, blancura infinita que te vas para siempre", y "En la tarde de lluvia, íbamos paseando"[23]. Lo que representa esta "pasión primera" en el complejo mundo sentimental del poeta es el amor blanco, la inocencia enamorada, anterior al empantanamiento de erotismo y culpabilidad que va a llenar el resto de su primera época hasta que su mujer definitiva, Zenobia, le devuelva la idea de amor limpio.

Quién fue la persona real que le inspiró este amor, no podemos decirlo con certeza absoluta. Por la excelente biografía de Graciela Palau de Nemes, *Vida y obra de Juan Ramón Jiménez*[24], que nos sirve de guía en este estudio, sabemos que el poeta tuvo gran precocidad afectiva: a los catorce años, antes de ir a estudiar pintura a Sevilla en 1896, ya se hace novio de Blanca Hernández-Pinzón, con la que mantendrá relaciones hasta 1911, en que ella por fin le deja para casarse con otro. Pero antes de sus catorce años fue novio durante "poco tiempo" de una niña, María Teresa Flores.

Entonces, es seguramente el recuerdo de este amor el rememorado en 1901, cinco o seis años más tarde, solo, o bien mezclado al recuerdo de los primeros tiempos con Blanca[25]. Un amor limpio y fugaz.

Pero todavía más fugaz es otro semiamor, contemporáneo o poco anterior al inspirado por María Teresa Flores, y cuya huella aparece tanto en *Almas de violetas* como en *Rimas*[26] : el dirigido a una joven de veinte años mientras él todavía es un niño de doce o trece:

---

[23] En *Libros Inéditos de Poesía,* 2, Madrid, Aguilar, 1964, pp. 407 y 414. A estos dos quizá podría añadírsele un tercero: "Tus piernas eran finas y tus pechos pequeños" (p. 411), pero nos parece que éste es simétrico y antitético con el poema siguiente: "Te han crecido los pechos en esta primavera", representando en una especie de díptico dos momentos de su largo noviazgo con Blanca Hernández-Pinzón: los primeros tiempos (cuando Juan Ramón tenía catorce años y ella más o menos igual) y un momento próximo al presente, 1911.

[24] Madrid, Gredos, 1957. Después de tener escrito nuestro trabajo llega a nuestras manos la segunda edición, completamente renovada, del libro *Vida y obra de Juan Ramón Jiménez,* 2 vols. 1974. La documentación de esta obra, que abarca hasta 1917, es admirable y lamentamos no haberla podido aprovechar más en nuestra redacción. Todas las citas, pues, que hacemos de la obra de G. Palau, salvo mención contraria, están tomadas de la primera edición.

[25] El hecho de que algunos poemas de esta serie aparecieran ya en *Almas de violetas* (1900) [el 55, el 18 (titulado allí "Azul") y el 27 (con el título de "Elegíaca")] confirma el carácter de rememoración de todo el ciclo.

[26] Poema 14 en *Rimas* y titulado "Nívea" en *Almas de violetas.*

> *Cuando la bella dio las veinte rosas*
> *de su vida al amante triunfador*
> ....
>
> *El niño se murió de sentimiento;*
> *el mundo sonreía de su amor:*
> *el mundo cree que los pobres niños*
> *no tienen corazón.*
>
> (Núm. 30, p. 127.)

Al sentirse ignorado por "la bella" y suplantado por un mozo hecho y derecho, la reacción del niño Juan Ramón es doble: *a*) Imaginativamente —por compensación—, él es el correspondido, y el mozo, "ciego de rabia y de celos" mata a la joven (poema 14), y *b*) más cerca de la realidad, decide olvidarla, lleno de despecho, como si estuviera muerta (poema 43, "Muerta"). En un caso y en otro, ella muere y no hay más. Pero años más tarde, con esa capacidad rememorante que compensó en Juan Ramón el retraimiento de la vida, la figura de esta joven moguereña de veinte años aflora una y otra vez. En los aforismos: "... algo inmenso, desconsolador y doloroso, como ese amor que a veces siente un niño por una mujer..." ("Paisajes líricos", 1906-1912). O en 1916, en el *Diario de un poeta reciencasado,* con fecha de 26 de enero, en el cementerio de Moguer:

> *Veinte años tienes en la muerte.*
> *Eres ya una mujer —¡qué hermosa eres!—*
> *Veinte años... ¡Te pareces a esta aurora*
> *bella y fría! —¡qué pura!—, ¡tierra y gloria.*
>
> (*L.P.*, p. 224.)

O mucho más adelante, en el cuento *El Zaratán*[27], bajo el nombre de Cinta Marín —de la que "Josefito Figuraciones" (el niño Juan Ramón) está platónicamente enamorado—, condenada a muerte por el cáncer.

Amor fugacísimo en la realidad; amor persistente en la Obra. Este episodio nos ayuda a comprender cómo funciona la creatividad juanramoniana: tomando como punto de partida algo nimio real, el poeta lo ampli-

---

[27] Publicado en México, Imprenta de Bartolomé Costa-Amic, 1946. Aparece también en los *Libros de Prosa,* 1. (Madrid, Aguilar, 1969), dentro del libro *Por el cristal amarillo,* parte 9, "Casa azul marino" (1908-1933), pp. 1150-1156. Y en este mismo libro, p. 1143, aparece la prosa "Montemayorcita Jote", cuya figura tal vez podríamos identificar con la del "amor fugacísimo". G. Palau, en la segunda edición de *Vida y obra de Juan Ramón Jiménez,* pp. 229-230, conexiona a "Montemayorcita Jote" con Montemayor Díaz, costurera moguereña cuya belleza impresionaba al niño Juan Ramón, prematuramente muerta en Sevilla, mientras en la Obra aparece muerta en la "aldea" y olvidada de todos.

fica a medida que los años pasan, haciéndolo formar parte de su mundo interior, por el que se mueve quitando y poniendo con su fantasía, como un dios creador frente al caos del origen.

Amores del pasado, traídos por el recuerdo a la soledad y al enajenamiento del presente desterrado. Por eso contrastan tan vivamente con ese calor de vida de los recuerdos, los dos poemas claves de *Rimas,* poemas "gemelos" ya:

> *¡Nadie me besa, y a veces*
> *nostalgia de labios siento,*
> *y estoy siempre triste y solo*
> *con mis penas y mis versos!*
>   *Cuando vuelvo por las tardes*
> *pensativo y soñoliento,*
> *sobre mi espejo me inclino*
> *y me embriago de besos.*
>   (Núm. 37.)

> *Me da terror cuando miro*
> *mi imagen en un espejo;*
> *me parece que es la sombra*
> *de alguien que me va siguiendo.*
> ....
>   *Siento miedo de mí mismo,*
> *de mi imagen siento miedo,*
> *y queriendo desarmarla*
> *me doy a mí mismo un beso.*
>   (Núm. 51.)

Narcisismo consciente. (Procedimiento que empleará de ahora en adelante el poeta en los momentos desesperados de sus aventuras espirituales: al perder el amor definitivo, en *Estío,* o al desesperar de la vida eterna y necesitar un dios que le justifique su vida terrena: *Dios deseado y deseante.*)

Narcisismo, aquí, para compensar con amor interior desdoblado el miedo a la locura y a la soledad afectiva (el mismo Juan Ramón nos lo dice). Narcisismo a lo largo de los numerosos "amores", reales y soñados, que llenan los libros de su primera época: lo que a Juan Ramón interesa no es la objetividad de la amada, la alteridad, sino *el reflejo de sí mismo en la mujer,* la imagen de sí mismo que ella le devuelve.

Y, además, la carne de ella.

II

EROTISMO Y CULPABILIDAD (1903-1913)

"Creo que los aspectos eróticos de la poesía de J.R.J. merecen ser subrayados[...] por una simple razón: porque están ocupando en su obra más espacio del que puede parecer", nos dice Angel González en su penetrante libro[1]. Cierto. Ocupan casi dos terceras partes de la obra en verso juanramoniana: Son el tema principal de toda la primera época[2].

La búsqueda del amor verdadero, no encontrado hasta *Estío* (1915), llena toda la juventud del poeta: la época de su mayor fecundidad. Libros y libros giran, con diferentes matices, historias y estados de ánimo, en torno al mismo tema. Respondiendo quizás a ciertas críticas en este sentido, Juan Ramón escribía en "La alameda verde" (1906-1912): "Alguien, por las repeticiones de ciertas emociones en mis versos, ha hablado de pobreza ideológica. ¡No! Son obsesiones, sencillamente." (*Libros de Prosa*, 1, p. 488.) Sí, girar obsesivamente en torno al problema que le preocupa, asediarlo desde ángulos diferentes a lo largo de años y años: es el procedimiento central del poeta, el que le hace ir escalonando su obra como aventuras sucesivas, paso previo cada una de ellas para la siguiente. Y la primera, la recogida en más libros (aunque no la más larga): la aventura del amor.

Es cierto que esta aventura no se presentaba como cosa fácil. En favor del poeta ante las mujeres estaban el buen parecido físico (que tanto estimaba el propio Juan Ramón[3]) y, sobre todo, su doliente hipersensibilidad romántica. Ambas cosas, más su vida de señorito que vive de sus rentas, debían de darle un notable encanto donjuanesco, que no pasó inadvertido para el propio poeta: la forma como él trata a sus "pobres" novias revela que Juan Ramón se sentía "superior" (A. González), con todas las bazas en la mano. Se personifica en *Pastorales* reiteradamente como un tal

---

[1] *Juan Ramón Jiménez*, Madrid, Ediciones Júcar, 1973, p. 160.

[2] En *Primeros libros de poesía*, 1540 páginas; y en *Libros inéditos de poesía* 1 y 2, 447 y 451 páginas respectivamente. Frente a la segunda época, con 1355 páginas, de los *Libros de poesía* y 139 más en la *Tercera Antolojía Poética* correspondientes a los poemas del exilio.

[3] En casi todos los libros juanramonianos hay alguna alusión a su propia belleza (los "ojazos negros" son los que más piropos reciben). Como ejemplo, basten estos versos de *Laberinto*, poema XIV: "El terciopelo negro de mi traje se hacía / más negro y mi doblada mejilla de jacinto / era una rosa virgen, mate, triste, sin sangre, / a la vehemente fuga del crepúsculo lívido..."

30

"Galán", e incluso a veces se identifica con el Don Juan legendario[4]: en la "Balada de Don Juan y Desdémona" ("Balada para después", *Libros de prosa,* p. 392).

Eso en cuanto al impacto que hacía en sus pobres novias. Pero el problema estaba —narcisistamente, otra vez— en lo inverso: en el impacto que las mujeres hacían en él. A la manera de Don Juan, se inflamaba rápido —de ahí las muchas mujeres de sus obras y de su vida—, pero se desencantaba de ellas rápidamente también: la pasión no iba asociada al amor, y era éste lo que el poeta buscaba en realidad. Por otra parte —y aquí está seguramente el fondo del problema—, el desequilibrio psíquico del poeta y su falta de religiosidad (o de normas éticas) le dejaban a merced del capricho fluctuante de su ánimo. Y tan pronto como el deseo se despierta en él (en *Arias tristes*[5], aumentando en *Jardines lejanos*), el amor se convierte en enorme problema por la disociación cuerpo-alma que divide su ser: a la manera trovadoresca, el cuerpo aspira a satisfacciones inmediatas reprobadas a continuación por el alma, y el alma aspira a amadas imposibles que el cuerpo nunca podrá hacer suyas. En cualquier caso, ninguna mujer puede dar gusto simultáneamente a ambos. Y ésta es la problemática esencial de toda la primera época juanramoniana hasta que el amor definitivo se instala en su vida con los *Sonetos Espirituales* y, sobre todo, *Estío* (1915)[6].

Lo curioso del erotismo juanramoniano es el carácter de *irrealidad* que consigue sugerir. Esto explica, nos parece, el persistente espejismo de la crítica sobre el platonismo de los amores juanramonianos; explica en parte el infundado rumor —criticado por Sánchez Barbudo— sobre la ho-

---

[4] Sobre el donjuanismo de las personalidades histéricas —enmascaramiento de la insatisfacción sexual— ver H. Ey, ob. cit., p. 404. Por su parte, la 2.ª edición del citado libro de G. Palau suministra abundantes datos sobre el "irresistible" Juan Ramón juvenil y sobre su lábil corazón siempre encandilado.

[5] Vid. los poemas de las páginas 213-214, 242-244, 246-247 y 282. En *Arias tristes,* el cuerpo femenino es todavía enigma, motivo de ensoñación. En cambio, en *Jardines lejanos* y en los libros siguientes, el erotismo invasor tiene una base de experiencias sexuales. Véanse, entre otros, los poemas de las páginas 351, 363, 375, 376, 378, 379, etc.

[6] Todavía después de su matrimonio, en *Estética y ética estética (Crítica y complemento),* Madrid, Aguilar, 1967, escribe: "La mujer partida. / Shakespeare le hace decir a su Rey Lear: Verdaderamente es difícil concebir nada más bello, más perfecto, más gracioso, que la mujer bella de cintura arriba, con sus ojos, su frente, su corazón. De cintura arriba son la madre, la hermana, la hija, la amiga. / Difícil es concebir cosa más fea, más sosa, más perfectamente baja, que la mujer bella de cintura abajo, con la ceguera impersonal de su sexo, tan lejano a su frente. De cintura abajo son la prostituta, la querida. / La esposa es el difícil, el *imposible* equilibrio." (P. 45. La cursiva es nuestra.) Toda la culpabilidad acumulada por el poeta durante años, más su propia personalidad, le dicta "proyecciones" de esta índole: lo bello y lo feo, como es sabido, son categorías subjetivas del espíritu.

mosexualidad del poeta; explica el elegíaco artículo de R. Cansino-Assens cuando el poeta por fin se casó: no podía creer que una mujer de carne y hueso ocupase el corazón del poeta; explica tal vez que la mayoría de los críticos no aborden este tema, y que otros pocos que lo abordan lo detecten en lugares muy exiguos de la Obra, como en el grupo "Francina en el jardín", de *Poemas mágicos y dolientes.*

Es cierto, sí, —nos lo cuenta R. Gullón en *Direcciones del Modernismo*— que el irrealista Juan Ramón llegaba a enamorarse de personajes femeninos literarios, como los que aparecen en algunas piezas de Martínez Sierra; o bien era capaz de sostener ardiente correspondencia con una supuesta Georgina Hübner, peruana entelequia creada por un grupo de poetas hispanoamericanos para recibir cartas de Juan Ramón, etc. Pero la existencia de amores imaginarios no implica la inexistencia de otros realísimos. Y así, menos que Cansino-Assens y menos que la mayoría de la crítica se engañó la propia Zenobia al leer *Laberinto* y detectar en él el erotismo *vivido* del poeta: Como luego veremos, reaccionó inmediatamente Zenobia con vivos reproches epistolares, y más tarde pidiéndole explicaciones concretas, que Juan Ramón le dio.

Sería tarea relativamente fácil trazar las historias sentimentales juanramonianas tal como aparecen en la Obra —a pesar de que todas las amadas aparecen persistentemente vestidas de blanco—, pues el poeta dota a cada una de ellas de un nombre simbólico (Francina, Estrellita, María del Rocío, Denise, etc.) a veces coincidente con el real (Blanca, Rosalina), y les da a cada una un conjunto de rasgos particulares que permiten la identificación, incluso en poemas en que el nombre como tal no aparece. No vamos a entrar, sin embargo, en esta labor detectivesca por razones de espacio. (Quien esté interesado en ello encontrará material abundante en los libros de la primera época, sin olvidar los de prosa, que son los más próximos a la realidad). Pensando en estos poemas probablemente, escribiría Juan Ramón: "A veces, siento vergüenza de ciertas poesías mías como una mujer recatada de sus más íntimas desnudeces."[7] El testimonio de vida está en la Obra. En palabras del propio Juan Ramón: "Como he *vivido* tan poco, todos los recuerdos de mi pobre vida se apresuran a acudir a mis labios..."[8]

No resistimos la tentación, sin embargo, de explayar una de estas historias, por varias razones: Primera, porque es la primera pasión "corpo-

---

[7] *Libros de Prosa,* p. 754.
[8] *Libros de Prosa,* p. 767. (La cursiva es suya.)

ral" que aparece en la obra. Segunda, porque a pesar de que el mismo Juan Ramón alude a ella en un texto citadísimo, ningún crítico, que sepamos nosotros, la ha subrayado. Tercera, porque confirma el carácter de "poeta erótico: uno de los pocos y más importantes poetas eróticos que ha producido la moderna poesía española". (A. González.) Cuarta, porque muestra que el erotismo había llegado a la obra juanramoniana antes de lo que se cree. Y quinta, porque esta pasión repite el modelo del "amor fugacísimo" que veíamos precedentemente —hacia una chica joven, siendo él niño—: ahora es hacia una mujer mayor que él y casada.

"La mujer de otro"

La historia, un poco folletinesca, nos la cuenta Juan Ramón en tres libros sobre todo: *Jardines lejanos* (1904), "Palabras románticas" (1906) y "Libros de amor" (1912), pero casi todos los otros libros de la primera época —entre 1904 y 1912— recogen notas suplementarias de esta pasión, la primera realmente carnal del poeta.

Veamos primero su aparición en *Jardines lejanos.* El poeta, en el conocidísimo texto publicado en la revista *Renacimiento,* lo dice claramente: ... "después viene un otoño[9] galante —azul y oro— que da motivo a un *Diario íntimo* y a muchos *Jardines lejanos ".*

---

[9] Lamentamos, basándonos en los propios textos juanramonianos, tener que empezar matizando (o desmintiendo en parte) esta frase de 1907: la época en que ambos se conocieron no fue el otoño sino la primavera: "De tu balcón abierto, todo inflamado de oro / *primaveral"...* (*L.I.P.,* 1, p. 415); "la *primavera* de España" (*P.L.P.,* p. 383); "una *primavera* de rosas nuevas"... (*Libros de Prosa,* p. 153, y también en las páginas 156, 157, 158, 189 y 192). En cambio, el desarrollo de la pasión tiene lugar tanto en *Jardines lejanos* como en *Elegías* como en "Libros de amor", en el verano: "Y sobre todo es tu perfume, es tu voz / [...] una tarde de *estío"* (*L.I.P.,* 1, 413); "¿Te acuerdas? Fue en el cuarto de los niños. La tarde / de *estío"...* (*ibíd.,* 423); "En la locura ardiente del instante de *estío"* (*ibíd.,* 431); "Si tú lloraste, no lo sé. La sombra tibia / de aquel hondo crepúsculo fragante de *verano"* (*ibíd.,* 440); "Había sido un triste placer lleno de ansia, / [...] que la siesta de *estío"...* (*ibíd.,* 441); "Quizá el recuerdo vago de aquel *estío* alegre" (*ibíd.,* 459); "Triste ilusión de amores *veraniegos,* amores" (*Elegías, P.L.P.,* p. 875); etc.

El otoño aparece sólo en los poemas de después de la ruptura, y asociado al vacío que ella le ha dejado, por ejemplo, en *Jardines lejanos,* pp. 501 y 504. En el único amor en que el otoño está conexionado con la felicidad de amar, es en el primero, con María Teresa Flores: "aquellas tardes / del *otoño* apacible que vio mi amor primero" ("Libros de amor", *L.I.P.,* 1, 458); "Cuando viene el *otoño,* me acuerdo siempre de ella. / [...] El campo vio su amor. Yo, entonces, era un niño". (*Elegías. P.L.P.,* p. 850.) "Ya estoy alegre y tranquilo: / sé que mi virgen me adora; / [...] Fuera, en el mundo hace frío; / el *otoño* triste llora" (*Rimas, P.L.P.,* p. 100); ..."bajo el cielo gris y rosa / del crepúsculo de *otoño.* // Le dije que iba a besarla; / la pobre bajó los ojos" (*ibíd.,* p. 142)). Y podríamos seguir citando, pues la localización de cada amor en la estación del año correspondiente no falla.

Parece que es ella la que hace los primeros avances: "Y esa mujer me sonríe..." (p. 383)[10], tiene "ojos de romántica" (ibíd.). El romanticismo, junto con la alegría, es la característica de "esa mujer". El momento y el lugar: "la primavera de España". En el poema XX (pp. 386-387), los avances son más claros. A la espiritual charla del poeta ella responde: "¡No sabes lo que te quiero! / Mis ojos son para ti, / tú para mis labios rojos. // Respondí con mis mejores / madrigales. Y ella: quieres / bajar al jardín? Las flores / ayudan a las mujeres / cuando cuentan sus amores." Y, como resultado simbólico (según otro procedimiento habitual en Juan Ramón consistente en personificar en el paisaje las emociones subjetivas): "Una alondra mañanera / cantó en el huerto dormido. / Luz y cristal su voz era / en el surco removido..."

El poema XXV, p. 396, perfila el retrato de esta expansiva mujer y le da un nombre: Rosa.

> *Tenía nombre de mayo,*
> *tenía carne de aurora,*
> *ojos de España, secretos*
> *y mirares de mimosa.*
> *Llenaba todo el jardín*
> *con griterías de loca;*
> *reía más que las fuentes,*
> *olía más que las rosas.*[11]

Su presencia causa revuelo: "Blanca dijo: Qué mujer! / María: Qué loca!" Un tal don Luis la requiebra, pero ella se ríe "del galán a la española". El poeta, incluso, se siente amenazado por el cariño de ella: "Cuando me dijo que sí / —aquel sí de mariposa— / le vi la lengua de víbora / en la rosa de su boca."

La víbora, la serpiente: símbolos de la feminidad dañina. Como en el

---

Entonces, ¿cómo explicar la frase juanramoniana del "otoño galante"? Creemos que por mitología personal o mitomanía. (Como ha mostrado C. del Saz-Orozco entre otras cosas con la fecha de nacimiento del poeta, que no es el 24 de diciembre como él siempre dijo, reforzándolo con llamarse "niñodiós", sino el 23.) Al ser la dama de esta historia un poco otoñal y el amor de ambos un tanto "decadente", a Juan Ramón le pareció mejor situarlo, en sus declaraciones de la "Autobiografía", en el otoño que en el estío, la estación de la plenitud. Y no tuvo en cuenta que sus propios versos lo situaban reiteradamente en el verano y nunca en el otoño. (Sobre la mitomanía de las personalidades histéricas y su necesidad de falsear la realidad, véase H. Ey, ob. cit., p. 403.)

[10] Y en "Palabras románticas": "Esta mañana sonreía esa mujer en el balcón con sol" (*Libros de Prosa*, p. 162).

[11] El mes de *mayo* reaparece en "Palabras románticas", p. 162, y la risa gozosa de la mujer en el mismo libro, p. 160.

poema 1 (p. 409), donde todo es símbolo, hasta la inocencia antigua del poeta-ruiseñor. El escenario, nuevo paraíso perdido, es un jardín donde "hay temblor de carnales placeres" y las flores tienen "carne fragante y rosada". Allí todo es símbolo personificado y metamorfosis: "Por las ramas en luz brillan ojos / de lascivas y bellas serpientes; / cada rosa me ofrece dos rojos / labios llenos de besos ardientes. // Y hay un llanto en las sendas en flor... / ...Una pérfida mano ha cogido / a *un doliente y galán ruiseñor / que en las ramas estaba dormido...*"[12].

Otro retrato más detallado pero concordante de esta mujer, lo encontramos en "Palabras románticas", 1906, núm. 16:

> Tiene la cara blanca y las mejillas rosas; tiene los ojos negros, de un brillar metálico, y alucinante; tiene las cejas pintadas de azul, los labios de carmín. El cabello, rizado como una acacia, de oro; y por toda su cara resplandece y yerra una risa trágica y carnavalesca que dilata y ensangrienta sus labios [...]; en su cabeza, rosas; ríe, sentada en un banco, bajo un árbol verde [...]. Esta morena pintada de blanco y de oro, cuando alegra y enciende más su risa fresca y loca, manda desde su garganta de fuente una fiesta trémula de perlas y rubíes. Y se ríe. En torno de su cuerpo hay una exuberancia de perfumes lascivos. Y se ríe más... Entonces, cuando quiere dar un beso, deja pasar por sus labios toda la esencia de alhelí, de clavo, de clavel, que esconde el fondo rojo de su boca de España.

Con semejante mujer, hay que suponer pasión corta pero intensa. Y de la intensidad nos da prueba el curioso poema XVI de *Jardines lejanos* (p. 381), donde de paso vemos una vez más la humanizada —y algo ridícula— imagen de la Virgen:

> *Como ella me daba tantos*
> *besos, la virgen me dijo*
> *desde los jazmines: cuántos*
> *besos te están dando, hijo!*

El poeta argumenta con toda clase de razones: que las rosas rojas son "más piadosas" que las blancas azucenas, que él fue novio de una santa tan

---

[12] La autoidentificación del poeta con el ruiseñor es abundantísima a lo largo de toda la Obra, pero citaremos sólo un texto de este período: "Palabras románticas", p. 153: "Una primavera de rosas nuevas [...]. Es el ruiseñor que tiene los ojos brillantes y abiertos, que anda de rama en rama, frente a unos cristales dorados, junto a una fuente que llora, a la caída de la tarde romántica. / Y alguien ha dicho: "Es un ruiseñor que no teme la muerte repentina."

blanca que le hizo niño y bueno[13], etc. Y concluye, refiriéndose a la "flor de labios frescos y rojos":

> Deja, Virgen, que su amor
> ponga lascivia en mis ojos;
> hoy sus labios están rojos,
> mis labios están en flor.
> Además, somos tan buenos!
> ..Y de lo azul vino una
> dulce voz que dijo: Al menos
> no os olvidéis de la luna...

Superficialidad, euforia, jugueteo. La pasión satisfecha trae notas muy poco juanramonianas a estos *Jardines lejanos*. Como en el poema XXVIII, pp. 401-402, donde de nuevo la Virgen María llama, y el poeta responde: "...Madre, ¿y la nueva alegría? / Y la carne que nos ama? / /[...] Es tiempo de sol y risa; / y aunque suene la campana, / no podemos ir a misa, / porque nos llama la brisa / galante de la mañana."

En cuanto a la brevedad de esa pasión, el mismo libro *Jardines lejanos* nos la documenta. La escena de la ruptura, en el poema XII de "Jardines dolientes", y la amargura de los días o meses posteriores, en los poemas XIII, XIV, XVII, XVIII, XIX, XX, XXI y XXIII. Es decir, iniciando una costumbre que tendrá larga vida en su Obra, Juan Ramón dedica pocos poemas a los momentos felices de un amor, y muchos a los tristes (previos o posteriores a los felices): ¿Una modalidad más de su regusto por la tristeza?

Veamos primero fragmentos del poema de la ruptura, muy revelador:

> Vamos los dos a olvidarnos...
> No sirven nuestros amores.
> Mira, vamos a arrancarnos
> del corazón nuestras flores.

---

[13] Alude a su amor por Sor Pilar (o a su más oculto y fuerte por Sor Amalia, según G. Palau, en su 2.ª ed. de su citado libro), que aparece también en otros poemas de *Arias tristes, Jardines lejanos, Pastorales,* "Libros de amor" y "Palabras románticas". De este último lugar, p. 203, extraemos estas palabras: "Tengo el corazón destrozado porque una mano cruel ha roto el idilio más bello de mi vida." [...] "La novia de mi vida, con su toca blanca y sus lágrimas bajo la sombra del manto. Yo no sé si ella se consolará con sus amores a la Santa Virgen María; yo, al menos, no puedo consolarme con las rimas." (etc.) La potencia rememorativa de Juan Ramón respecto a sus "amores" y al mismo tiempo el carácter esteticista e inhumano de ellos se aprecia en esta otra frase juanramoniana del 30 de abril de 1931: "Me he enterado de que hay todavía [en el Sanatorio del Rosario, frente a su casa] una hermana Pilar que yo conocía mucho en mis tiempos de sanatorio, y quiero ir a verla...; pero ya tendrá cincuenta años, y yo no me la puedo imaginar con cincuenta años..." (J. Guerrero, *Juan Ramón de viva voz,* p. 169. N.B.: No consta más tarde en el libro que llegase a ir.)

Tú estás frívola..., yo loco,
no nos podemos querer;
se van yendo, poco a poco,
tus encantos de mujer;
se va pasando la vida
tú riendo, yo llorando,
tú abriendo siempre una herida
que yo ya estaba cerrando...
....

Yo... no sé..., yo seré un hombre
que va solo por las sombras,
que va perdiendo su nombre
porque tú ya no lo nombras.

(Pp. 491-492.)[14]

La iniciativa de la ruptura es, pues, del poeta, a pesar de lo cual en la serie de poemas siguiente (y en la última estrofa de éste copiada aquí) Juan Ramón se quejará amargamente de la soledad en que ella le ha dejado. (¿Deberemos retener este patrón de conducta para explicar la "partida" de Zenobia en *Estío,* muchos años más tarde?)

Interesa, además, subrayar en este poema otros elementos claves: Primero, el hecho de que ella es bastante mayor que él ("se van yendo, poco a poco, / tus encantos de mujer"); segundo, la crudeza con que Juan Ramón plantea la incompatibilidad amorosa: "Tú estás frívola..., yo loco" (es la primera vez y la única que el poeta admite en su obra en verso su enfermedad mental[15]); y tercero, el carácter alegre, excesivamente alegre, de ella: la elección amorosa del tristón poeta irá casi siempre hacia mujeres alegres, y Zenobia firmará las cartas a Juan Ramón en los años de amistad como "su hermana la Risa". Pero esta mujer se pasa ya de alegre, y es "frívola".

No entraremos en el análisis de los poemas "posruptura", pues no añaden apenas datos específicos a la historia. Tienen todos ese tono lánguido, de queja honda y delicada, tan característico de Juan Ramón.

---

[14] La cursiva es nuestra.

[15] Normalmente Juan Ramón, al referirse a su enfermedad, se las ingenia para sugerirnos que *los demás lo ven como loco* (por ejemplo, "El loco", en *Platero y yo*), pero en realidad los locos son los demás, que no tienen capacidad para ver en el mundo más que apariencias, superficialidades. El ve más lejos, otras realidades existentes *(Arias tristes)*. En las "Notas" de 1907-1917 escribe: "Creo que si me llaman desequilibrado es porque razono bien y, los que me lo llaman, mal" *(Libros de Prosa,* 1, p. 732). Y en otro lugar, magnificando aún más el origen de su enfermedad: "Los demás sienten y piensan algunas veces; yo siento y pienso *siempre*. Esta es la razón de mi dolencia." *(Ibíd.,* p. 754, la cursiva es del autor.)

Sólo subrayaremos unos versos del poema XX: "Si ella estuviera a mi lado, / qué besos!... Era una pálida / penumbra que la envolvía / como a una novia romántica...". En ellos insiste, por vía negativa, en el carácter de "no-novia" de esta mujer: la penumbra la envuelve *como si fuera* una novia romántica, pero no lo es.

En *Pastorales*[16] volvemos a encontrar a esta mujer, en el poema XIX, en aparición fugaz pero intensa de deseo. Los caracteres definidores están presentes: a lo largo de todo el poema es "mujer" y no "novia" como en los otros casos; vemos de nuevo sus ojos negros; y el poeta sigue deseándola: "da a mi malestar tu aroma", le pide, y con más fuerza al final: "¡Pero mátame de carne, / que me asesine tu boca, / [...] lengua, espada dulce y roja!" La rememoración es punzante:

> *Y tu risa de amor, y*
> *tus concesiones de novia,*
> *y el bien que siempre me has hecho*
> *con el clavel de tu boca!*
>
> (P. 615.)

Todavía en 1906 *(Las hojas verdes),* tras volver Juan Ramón a su pueblo en 1905, entre el "dolce far niente" de su convalecencia, la recuerda: poema VII. Vuelve a imaginarla con sus caracteres acostumbrados: apasionamiento, alegría ("muy / distinta, por sus soles, de / mí."). El

---

16 *Pastorales* fue publicado en 1911, pero, según la bibliografía de G. Palau, fue escrito en 1905, por tanto después de *Jardines lejanos* (1904). En cambio, en la "Autobiografía" del poeta antes citada, Juan Ramón nos da el orden inverso. Después de hablar de *Arias tristes* y el Sanatorio del Rosario, dice: "Una larga estancia en las montañas de Guadarrama me trae las *Pastorales;* después viene un otoño galante —azul y oro— que da motivo a un *Diario íntimo* y a muchos *Jardines lejanos* [...] Publico *Jardines lejanos* —febrero de 1905— y pienso *Palabras románticas* y *Olvidanzas."* Ahora bien, según la bibliografía de G. Palau, *Jardines lejanos* no fue publicado en 1905 sino en 1904 (Madrid, Librería de Fernando Fe). Y la estancia en el Guadarrama es un dato demasiado vago, pues entre 1903 y 1905, viviendo con el doctor Simarro, pasó Juan Ramón "cortas temporadas" en Moguer y en la Sierra de Guadarrama en una casa que la Institución Libre de Enseñanza tenía allí; y de nuevo en 1905 pasó "una temporada de varios meses" en el Guadarrama. Quizás a esta última estancia, la más larga, aluda el poeta para la composición de *Pastorales.* En este punto sí coinciden las dos versiones: "Juan Ramón había escrito los poemas de *Jardines lejanos* durante su estancia en el Sanatorio del Rosario y con el doctor Simarro. La Sierra de Guadarrama y Moguer fueron la inspiración de sus *Pastorales."* (G. Palau, p. 126.)

Sabiendo la cantidad de "leyenda" que contiene la "Autobiografía"; teniendo en cuenta el poema XIX de *Pastorales* en que dice a la mujer que nos ocupa ahora: "el bien que *siempre me has hecho";* y sobre todo teniendo en cuenta por crítica interna que *Jardines lejanos* tiene un tono próximo al de *Arias tristes* mientras por *Pastorales* ya circulan aires más alegres, próximos a los de *Las hojas verdes* (1906) y *Baladas de primavera* (1907), nos inclinamos hacia la versión de la señora Palau.

poeta siente la nostalgia de ella y se reprocha a sí mismo el haberse buscado el dolor actual.

En *Baladas de primavera* (1907), el recuerdo parece haberse esfumado ya. *Baladas* es un libro encantador, de alegría juvenil, de salud recobrada. El erotismo está presente, sí, en los poemas "Balada del domingo", "Balada de la soledad verde y de oro", "Balada-tonadilla a Fidela" y "Balada de la mujer morena y alegre". Pero en realidad no es esa nota la dominante del libro (el poeta la reserva para el libro paralelo de prosa, "Baladas para después", 1908, saturado de desnudos femeninos y fantasías eróticas más o menos verosímiles).

Es en el libro siguiente, *Elegías* (en 1908 aparece la primera parte, *Elegías puras;* en 1909 la segunda, *Elegías intermedias,* y en 1910 la tercera, *Elegías lamentables*), donde vemos al poeta de nuevo en uno de sus terribles estados depresivos[17]. Y éste es más duro aún que el de *Arias tristes,* porque se complica con el hastío de la carne y una especie de asco de sí mismo: "tornas de un oriente / carnal y azul y rosa" (p. 818); "cansancio de la vida y de nosotros mismos" (p. 854); "Estoy negro de vicio, de sol y de pereza, / roto para la lira y para los amores" (p. 833).

Es en este momento de tristeza, pues, en la parte de "Elegías intermedias", cuando reaflora el recuerdo de "la mujer de otro", aportando nuevos elementos y datos para nuestro conocimiento de la anécdota. Es interesante notar que el enfoque diferente (optimista en *Pastorales* y en parte de *Jardines lejanos,* y pesimista aquí) nos ofrece una imagen complementaria de la anterior: en los poemas VII, IX, XI, XIII y XXVII. Básicamente, los elementos caracterizadores de "ella" son los mismos: es alegre, es fantástica, y es sensual. (Precisamente la persistencia de esos elementos nos permite conexionar un grupo de poemas con otro.) Pero otros elementos no vistos antes se añaden:

> *La vida es falsa y hueca. Soledad, yo me acuerdo*
> *de aquella rubia adúltera, de aquel amigo triste;*
> *¿qué resta de su carne callejera? Un recuerdo*
> *sin color, un bostezo, dolor y sombra...*
>
> (P. 837.)

A diferencia de cantidad de poemas en que los ojos "negros" de ella se

---

[17] Sobre las crisis de "depresión neurótica" en los enfermos histéricos (depresiones que revisten el carácter de verdaderas "melancolías"), ver H. Ey, ob. cit., p. 406.

reiteran, éste, junto con otros dos de "Libros de amor"[18] y otros tres de "Palabras románticas", son los únicos que hablan del color rubio del cabello. ¿Tal vez no le cuadraba al poeta este dato con la imagen de esa mujer? En cuanto a la ilegitimidad de sus amores —"aquel amigo triste"— debemos retenerla, pues concuerda con otros poemas de "Libros de amor" y explica además la facilidad que ambos hallan para encontrarse en casa de ella.

En "Palabras románticas", poema V, hemos encontrado un texto paralelo, que insiste en el cabello rubio de ella, en el carácter adúltero de sus amores y en la brevedad del idilio, pero además aporta otro dato interesante: los veintidós años del poeta; por tanto —si la fantasía no se le ha desbridado una vez más— el año de estos "amores" sería 1903: "La muerte necesita su idilio deshecho, su perfume ido, sus hojas mustias; la muerte necesita su música romántica, su adulterio, sus cabelleras rubias, desatadas. Después, de unos brazos colgados al cuello, desesperadamente; de un pecho de veintidós años sobre el corazón."

En *Elegías,* la imagen de "la mujer de otro" no puede ser más negativa; sin embargo, sigue atrayéndole inexplicablemente desde el recuerdo: "¡Cariño doloroso que en mi vida perdura / [...] rosa que hiciste negra tú, mujer impura" (p. 835); "Tristeza de un antiguo placer, que me devora" (p. 839); "... El camino sombrío olía a madreselvas, / y tú, dulce, apoyabas tus carnes en mi alma. / [...] Hoy, luna, estrella y árbol, me han visto, peregrino / de un dolor mudo y hondo que al corazón asombra; / [...] y yo voy apoyando mis carnes en tu sombra..." (p. 841); "una mujer vestida de blanco..., algunas flores..., / un bienestar que viene por la posta, un tesoro / de proyectos de estrellas, amores sin amores..." (p. 855).

Y aún en *Poemas mágicos y dolientes* (1909), sigue Juan Ramón versificando el recuerdo de esta mujer en la parte última del libro, "Perfume y nostalgia", compuesta por doce poemas. Si no fuera por la persistencia de las palabras-clave de este amor, pensaríamos que podría tratarse de otro, pues el ambiente es diferente y el tono no es agresivo aquí, sino dulce y nostálgico, casi con esperanza de recobrar el amor de ella. Pero aparece la localización estival: "Solía ser en el *estío.* El viejo coche" (p. 1157); y el cabello rubio de ella: "Una fina llovizna te mojará el cabello / y yo pondré

---

[18] *L.I.P.,* 1, p. 459: "Con tu vestido grana, y *tu cabello de oro* / te dejabas llevar de un sueño de perezas... // [...] Quizá el recuerdo vago de aquel estío alegre / volvía, entre tus sueños, a tu tristeza nueva / [...] tus ojos se agrandaban como *negros* de pena...". Y en p. 413: "Mantengo en mí la llama; nada pudo estinguirla. / [...] Es el fuego suave de *tu cabello de oro,* / el blancor tibio y dulce de tus mimosos brazos.", etc. Y en "Palabras románticas", los poemas en prosa números 5, 16 y 47.

mi boca en el *oro perlado*" (p. 1164); los ojos negros: "¡Oh, qué instante de besos, de abrazos, de rubores, / de *miradas de fuego negro*" (p. 1159); aparece la sintomática palabra "mimosa": "Mi brazo rodeará tu mimosa cintura" (p. 1169); y también la pasión: " La anhelante / nostalgia de un placer apenas presentido" (p. 1163), "¡Ah!, mis manos buscaban, en la sombra dormida, / el encanto sin nombre de tu fina blancura" (p. 1153). Son demasiados rasgos concordantes. Y nuestra sospecha se refuerza más aún con las palabras del propio Juan Ramón en el prólogo a este grupo poemático "Perfume y nostalgia": "¿Repetición de las mismas cosas? Sí. Una obsesión de felicidad. También el amor repite los besos hasta lo indecible, y cada uno tiene un encanto nuevo. / Fue una ilusión momentánea; y así como en otros amores largos los años, los meses o los días señalan fechas, en aquél, tan corto, las marcaron los instantes" (p. 1151).

Ya en 1906, en "Palabras románticas", la idealización había empezado; por ejemplo, en el poema 47: "Esa mujer alta y blanca [...] Tenía los ojos negros, tenía los labios rosas, el encanto de sus rizos era un encanto de oro sobre la frente de pétalo blanco y la nuca de color de luna. / ...Yo seguí en el viento, hacia la tristeza del paisaje, campo gris y frío, sin amor para los pies; horizonte de nubes grandes; tierra de Castilla"[19], etc. Siempre que la idealiza, acentúa Juan Ramón las notas de blancura y "sfumato" vago, mientras que los poemas de enfoque agresivo o simplemente pasional, acentúan la morenez de ella, su descoco, los colores fuertes y el aura de "sur de España"[20].

"Amores sin amores", decía Juan Ramón en *Elegías*. Esto fue seguramente lo que más hirió al poeta en la relación de ambos: la carnalidad, el ser él a su vez "objeto" erótico para ella. Por eso en la serie de poemas en que más cabalmente refleja los momentos pasionales (en "Libros de amor", 1911-1912), el carácter de explotación recíproca aparece puesto de relieve con crudas tintas[21]. Y, al mismo tiempo, prolongando la línea de nostalgia idealizadora ya vista en "Palabras románticas" y en *Poemas mágicos y dolientes,* junto con la carnalidad de este amor cantará en "Li-

---

[19] No es ésta la única nota topográfica de este grupo de poemas. Los más realistas —los primeros sobre todo— localizan reiteradamente a esta mujer en el Sur. Por ejemplo, en el poema XVIII de *Jardines lejanos* leemos: "El viento claro del sur / vela la tarde de plata / y hace que el sol ponga triste / la primavera de España. // Y esa mujer me sonríe... / El sur envía una cálida / melancolía"...

[20] Estas notas nos inclinan a pensar que tal vez esta mujer puede ser la aludida mucho más tarde, en el *Diario de un poeta reciencasado,* poema 22: "A una andaluza / como esa // Tu recuerdo es en mí, áspero y franco, / de cristal tosco. Desordena / mis pensamientos abatidos con la / risa con gallos con que abre / la sombra / de la noche sutil y desviada, / la sana aurora vulgarota."

[21] En *L.I.P.,* 1, pp. 423-445.

bros de amor" también el encanto de los primeros momentos, y, tras la borrasca pasional, el perfume del recuerdo.

Los blancos primeros momentos aparecen en un poema de la parte 1, "Pasión primera". Entre otros amores que desfilan por esta parte (María Teresa Flores, Blanca Hernández-Pinzón, Sor María del Pilar de Jesús[22]) aparece también esta mujer, en estampa de ilusión. La imagen es la misma que en *Jardines lejanos:* es primavera, ella sonríe al poeta con sus "ojos risueños" y "boca florida" y le envía "impacientes besos":

> *Frescura de esas manos que he de tener más tarde*
> *en las mías, pendiendo, mates entre las rosas.*
> *¡Viaje leve que luego he de abrir anhelante*
> *para que entre tus pechos florezcan mis auroras!*
> ....
>
> *Oh, dicha, encanto, amor. Nadie lo sabe... Todos*
> *pasan por el estrecho de nuestras almas locas*
> *sin ver, entre las rosas doradas de la tarde,*
> *nada de nuestra historia divina y silenciosa...*
> *(L.I.P., 1, p. 415.)*

Este carácter de "amor oculto" se reitera en otros dos poemas de la parte 2, "Lo feo" (pp. 439 y 440). El primero pertenece a un momento de pasión correspondida y feliz: los amantes están "en uno fundidos los dos cuerpos", tranquilos con "las seguridades amables de lo hecho", sin que nadie lo adivine:

> *Esas miradas por encima de los otros...*
> *la muda inteligencia de nuestros dos secretos...*
> *ojos que se estravían un instante, y que caen*
> *después, espresamente, encima de los nuestros.*
> *¡Encanto del amor oculto, del placer*
> *oculto, de la ciencia oculta!, ¡labios plenos*
> *de sonrisas, de mieles, entre la indiferencia*
> *ciega de tantos ojos que nos piensan tan ciegos!*

El segundo corresponde al momento de la despedida, en un

---

[22] Aparece en los poemas "Junto al pozo del claustro te suspiré mi amor", "Hermana: Deshojábamos nuestros cuerpos ardientes" y "Al lado de la eterna blancura mate y triste". El segundo nos parece francamente fantástico, sin conexión verosímil con los otros poemas a Sor Pilar (o Sor Amalia) en este libro o en *Jardines lejanos.*

"crepúsculo fragante de verano". Incluso en momentos tan trágicos, esta exuberante mujer mantiene su exterior alegría revoltosa:

> Y todos se reían... de tus cosas... Nosotros,
> sin que nadie supiera de nuestro amor malsano,
> cambiábamos miradas de luto, en cuyo fondo[23]
> como un nublado inmenso se iba agolpando el llanto.
> No sé, no era la carne gozada inmensamente
> la pena del instante en que nos separábamos.
> Una tristeza inmensa salida del espíritu
> nos recorrió la vida como un oscuro pájaro.

No comentaremos el resto de los poemas, que narran diferentes momentos —con frecuencia de un verde subido— de esta pasión. Solamente subrayaremos que el carácter "semiotoñal" de la dama se percibe en los poemas de las páginas 431, 435, 444 y 445, mientras su carácter de "madre" queda testimoniado en el poema de la página 442 ("¿Te acuerdas? Te decían tus hijas "la romántica"") y, seguramente, en el de la 423[24]. En cuanto a la vehemencia erótica y a la utilización recíproca, véanse los de las páginas 424, 425, 426, 428, 429, 436, 437 y 441.

A manera de epitafio —en 1912[25]— de este amor de 1903, vale la pena citar el serenado poema de "Libros de amor", donde Juan Ramón expresa la fugacidad y al mismo tiempo la perennidad de esta pasión que fue tan

---

[23] En la edición de Aguilar, p. 440, este verso dice *"cambiabas* miradas de luto". No sabríamos decir si es anacoluto del autor (Nosotros... cambiabas) o errata.

[24] Este poema tiene entre paréntesis el nombre de "Jeanne". Y la parte 2 de *Laberinto,* "Variaciones inefables" está dedicada "A Jeanne Roussie / "La Romántica" / que, entre el vaho verde / del jardín regado, / se paseaba conmigo, / a la luna de junio, / con las ramas de los sauces / en los ojos." Pensamos que "Jeanne" es un segundo nombre dado a la misma mujer en las últimas obras que tratan de ella, mientras "Rosa" era el que recibía en las primeras. El verano ("junio"), el romanticismo de ella y otros rasgos concuerdan perfectamente.

[25] En torno a este mismo año escribe Juan Ramón el libro (editado póstumamente) "El silencio de oro" (1911-1913), en el que aún nos habla el poeta de sus "claras nostaljias / la risa de carmín y la negra mirada / [...] Ilusión del amor perdido"... (*L.I.P.,* 2, pp. 316-317). La parte 2, "Amor de primavera y amor de otoño", es una rememoración de sus amores con "la mujer de otro": "¡Dichoso el que en el yermo de su vida te encuentre / frente a frente, burlándote de él con tu risa loca; / quien sorprenda la chispa de tu cariño, entre / la saña de tus ojos y el desdén de tu boca!" (*Ibíd.,* p. 331.) Aparece de nuevo el carácter otoñal de ella y su "rubia opulencia": "¡Qué dulcemente va cayendo tu belleza! / Otoño pleno desordena la armonía / de tu pecho; y, en plástica oleada de tristeza, / el mar de tu alma alza tu cuerpo de elejía" (p. 332). Aparece la intensidad de la pasión ("La devoré cien veces, la llené de dolor", p. 334); la tristeza de la carne ("No fue lo verdadero / [...] lo que tú me ofreciste / había tierra dentro de tu luz de lucero / y el recuerdo de aquella tierra me pone triste...", p. 333); el arrepentimiento y el carácter ambiguo de este amor: "Un instante de dicha que iba luego a dejarnos / tristes inútilmente [...] / querer no separarnos y querer separarnos" (p. 335). El recuerdo, la rememoración de este breve amor llegan pues hasta 1913, umbral del amor definitivo.

carnal en su breve día (y de paso notemos la insistencia en el ser casada ella, mediante la elección del adjetivo "casta" y no "virgen", como decía de su novia primera, o "pura", como dice de las demás):

> Como fue entre la sombra, y apenas nos veíamos,
> parece que no fuiste tan mía; nada, nada
> me dijeron los ojos de tu carne suave
> que en mis manos ansiosas presentí, mate y blanca...
> Tengo de ti una clara ilusión, cual de una
> vida, en que sólo se sintiera las ansias...
> Tu suavidad perdura, como un oleaje triste,
> en la tristeza eterna de mis manos cansadas...
> Y nos miramos, frente a frente, por la vida,
> tú sin sentir vergüenza, yo creyéndote casta.
> Fuimos otros, dos cuerpos que se sintieron solos,
> que, fuera de nosotros, nos dimos nuestras almas.
>
> (P. 427.)

La historia de esta pasión más aún que la del "primer amor" es aleccionadora sobre un importante procedimiento juanramoniano: la reelaboración de una vivencia a lo largo del tiempo. Si los poemas más inmediatos al hecho en el tiempo *(Jardines lejanos, Pastorales)* adolecen de una superficialidad o impulsividad que rebaja su calidad literaria, si esos poemas no cantan adecuadamente la intensidad y los matices de esa pasión, el poeta seguirá alimentando en su memoria una vivencia biográficamente corta[26] y le irá dando expresión a lo largo de años y años hasta que, fijada por fin en palabra, madurada literariamente, pueda el poeta liberarse de ella, olvidarla[27].

Compensación de la escasa biografía mediante la reiteración obsesiva del recuerdo. Pero esta prolongación del recuerdo en el tiempo hace que se difumine la imagen recordada y se entrevere de fantasía, provocando en el

---

[26] Su duración real debió de ser dos meses, si el poema "Otoño último" se refiere a este hecho: "Ya el árbol se ha resignado / a su sereno morir. / *Dos meses de sentimiento* / le han hecho su oro feliz." (*L.I.P.*, 1, p. 110, la cursiva es nuestra.) Este poema, así como otros pertenecientes al mismo grupo, "El jardinero sentimental", de "Arte menor" (1909) nos parecen también posiblemente inspirados por la misma vivencia. Nos referimos concretamente a los poemas "Abril", "Rosa, ¿Mujer?, ¿Hombre?", "Oh, las rosas mates" y "Malvarrosa". (Puede observarse en este grupo una insistencia en metáforas en torno a la "rosa", nombre simbólico de ella.)

[27] Nos parece conexionado este procedimiento con la tendencia juanramoniana a la idealización, a la no transcripción directa de la realidad, que el propio poeta ha definido así: "En el hombre hay siempre una tendencia a lo ideal, a lo que está fuera del momento, aun en lo cotidiano. Así, si estamos en invierno, y evocamos el invierno, no nos representamos el invierno que atravesamos, sino otro que ya, por su distancia, tenga un carácter alegórico." (*Libros de Prosa*, 1, p. 483.)

lector esa impresión de irrealidad de que hablábamos antes. Y en la crítica, que se interpreten los amores de Juan Ramón como puramente "literarios".

"La tristeza de la carne"

Conociendo ya las tendencias depresivas, el gusto por la melancolía[28] y la inclinación del poeta a sentirse culpable, es lógico esperar que los ecos de la "tristeza de la carne" sean tan abundantes o incluso más que los ecos del erotismo.

Y así es. El libro entero *Elegías* (1908-1910), el de *Melancolía* (1910-11), y partes de *La Soledad sonora* (1908) y de *Poemas mágicos y dolientes* (1909: "Ruinas") están consagrados a este tema. El lenguaje que emplea en estos casos es bastante convencional: "Te manchaste, alma mía, con un amor obsceno [...] ¡Amor de estío" (p. 1096); "lodazal de vicio" (p. 1098); "la carne aterró en cieno a su hermana divina" (p. 1102), etc. Pero con frecuencia, en medio de este lenguaje dicotómico, asoman psicológicos atisbos: "¡Qué caro me has costado, placer! ¡Ah, quién pudiera / no comprarte! ¿Por qué te vistes de oro, cieno? / ¡Tú, que un instante esparces olor de primavera / y después, para siempre, tristeza de veneno!" *(P.L.P.,* p. 1099); "¡El placer!, ¡el placer! Sí, sí... Ya he conocido / su olor, dulce por fuera, venenoso en lo hondo, / y los derrumbamientos del pudor, el descuido / de la costumbre"... *(ibíd.,* p. 1426); "Yo solo soy culpable de todo este fracaso; [...] la misma poesía / se envilece, si el plectro toca rosas de lodo" *(ibíd.,* p. 1089); "cada vez que la vida me tiende una flor bella, / la corto con la daga de la melancolía"[29] *(ibíd.,* p. 1089); "soledad, ¿qué me dará la vida / hueca con el hastío de la literatura? *(ibíd.,* p. 1083); "Ya, ni los libros, ni los rosales..., ni el alma / me sirven de refugio de la melancolía // [...] hoja a hoja, amarillo, cae de mi belleza / el anhelo divino de lo puro y lo eterno" *(ibíd.,* p. 1100); etc.

Pero es sobre todo en los *Libros de Prosa,* y más especialmente en los aforismos, donde aparece la "tristeza de la carne" de Juan Ramón y toda su problemática personal en torno al erotismo, expresadas en lenguaje más

---

[28] En frase del propio poeta: "¡Qué felicidad ésta de poder pensar tranquilamente en que no somos felices!" (*Libros de Prosa,* 1, p. 495.)

[29] Estos versos deben ponerse en conexión con el aforismo núm. 193, p. 761: "Tengo un miedo tan grande a amar, que me complazco en buscar en toda mujer bella algún defecto, material o moral, que me la haga desdeñable."

directo y realista: "Ideas líricas" (1907-1908)[30]; "La alameda verde. Pensamientos y sentimientos" (1906-1912)[31]; y "Notas" (1907-1917)[32]. En estos aforismos vemos al poeta en su contexto de entonces: una vida desocupada, un lugar demasiado tranquilo, y una obsesión preponderante: "En las madrugadas de los pueblos, monstruos de sensualidad devoran el descanso. La falta de un estímulo espiritual hace que el cuerpo se entregue de lleno a incomprensibles exaltaciones carnales" (p. 271). "He llegado a tal anonadamiento del espíritu que los deleites materiales han llegado a ser los únicos oasis de mi pobre vida" (p. 757). "A veces siento como un temor sombrío de no poder ser un día dueño de mis terribles instintos" (p. 760). "Estoy tan lleno de jestos inmundos que no puedo hacer un jesto divino que no me erice la inmundicia" (p. 730). (Y los que tengan aún dudas sobre el carácter "vivido" o "imaginado" del erotismo de Juan Ramón, lean los pormenorizados aforismos núms. 31 de la p. 278, y 61, p. 492.)

El problema se plantea, pues, en términos de antítesis absoluta entre satisfacciones corporales y aspiraciones del espíritu, y nos recuerda planteamientos medievales, trovadorescos (Ausias March), etc., de personas simultáneamente sensuales y religiosas. Con la diferencia de que, *al menos a nivel consciente,* la idea de "pecado", de ofensa a Dios mediante la carne, no entra en línea de cuenta para Juan Ramón: "Si yo tuviera la convicción de que la ética más perfecta llevaba en sí la abstención de la mujer, y que esa ética era algo eterno, prescindiría en absoluto del acto carnal. A veces lo efectúo sin apetito, por ornamento y por prestigio" —escribía en el aforismo 32 de "Ideas líricas", 1907-1908—. Y muchos años después, en los "Aforismos" de 1914-1928, núm. 291: "El abuso del placer carnal ha de contenerse, como se contiene otro vicio agradable —el vino, por ejemplo—, sólo porque haga daño; nunca como ofensa a un dios determinado, pues es una forma de amor."

Si no es la objetividad de unas normas religiosas, ¿qué es entonces lo que le prohíbe dar rienda suelta a la normalidad de las tendencias corporales? El propio Juan Ramón nos lo dice en otro aforismo: "Procurad no ser nunca inferiores a la idea que tenéis de vosotros mismos" ("Notas", 1907-1917, núm. 197). Es, pues, *la imagen propia,* la salvaguarda de la imagen propia —tan importante en Juan Ramón— la que se levanta contra el uso extraconyugal de la carne. Todo queda en clave interior y subjetiva,

---

[30] Aforismos números 5, 13, 31, 32 y 37.
[31] En los números 6, 13, 14, 18, 43 y 61.
[32] Números 13, 40, 46, 62, 66, 80, 109, 121, 130, 144, 146, 160, 170, 188, 193, 202, 217, 219, 222, 223, 229, 233, 256, 260 y 279.

siguiendo la lógica del espíritu juanramoniano. Pero el problema no queda resuelto más que en apariencia. Porque, ¿cómo ha forjado el poeta su propia imagen?, ¿qué normas éticas subyacen en la creación de esa imagen?, ¿qué es lo "bueno" y lo "malo" para su hombre interior? Y nos damos cuenta al llegar a este punto de que es precisamente el catolicismo —asimilado tal vez inconscientemente— el que dicta las normas éticas a la imagen interior del poeta: de aquí la concordancia con el pensamiento cristiano tradicional. (Aunque le pese a Juan Ramón y aunque conscientemente lo niegue.)

Y es seguramente ésta la época (1906-1912) en que el poeta está más cerca del cristianismo. La época en que más se interesa por Cristo y su doctrina. La época en que más clama al Señor[33]. Es también, en consecuencia, la época del libro más religioso del poeta: "Bonanza", 1911-1912. No entraremos en el análisis de esta religiosidad, bastante claramente expuesta allí, pero sí diremos que el poeta, a nuestro juicio, no alcanzó ni aceptó en ningún momento la religión cristiana —duda incluso de la existencia histórica de Cristo y de la autenticidad de los Evangelios[34]—, sigue considerándose superior a los demás mortales[35] y pretende utilizar a Dios, sea para cultivar mejor su tristeza[36], sea para encontrar *su* eternidad[37]. La naturaleza de ese "Señor" a quien ruega el poeta, queda un poco nebulosa: en unos poemas parece ser Cristo el "Señor", y en otros, la Divinidad en abstracto. De todas formas, el hecho de que Juan Ramón rece —a su manera— tan insistentemente en este período, nos revela que está atravesando una crisis importante (el recurso a la divinidad tiene lugar sólo en los momentos "sin salida" del proceso evolutivo juanramoniano, nunca en los momentos felices), y que su imagen interior está más amenazada de desvalorización que nunca:

---

[33] "Señor, matadme, si queréis... / ¡Pero, Señor, no me matéis!" ("Arte menor", 1909, *L.I.P.*, 1, 114.)

[34] "Si eso fuera verdad, Señor, / ¡qué dicha! Y qué alegría / si tú hubieras estado / por la vida. / Si esas palabras dulces / hubieran sido por tu boca dichas." (*L.I.P.*, 2, p. 139.)

[35] "Levántale [s] sus almas, / Señor, hasta la mía"... (*L.I.P.*, 2, 146.)

[36] "¿Tanto es lo que te pido, / Señor, que no quieres oírme? / Sólo mi perenne anhelo, / sólo una pena libre / [...] que [mi alma] se cierre a lo alegre, / que se abra a lo triste... / [...] tristeza de estar preso en esta cárcel / tristeza de querer y no poder ser libre..." (*L.I.P.*, 2, 154-155.)

[37] "¡Háblame más, Señor, / a ver si tus palabras / me abren —llaves de oro— poco a poco / la eternidad soñada! // [...] Que todo, con tu voz, entre en mi vida / a ver si, hablando, a la luz clara / de tu voz, yo descifro / el enigma infinito que ella guarda." (*L.I.P.*, 2, 156-157.)

> *Que nunca ya más caiga,*
> *que lo feo no indigne*
> *la mansedumbre bella de mis horas;*
> *que no, lo que publique*
> *la lujuria me llegue a los sentidos.*
>
> ....
>
> *Lo triste, sí, Señor, una tristeza*
> *mansa sin ese afán de redimirse*
> *que tienen las tristezas de la tierra...;*
>
> ....
>
> *¿Tanto es lo que te pido,*
> *Señor, que no quieres oírme?*
>
> *(L.I.P.,* 2, pp. 154-155.)

Si el Señor le oyó, o si el sentimiento de culpabilidad le redimió, no lo podemos saber. Pero lo que sí sabemos es que, como una respuesta para su enigma sin salida, en 1912 —según G. Palau— aparece en la vida de Juan Ramón la mujer definitiva, "la mujer infinita", como diría el poeta: Zenobia Camprubí Aymar.

La larga correspondencia que sostuvieron desde que se conocieron hasta que se casaron en 1916, ha sido —en parte— hecha pública por Ricardo Gullón con el título que el mismo poeta proyectó para este fin: "Monumento de amor"[38]. Por ella conocemos la reacción de Zenobia ante uno de los libros discretamente eróticos de Juan Ramón: *Laberinto,* y cómo no se engañó al interpretar el libro como *vivido* por el poeta y no literariamente asimilado (moda de época, etc.). Nos permitimos entresacar las frases correspondientes para que el lector tome un contacto directo con el encantador estilo coloquial de las cartas de Zenobia. Año 1913. El poco sociable poeta acaba de reprocharle a ella que pierda su tiempo en tés y amistades, y ella responde que es su manera de hacer el bien a los demás, dándoles alegría. Y pasa al ataque:

> ¿Y Vd. cree que con sus tristezas, Vd. hace algo de mucho mas bueno? ¿Vd. cree que sus versos hacen á alguien mas bueno? Yo estoy segura de que nó. Anoche leí "Laberinto". Lo leí porque lo habia escrito Vd., conste, que si nó estoy segura de que no hubiera "aguantado" hasta el final. [...] ¡Que bien le va Vd. á hacer á nadie ni á nada con "Laberinto"![39]

Y el poeta, defendiéndose —y tuteándola, frente al "usted" distanciador de ella—, responde:

> En cuanto a "Laberinto", te diré que no tienes razón. Es cierto que hay en este libro poesías que no son todo lo puras que yo quisiera, pero tampoco hay que tomarlas al pie de la letra. En todos mis versos "carnales" hay, si lo miras bien, una tristeza de la "carne". Puedes ó no creerlo; pero te diré que me hastía tanto el placer material, que siempre que he caido me he levantado muy á tiempo. Estoy libre, nada me impide "gozar" materialmente. No lo hago, sin embargo. He llegado a respetarme de una manera absoluta en ese sentido.

Y por si acaso Zenobia no hubiera quedado completamente satisfecha con la explicación, insiste en otra carta siguiente —y utiliza justo los argumentos que la bondadosa y romántica muchacha, stilnovista "donna-angelo", desearía escuchar—:

> Puedes estar contenta de una cosa: me has hecho mas bueno. Desde el día en que te conocí, no he tenido un mal pensamiento de ninguna clase. Me he cerrado de tal modo á la mujer, que, menos tú, todas me parecen repugnantes...

Sin embargo, por mucho que le halagasen estas palabras, la inquietud por las aventuras pasadas del poeta debió de seguir escociendo a Zenobia, pues en 1915, en *Estío,* los poemas 27 y 62 tienen como apoyatura vivencial la anécdota de Zenobia que le pregunta al poeta por sus "viejas miserias", y al contárselas él, ella llora. Y, como si ya en el pasado el propio Juan Ramón no hubiera llorado bastante por ellas, como si realmente se diera cuenta sólo entonces de su carácter de mal, exclama:

> *...Ahora es cuando he cometido*
> *aquellas miserias viejas,*
> *¡ahora que a ti, mujer única,*
> *te han hecho llorar de pena!*

Estamos ante una más de las famosas contradicciones juanramonianas. Después de haberse lamentado tanto de sus "caídas" entre 1906 y 1912, ahora, en 1914-15, hace como si acabara de enterarse. La explicación, nos parece, está en el hecho de que en *Estío* el poeta se encuentra en fase alta: ha descubierto a "su" mujer, está empeñado en su conquista, ha salido al mundo (está en Madrid otra vez y no ya en Moguer), se siente fuerte y dinámico, etc. Es, pues, "otro" Juan Ramón, y parece olvidarse completamente de su forma de pensar y sentir anterior. (Dada la subjetividad radical del sistema juanramoniano, el instante presente —y sobre todo el *humor* de ese instante— es el dueño absoluto de la vida del poeta: sus "caprichos".) En las épocas de alza, el poeta niega sistemáticamente, considera como inexistente todo lo que pueda amenazar su imagen interior, rebajarle ante sus propios ojos. Se encierra en esa agresiva altivez indiscriminada que tantas irritaciones y críticas le ha valido. En estas épocas hay que aplicarle el refrán español "dime de lo que presumes y te diré de lo que careces". Es decir, hay que ver lo que aparece en su obra (síntoma de sus preocupaciones) e interpretar los datos al revés, como un negativo de fotografía. Por ejemplo, cuando en el *Diario de un poeta reciencasado* (1916), poema 77, dice de pronto a su mujer:

> *Tus imájenes fueron*
> *tus imájenes bellas, gala fácil*
> *de aquellos verdes campos—*
> *¡tus imájenes fueron ¡ay! las que hicieron,*
> *sin mí, locas, lo malo!*

El lector de buena voluntad, ante esto, se pregunta: ¿Por qué le echa a Zenobia la culpa de sus caídas pasadas, en pleno viaje de bodas?, ¿por qué se le ocurre abordar semejante tema en vez de disfrutar de su felicidad presente? Y el lector se da cuenta de que la aparición del tema del pasado culpable y el empeño que pone en que ella cargue con la responsabilidad de él, están simplemente motivados por la culpabilidad que le obsesiona. Aunque ahora, que se siente en buen momento, no pueda permitirse el mirar las cosas de frente y expresarlas de manera directa, como cuando tenía el ánimo deprimido.

En este sentido, la protección casi continua de que Juan Ramón disfrutó en su vida, nos parece que fue contraproducente para el crecimiento interior del poeta, bastante retardado ya por su neurosis, y que quizá sólo a fuerza de dolor y depresión se hubiera logrado. Es sintomático a este respecto el pensar que la época de mayor agresividad del poeta fue precisamente aquella en que las circunstancias le fueron más favorables: tras su matrimonio, en Madrid, admirado por la joven generación de poetas (llamados después del 27), mimado por su mujer, encastillado en sus pisos. Y la época de mayor apertura a los demás, en cambio, fue la que siguió a su destierro voluntario de 1936: en Estados Unidos, entre gentes que le desconocían, entre alumnos que no hablaban su lengua, entre apuros económicos, sintiéndose no ya sol de la literatura española, sino partícula emigrada de ella[40], e incluso despojado de su torrencial creatividad. (Compárense las cartas de un período y de otro para notar la diferencia de "humanización".) Pero, en fin, de nada sirve hacer conjeturas. (También hubiera podido suceder que el psiquismo precario del poeta no pudiese resistir la avalancha de frustraciones que implica una vida normal, y en este caso nos hubiéramos quedado sin "hombre" y además sin *poeta*...)

Volviendo a nuestro tema, tenemos que decir solamente que la "purificación" del poeta en sus años moguereños de depresión (1908-1912) debió de ser bastante completa, pues la vida le pone por delante en 1912 a la única mujer que podía solucionarle el dilema "cuerpo / alma". Y desde 1916 en que se casan, la aventura de amar queda clausurada. Erotismo y culpabilidad desaparecen de la Obra, y el poeta, sobrepasada con éxito[41] la primera gran aventura de su vida, puede lanzarse a intentar la segunda, la que más años va a llevarle: la conquista de su eternidad.

Pero veamos antes la huella que este Gran Amor dejó en la Obra...

---

[40] En su triunfal período madrileño de 1920-28, había escrito: "Cada vez que se levante en España una minoría, volverán la cabeza a mí como al sol." (*Libros de Prosa*, p. 993.)

[41] Éxito que se debe en gran parte —si no en grandísima parte— a la personalidad de Zenobia. Sobre este punto los testimonios de los biógrafos son concordantes y sumamente elogiosos: esta abnegada mujer fue para el poeta madre, esposa, esposo —le mantuvo ella con su trabajo y rentas—, chófer, secretaria, y, lo más difícil quizá, alegría. Tras su muerte en 1956, en un momento de depresión o de sinceridad o de ambas cosas, el poeta escribió su última dedicatoria a ella: "A Zenobia / de mi alma, / este último recuerdo / de su Juan Ramón, que / la adoró como a la / mujer más completa / del mundo y no pudo / hacerla feliz. / J. R. / sin fuerzas / ya. /" (s. f.) (En R. Gullón, "Monumento de amor", art. cit., p. 228.)

III

EL LIBRO DEL GRAN AMOR: *ESTÍO* (1915)

El tema amoroso, tan abundantemente tratado por nuestro poeta, se concentra y condensa en un libro: *Estío*. Libro singular, iniciador de su segunda época[1], del que el poeta dijo: "Es el mejor libro que he escrito, porque tiene más sangre y cenizas que ningún otro."[2]

Un gran amor fracasado

Cuando el lector de Juan Ramón, avezado ya a la lectura de poemas amorosos a lo largo de todos los *Primeros Libros de Poesía*, llega a *Estío*, experimenta un sobresalto: aquí ya no hay "literatura", aquí hay vida. Hemos tocado el fondo.

Vida, es decir, zigzagueo de un matiz de sentimiento al otro, inmediatez no filtrada; vida, es decir, idealización de la amada (no ya condescendencia displicente), entrega admirativa de todo el ser, firme voluntad de conquistar el amor de esa singular mujer. Vida y no literatura: pocos rasgos descriptivos externos (los ojos azules solamente) y múltiples intentos por aprehender en palabras la esencia interior, misteriosa, fugitiva, de ella[3].

Por la fecha de publicación de *Estío*, 1915, y por la del libro siguiente,

---

[1] Es tradicional hablar en los estudios juanramonianos de "primera" y "segunda" épocas. (Una parte de la crítica distingue incluso tres épocas.) A pesar de la artificialidad de la división, seguimos usándola por su comodidad expositiva. La frontera entre la primera y la segunda época es algo móvil: Cernuda la sitúa tras *Laberinto*, y la mayor parte de la crítica hace comenzar la segunda en el *Diario*, oscilando en la catalogación de los *Sonetos* y *Estío*. Personalmente consideramos *Estío* como el comienzo de la segunda época, en paridad con el *Diario*. La conciencia juanramoniana patente en *Estío* de haber liquidado su primera "maniera", es la base de nuestro artículo "Juan Ramón Jiménez, el iconoclasta (Autocrítica de su primera época a través de un poema)", *Explicación de Textos Literarios*, California, vol. III-2, 1974-75, pp. 161-165).

[2] En la carta III a María Martos. Cf. Juan Ramón Jiménez, *Cartas*, 1, p. 122. Desgraciadamente no conocemos la fecha de esta carta —la gran mayoría de las de Juan Ramón están sin fechar, siguiendo una costumbre de la época, según F. Garfias—, pero podemos suponer que es de finales de 1913 o mejor aún, de 1914, ya que la carta VII sí lleva una fecha, "noviembre 1914", y no parece muy alejada en su contenido de la anterior.

[3] ¿Se ha observado que los poemas amorosos basados en descripciones de la belleza física corresponden a sentimientos superficiales, y que los amores verdaderos dan pocas prosopografías?

Diario de un poeta reciencasado, 1916, el lector piensa, naturalmente, que la amada de ambos libros debe de ser la misma: Zenobia Camprubí. Y aquí viene precisamente la dificultad en la interpretación de *Estío:* porque en este libro hay, sí, un gran amor, pero es un amor *fracasado.* Y en el *Diario* tenemos a Juan Ramón ya casado, feliz, instalado en esa felicidad sin altibajos que le dio serenidad para crear su gran "segunda época". ¿Otra mujer, entonces, medio soñada y medio vivida? Esta es la opinión de algún conocido crítico[4]. Sin embargo, los biógrafos de Juan Ramón afirman unánimemente la presencia de Zenobia en este libro[5].

Estío, libro de un gran amor fracasado —los poemas nos lo dicen—. ¿Cómo conciliar esa imagen de mujer mudable con la Zenobia buena y constante que todos conocemos? ¿Cómo conciliar el fracaso amoroso de Juan Ramón con el matrimonio de las páginas siguientes de su Obra?

Hemos intentado encontrar la anécdota que aclarase este nudo interpretativo: en vano. Una especie de pudor sella a los informados. Y sin embargo, aunque la anécdota se nos escape sin remedio, aunque nos falte la explicación última de *Estío*[6], hay razones de crítica interna que nos confirman la presencia de Zenobia en este libro.

En primer lugar, Juan Ramón lo consideraba como uno de los mejores suyos, a pesar de la evidente deficiencia de algunos poemas (debido a la in-

---

[4] G. Díaz-Plaja, *Juan Ramón Jiménez en su poesía.* Madrid, Aguilar, 1958. Al comentar *Estío* dice que la presencia amorosa que en él se ve parece de origen intelectual.

[5] Según Graciela Palau de Nemes, *Vida y obra de Juan Ramón Jiménez,* 2.ª ed., Juan Ramón conoció a Zenobia en 1913, poco después de su llegada a Madrid a finales de 1912. El fugaz conocimiento en la pensión de Arizpe se consolidó en la residencia de estudiantes con motivo de un ciclo de conferencias. Zenobia tardó en corresponder al poeta porque quería trasladarse a Estados Unidos con su familia al tomar el retiro el padre. (El problema de *Estío,* sin embargo, es diferente: al principio la amada corresponde al poeta y después le abandona.)

[6] Tal vez la causa fuera, simplemente, un recrudecimiento de la fuerte oposición familiar —de la familia de Zenobia— que ella secundase sin dar explicaciones al poeta, haciéndole sentirse abandonado. De esta oposición nos hablan F. Garfias y G. Palau, aunque ninguno de ellos alude a las implicaciones que pudo tener sobre el noviazgo de Zenobia y Juan Ramón.

En la carta IX a María Martos, Juan Ramón es muy consciente de esta oposición: ..."le mando una carta para Zenobia. Le agradeceré mucho que se la dé esta misma tarde, cuidando que la madre no la vea" (*ob. cit.,* p. 129). Y es consciente también de que Zenobia se alinea de parte de sus padres y no de él: "Sé que la carta que le mandé no ha sido aceptada." (Carta X, p. 129.) Sin embargo, la actitud de Zenobia en la época a que estas cartas aluden, anterior tal vez o simultánea de *Estío* (a pesar de que en la carta III se habla del libro como terminado) parece reflejar algo más que una pasiva obediencia a sus padres: Zenobia juzga desfavorablemente a Juan Ramón por algo que se nos escapa: ..."Zenobia ha creído de mí algo que dudaba. Su duda, *a la que yo he contribuido por esta terrible sentimentalidad mía,* me había hecho pasar unos días de tal amargura, María. Ya no era nada que no me quisiera. Pero yo sentía que me había venido al suelo, para ella, estando, sin embargo, en mi sitio." (*Ibíd.,* p. 127. La cursiva es nuestra.) ¿Se tratará del descubrimiento hecho por Zenobia de algún episodio erótico del poeta?

mediatez excesiva del sentimiento: el 2, 4, 7, 12, 16, etc.) y a pesar de las bellezas innegables de otros muchos libros de la primera época. En carta a su sobrino Enrique Gutiérrez Jiménez (Cartas, 1.ª selección, p. 216), a su sobrino Francisco Hernández-Pinzón (ibíd., p. 218) y en varios lugares más, insiste en destruir todo lo anterior a Platero, salvando solamente esta obra y todo lo posterior a Sonetos Espirituales: Estío, Diario, Eternidades, etc. ¿Ceguera de Juan Ramón hacia los valores estéticos de su Obra? Más bien creemos que no, que se trata de una valoración diferente, basada no en la belleza formal de los poemas, sino en la sinceridad del sentimiento que motivó a los diferentes libros. Desde su segunda época, los libros de la primera le parecen a Juan Ramón motivados literariamente, sin vida (exagera con hispana radicalidad, claro), mientras Estío, tal vez inferior a otros desde el punto de vista estético —inferior a Baladas de primavera, por ejemplo— le parece mucho más perdurable, más sincero, más conforme consigo mismo. Y, tal vez también, más conforme con la nueva estética, con las preocupaciones temáticas esenciales que caracterizan su segundo momento creador.

Después, en otro de los grandes libros juanramonianos, Canción (dedicado a su mujer como homenaje de amor, en 1936), el poeta recoge cincuenta y dos poemas de los ciento seis que componen Estío. Los recogidos son, en su mayoría, los de tema amoroso que integran el libro anterior. Podemos deducir, pues, que la mujer amada, en un libro y en otro, es la misma, y no se trata de otro amor simultáneo y paralelo que hubiese tenido el poeta.

Finalmente, en el gran homenaje amoroso que Juan Ramón proyectaba dedicar a Zenobia —"Monumento de amor. Epistolario y Lira (Cartas de Zenobia a mí y de mí a Zenobia. Oberón y Titania) (Poemas en prosa; poesías, etc.)"—, en este libro que se quedó desgraciadamente en estado de proyecto, se incluyen poemas semejantes a los de Estío en tono y sentimiento[7]: En particular los que comienzan: "No tienes que decirme"; "Entre tus hojas ha caído, otoño"; "Sí, que se vaya..."; "Sin ti nada es la vida"; "¿A quién, después de mí...?"; "Después de la alegría"; "Lo mismo que el perfume en la semilla"; "No te he tenido más en mí"; "No un corazón que se divida, alegre", y el titulado "La infinita ausente".

A título de ejemplo, vamos a cotejar unos fragmentos de Estío y de "Monumento de amor":

---

[7] En Juan Ramón Jiménez, L.I.P., 2, pp. 401-434.

ADIÓS

¡Ahora!
    El sol se pone...
¡Adiós!
—El que te lleva soy yo—
¡Adiós! ¡Adiós!
    Di, ¿te alejas?
¿Vienes hacia mí?... ¡No llegas!
¿No llegarás?
....

Pero el sol se cae... El campo
con luz, se te irá quedando
lejos, cada vez más cerca
de mi parada tristeza.
       (L.P., pp. 139-140.)

DESPEDIDA

¡No un corazón que se divida, alegre,
al sol poniente del estío —oro
de dolor siendo amable—
en los entristecidos corazones!
¡Oh, nunca más esta partida
a uno mismo, quedándose uno mismo,
tan solo, sin su alma!
       (L.I.P., p. 421.)

JARDÍN

Tú no te puedes ir...
Siempre estarás más cerca. Yo más lejos.
Redondo y blando es tu camino por la tierra
—sierpe interior y múltiple—.
El mío, cielo arriba, es firme —flecha única
Y sin retorno— y recto.
       (L.P., p. 160.)

Lejos tú, lejos de ti,
yo más cerca de mí mismo;
afuera tu, hacia la tierra,
yo hacia dentro, al infinito.
       (L.P., p. 186.)

Los dos que fuimos uno,
en mí han quedado. Tú has seguido siendo
sola nada, sin mí y
sin ti, pues te quedaste en mí.
       (L.P., p. 189.)

No tienes que decirme
más. Mi camino
sale de ti y se pierde,
solo, ancho, tranquilo,
en la luz verdadera.
....

En mí tengo todo
sin ti, porque tú eras
sólo lo que añadías,
lo que quitabas a mi permanencia.
¡Sin ti lo soy ya todo!
¡Me has librado, contigo,
del mundo!
       (L.I.P., pp. 418-419.)

Juan Ramón Jiménez. 5

Anécdota e intemporalidad

Estío es la historia de la primera etapa del amor entre Zenobia y Juan Ramón Jiménez. El período abarcado parece breve, de unos meses sólo, probablemente entre el mes de abril y el de octubre de 1915[8]. De estos meses, el más cierto es el de agosto, ya que el poema 55 de *Estío,* que actúa como eje divisorio del libro, se titula "Amanecer de agosto", y parece haber sido escrito en la mañana siguiente al día en que Zenobia se marchó. La anécdota subyacente en el libro puede resumirse en tres puntos:

—Hallazgo de la mujer definitiva.
—Abandono por parte de ella.
—Amarga soledad del poeta: Necesidad imperiosa de reestructurar su mundo interior sin ella.

La cronología es simbólica al mismo tiempo que precisa. La primera parte del libro se titula "Verdor" y la segunda "Oro". Con el título "Verdor" se alude tanto al principio del verano —en que la naturaleza presenta sus primaverales verdes llevados al apogeo— como al momento psicológico de ilusión amorosa, de *esperanza* (el color verde en su simbolismo tradicional). Con el título "Oro", el color más juanramoniano, se alude también doblemente al final del verano —cuando los amarillos de los frutos y del otoño próximo invaden la naturaleza— y simultáneamente a la pasión quemada, a la *eternidad* de la soledad anímica en que el poeta debe instalarse de nuevo.

Significativamente, respondiendo a una técnica característica de Juan Ramón para envolver en hermetismo las anécdotas vitales, toda esta simbología de las estaciones se nos aclara en un poema, pero no en un poema de *Estío,* sino de "Monumento de amor" (ello nos indica también la composición simultánea de ambos libros):

---

[8] Por otros indicios —el poema 70 de *Estío,* en que se alude a un otoño en que ella le fue favorable, mientras en el *estío* siguiente ya no lo es, y por una carta en que Juan Ramón habla de sus "dos años de sufrimiento constante"— podemos quizá pensar en un período más largo: entre el otoño de 1914 y el verano de 1915. La composición del libro debió de ser, sin embargo, rápida: "El verano me ha traído un libro nuevo, *Estío",* escribe el poeta a María Martos.

Entre tus hojas ha caído, otoño,
mi ilusión, hoja seca
que fue, como las tuyas, hoja verde,
admirada y cantada en primavera.
*   Esta vez el amor solo ha traído*
la vida del verdor tuyo, arboleda;
en tu ejemplo tranquilo
se templará, pensando, mi tristeza;
....

*   ¡Amor mío, hoja de oro*
que en la gracia de un día de promesas
te creíste infinito como el cielo
que iluminaba tu belleza!
Duerme en paz, a la sombra
de ti mismo, y espera;
otra forma vendrá sobre esta forma
—mariposa, luz, lirio, enredadera—
y al fulgor de su vida, en otro sueño,
alumbraré la sombra de tu pena.
                    (L.I.P., 2, pp. 423-424.)

Los colores y los paisajes de *Estío* tienen una función primordialmente simbólica, y con ello ya se nos da una característica de toda la segunda época juanramoniana: la desaparición de esa vida del paisaje que subyace en los primeros libros. El paisaje es alegórico aquí, no tiene vida propia, es sólo reflejo o escenario de los sentimientos humanos. Carece de importancia en sí mismo. Al estar el espíritu de Juan Ramón dominado por primera vez por una pasión verdadera, lo humano es lo único que cuenta de verdad: y como consecuencia la naturaleza pasa a segundo plano, y aparecen masivamente los poemas descriptivos de estados psicológicos. A lo largo de toda la segunda época observaremos una desvitalización progresiva de la naturaleza, acaparado el espíritu del poeta por problemas humanos y metafísicos[9]. Y la estilización del paisaje, tan notable, por ejemplo, en *La estación total,* será la consecuencia lógica.

Un ejemplo, en *Estío,* de esta función alegórica de los elementos de la naturaleza:

---

[9] La interiorización del paisaje y su asimilación al "yo" —con la correspondiente pérdida de individualidad— es patente, por ejemplo, en estos versos de *Piedra y cielo* (1917-1918): "Un sol *de dentro* alumbra ahora / *mi* mediodía, totalmente. / Las últimas montañas *de mi alma* / *me* acercan, con la luz, sus florecillas." (*L.P.,* p. 799. La cursiva es nuestra.) La naturaleza ya no tiene vida propia; es simple parte del "yo".

En aquel beso, tu boca
en mi boca me sembró
el rosal cuyas raíces
se comen el corazón.
—Era otoño. El cielo inmenso
arrancaba, con su sol,
todo el oro de la vida
en columnas de esplendor.
Estío, seco, ha venido:
El rosal —¡todo pasó!—
ha abierto, tardo, en mis ojos
dos capullos de dolor.

(*L.P.,* p. 161.)

Este poema, núm. 70 de *Estío,* es también una buena muestra del carácter anecdótico del libro. Este carácter no pasaba inadvertido para el mismo Juan Ramón: "El verano me ha traído un libro nuevo, *Estío* que publicaré pronto, con los *Sonetos.* Es una especie de "Diario lírico", inquieto y agudo", escribía[10].

Por su carácter de diario, anticipa también el famoso *Diario de un poeta reciencasado* (1916), con el cual se forma el bloque más anecdótico de toda la producción juanramoniana (como es natural, puesto que estos años son, de todos, los de mayor acercamiento del poeta a la vida cotidiana. Por primera vez se enamora de verdad y tiene que luchar por conquistar a la mujer. Por primera y única vez se casa). Esta circunstancialidad anecdótica, pues, incluye a *Estío* también en la segunda época: si el *Diario* pertenece a ella, como el mismo Juan Ramón afirma[11], *Estío* también.

Más adelante, cuando Juan Ramón vuelva a replegarse sobre sí mismo al no necesitar incorporar nada externo importante a su vida, empezará la gran etapa de "intemporalidad". El alejarse de lo humano circundante tendrá su manifestación estética en estas palabras de 1927: "Mi ritmo no es

---

[10] A María Martos. *Cartas,* 1, p. 122.

[11] "El fin de la primera época son los *Sonetos espirituales.* Mi renovación empieza cuando el viaje a América y se manifiesta con el *Diario*" (R. Gullón, *Conversaciones con Juan Ramón Jiménez,* Madrid, Taurus, 1958, p. 120). En estas palabras el poeta parece olvidar completamente a *Estío.* Nos permitimos discrepar levemente de Juan Ramón: su renovación ha empezado antes, puesto que ha cambiado desde *Estío* su actitud ante la vida. Lo que sucede con el *Diario* es que nuevas influencias y paisajes enriquecen este libro, y las innovaciones formales —verso libre, mezcla de prosa y verso— le dan un carácter más brillante, más novedoso. Pero la actitud vital subyacente en el *Diario* y en *Estío* es sensiblemente la misma: apertura al tú, apertura a lo humano.

de reló ni calendario, sino de tiempo verdadero."[12] La tendencia a la intemporalidad, a la "inactualidad", tan marcada en su segunda época, no es sin embargo privativa de ella. En la primera época también se acusa, aunque de forma más leve, respondiendo a una tendencia permanente de su espíritu. Juan Ramón parte siempre, para poetizar, de una vivencia suya, pero la alquitara en sucesivas abstracciones para desligarla de su inmediatez, y el resultado es siempre más o menos intemporal —según la experiencia inicial haya sido más o menos viva, en relación inversamente proporcional "viveza de impresión / intemporalidad".

"El único libro que escribí de un tirón fue el *Diario*. Es el único concebido como tal libro y escrito inmediatamente. Y tan pronto como lo escribí, lo publiqué."[13] Cierto. Por *Estío* —el otro gran libro anecdótico— ha pasado la mano ordenadora de Juan Ramón rompiendo el orden cronológico, reestructurando los diferentes temas del libro —las anécdotas amorosas, las reflexiones sobre su Obra, las impresiones paisajísticas, etc.— según coordenadas estéticas que buscan la intemporalidad. Y por eso la lectura del libro se complica con zigzagueos, con veladuras, con alejamientos comunicativos. Así, por ejemplo, en "Verdor", en medio de poemas de tono laudatorio encendido hacia Zenobia, el poeta incluye terribles versos irritados contra ella (poemas 16, 19 y 26), desconcertando al lector. Y también en "Verdor", Juan Ramón nos habla de su apatía y su aburrimiento tras el abandono del amor, de lo irremediablemente perecedero que es, etc. (poemas 18, 43, 44, 47 y 51).

¿Qué pensar para explicarnos esto[14]? Observamos que el ordenado poeta ha buscado equilibrar el número de poemas incluidos en cada una de las dos partes: "Verdor" (cincuenta y cuatro poemas) + "Amanecer de agosto" + "Oro" (poemas 56-106: cincuenta, por tanto). ¿Ha pasado entonces algunos poemas de la segunda parte a la primera, para equilibrar la composición? No nos parece explicación suficiente: En la parte "Oro" hay también poemas que han debido de ser escritos en el momento optimista:

---

[12] *Cuadernos,* Madrid, Taurus, 1960, p. 126. La cita pertenece a las "Notas a la Portadilla" de *Obra en Marcha.*

[13] R. Gullón, *Conversaciones con Juan Ramón Jiménez,* p. 83.

[14] Podríamos pensar que el poeta da en *Estío* el estricto orden compositivo de los poemas, y que el carácter de diario y la labilidad afectiva de Juan Ramón explicarían esos bruscos cambios de tono. En confirmación de esta hipótesis tendríamos la correspondencia entre Zenobia y Juan Ramón en este período: "Monumento de amor". En ella vemos tanto el gran amor del poeta como su cambiante humor. Sin embargo, esta hipótesis —el tener *Estío* un orden cronológico— va contra todas las costumbres de Juan Ramón.

el 62, el 66 y tal vez el 73, el 75 y el 105 (nuevas confusiones para el lector).

La explicación nos parece que debe de estar en esa búsqueda *a posteriori* de la intemporalidad, o deseo de alejar el libro del plano anecdótico. (Para los poemas numerados 73, 75, 79, 93 y 100 la explicación puede ser más directa: hablan todos del otoño, el otoño feliz de 1914 en que ella le era aún favorable. No podía incluirlos en la parte de "Verdor" para no violentar la impresión ambiental de principio de verano.) Así, dislocando la anécdota amorosa, interrumpiéndola con reflexiones versificadas sobre su Obra o sobre su vida —poemas núms. 8, 9, 15, 17, 40, 78, 88, 91, 93—, Juan Ramón destruye en *Estío* la impresión, genéticamente cierta, de historia amorosa.

Pensamos también que, al tratarse en el libro de una historia de amor contrariado (que, aunque más tarde termine en boda, está lejos aún del "happy end" en el momento de su publicación), la discreción empuja al poeta a reorganizar el libro de modo que oculte la anécdota real. Más o menos como sucedía a los trovadores con sus prohibidas amadas. Como ellos, Juan Ramón tiende al ocultamiento del objeto de su amor mediante estereotipias en la descripción física: los cabellos rubios invariables de las damas de trovadores, ¿no se corresponden con los ojos "azules" de la amada en *Estío*[15], cuando en "Monumento de amor" y en todos los libros de la segunda época (son los libros de amor confesado) son reiteradamente verdes[16]? Incluso el poema que clausura *Estío*, titulado significativamente "Silencio", ¿qué es sino el secretoso "envoi" que cierra las canciones trovadorescas?:

> *No, no digáis lo que no he dicho.*
> *Tu luna llena me lo tape, cielo inmenso,*
> *en la noche solemne;*
> *tú, río que lo sabes, sigue hablando*
> *como quien no lo sabe, paralelo*
> *en tu huir infinito*
> *a mi secreto pensamiento yerto;*
> *aunque lo cantes, pájaro,*
> *yo solo sepa desde dentro*
> *que lo cantas cual yo en abril te lo cantaba;*
> *tú, rosa última, guárdalo en tus pétalos*
> *como en mi corazón; llévalo tú*
> *y déjatelo, viento...*

---

[15] Poema 84, por ejemplo.

[16] Cf. en "Monumento de amor" los poemas "Sí, que se vaya" e "Ilusión", y en *Eternidades,* el poema 23. En todos ellos se habla de los "ojos verdes" de Zenobia.

¡No, no, no lo digáis!
Siga todo secreto
eternamente, mientras gira el mundo
soñando, nunca dicho ya por nadie,
con mi silencio eterno.
(P. 198.)

Confirmación de este deseo de ocultamiento y de intemporalidad la tenemos en los que llamaremos "poemas gemelos". Hay cuatro series en *Estío* de estos poemas dobles, que han nacido como variantes de una sola vivencia: el 20 y el 87; el 31 y el 71; el 27 y el 62; y el 11 y el 72. Significativamente, Juan Ramón coloca, dentro de cada serie, uno en la primera parte y otro en la segunda. Para la serie 20-87 la explicación es sencilla: en la primavera, sobre todos los olores de la naturaleza, el de la mujer prevalece, nos dice el poema 20, y, por supuesto, se sitúa en "Verdor". En el otoño —dice el poema 87— el olor de la mujer se filtra entre todo el decaer de la naturaleza ("Oro")[17]. Para la serie 27-62 la explicación ya es más complicada. Ambos poemas parten de una anécdota (Zenobia le ha pedido a Juan Ramón explicaciones sobre su vida erótica anterior, él se las ha dado, y ella ha llorado):

...Ahora es cuando he cometido
aquellas miserias viejas,
¡ahora que a ti, mujer única,
te han hecho llorar de pena!
(P. 109.)

El deseo de desculpabilizarse le hace, en el poema 62 —que seguramente fue escrito como comentario inmediato del 27—, desear que algo turbio manche también el pasado de ella, para estar ambos iguales y que ella no le tenga que *perdonar* (idea intolerable para Juan Ramón):

Yo te conté la verdad,
fuente pura del dolor;
ya tuya, subió a tus ojos,
deshecho tu corazón.
....
En todo quiero —te dije—
ser lo mismo que tú, amor.
Cuéntame tú la verdad,
¡que me parta el corazón!
(P. 153.)

---

[17] El carácter de poemas gemelos lo subraya el mismo Juan Ramón fundiendo más tarde ambos poemas en uno solo en *Canción*, 1936: "Eva" (Madrid, Aguilar, 1961, p. 250).

¿Qué rasgo de este poema pudo permitir a Juan Ramón su inclusión en "Oro"? Tal vez el sobrentendido de que ella "debía de tener" también algo oculto negativo. Pero, creemos, el móvil principal para situar este poema en "Oro" debió de ser el deseo de romper la continuidad entre ambos, alejando así a uno y otro, un poco, de la anécdota.

La relación entre los poemas 31 y 71 es aún menos evidente. El 31 pertenece a la serie de "reflexiones versificadas", y parece enigmático:

> *¿Cómo una voz de afuera*
> *llega a ser nuestra voz*
> *y hace decir sus cosas*
> *a nuestro corazón?*
>
> (P. 114.)

Al no decírsenos el objeto que provoca el comentario, la interpretación de este poema es, al principio, provisional: nos parece que Juan Ramón ha oído un cantar, "una voz de afuera", que expresa su propio sentir ("hace decir sus cosas / a nuestro corazón") como él hubiera podido hacerlo ("llega a ser nuestra voz"). Y esta interpretación se nos confirma al encontrar en "Oro" el poema "La viudita"[18], motivado por la canción de corro:

> *Mi alma juega con las niñas...*
> *Yo soy la viudita...*
> *Ella es la niña viudita,*
> *¡rosas - ¡amor! -, brisas!*
> *.....................*
>
> · *La flor era mía.*
> *Como en un corro de niñas,*
> *la risa era mía.*
> *...Se deshojaron, marchitas,*
> *la flor y la risa.*
>
> *Mi alma es la niña viudita:*
> *Yo soy la viudita...*
>
> (P. 162.)

El orden de presentación en el libro es inverso: la reflexión suscitada por la sorpresa de encontrar en copla popular sus sentimientos, se nos da

---

[18] Juan Ramón estimaba mucho este poema, hasta el punto de incluirlo en *Canción* bajo el título "La viudita del jardín". Ejemplo de valoración vital del poeta hacia su obra: le parece bueno este poema porque lo ha sentido con fuerza.

en "Verdor", muy lejos del poema que lo aclararía. La posición de este poema en "Oro" es lógica, corresponde al tono de desamparo de toda esa parte; pero el hecho de que Juan Ramón voluntariamente anticipe el poema-reflexión subsiguiente, dificultando así su intelección, sólo obedece a una ordenación "intemporalizadora" posterior.

Y otro tanto cabe decir de la serie de poemas 11-72. El poema 11, "A un niño muerto en un cuadro", perfectamente enigmático, sólo se nos aclara si lo ponemos en conexión con el 72, "Epitafio de nosotros".

La mano ¿ordenadora? de Juan Ramón ha pasado por todo el libro *Estío* haciéndole perder carácter de "diario"... y ahuyentando a críticos y lectores poco amantes de hermetismos.

La serie de "Jardines"

Dentro de los ciento seis poemas que componen *Estío,* hay un grupo singular: los ocho poemas titulados "Jardín" y repartidos irregularmente por el libro, sobre todo en la segunda parte. Al titular ocho poemas de igual forma, inicia Juan Ramón un hábito personalísimo, que va a extenderse por toda la segunda época hasta *La estación total.* (Otro rasgo más que incluye a *Estío* en este período.)

Coinciden estos ocho poemas, métricamente, en adoptar la forma de *silva arromanzada,* frente a los metros más breves y abundantes en repeticiones del resto del libro, tipo "canción". Temáticamente, desde el "Jardín 2" hasta el "Jardín 8", coinciden en el tono reflexivo y en ser *los poemas más representativos de "Oro",* los que cantan la soledad del poeta y sus esfuerzos por reorganizar su mundo interior sin la mujer amada. Son, pues, los más psicológicos, los más desengañados, los más trágicos. Y presentan todos la particularidad de no mencionar ni una sola vez la palabra "jardín" en el texto, con lo cual el título se nos vuelve enigmáticamente simbólico.

Si la corriente de "jardines" tiene un desarrollo claro y unas características bastante precisas, su origen es más problemático. El "Jardín 1", silva arromanzada también, no tiene carácter desengañado, sino esperanzado: pertenece a "Verdor". Es una alegoría:

> *La luna de la aurora me parece*
> *tu corazón suave, que el incendio*
> *del mío, sol que sube,*
> *anega y desvanece con su fuego.*
> ....

> *Se caerá tu corazón sin mancha*
> *en mi desordenado sentimiento,*
> *y, cual la luna en la mañana inmensa,*
> *en mi oro se hundirá, rosa no vista,*
> *estando allí, de mi desnudo pecho.*
>
> (P. 123.)

Pero el "Jardín 1" no es la única excepción. Cerca de él (poema 39) hay otros dos que, sin llevar el título de "jardín", nos parecen estrechamente conexionados con la serie: el 44 y el 49. El 44 se relaciona con la gran corriente de los jardines de "Oro" en ese querer recuperarse el poeta a sí mismo a través de la soledad[19]:

> *Soledad, te soy fiel.*
> *Espérame en el último*
> *rincón de aquel jardín con luna grande,*
> *donde soñamos tanto, juntos.*
> *Yo dejaré por ti al amor*
> *sin mí.*
>
> (P. 128.)[20]

El 49, en cambio, pertenece claramente a "Verdor", se relaciona temáticamente con el "Jardín 1", y, con bastante probabilidad, fue el poema que originó toda la serie, ya que contiene la clave de la palabra "jardín":

> *Jardín grato —alma mía—*
> *de mi casa de carne;*
> *cual mi casa al jardín,*
> *te siento sin mirarte,*
> *defendiendo mi vida*
> *con tu májico oasis.*

---

[19] Con este poema se relaciona otro, el 18, en silva arromanzada también, pero anticipado en el libro por la reorganización juanramoniana (¿otro "jardín" más, innominado?):

> *... ¡Melancolía*
> *de este vaivén costante y disgustado*
> *que se llama "mi vida"!*
> *¡No importa! Tengo siempre*
> *la vuelta. En la tranquila*
> *soledad de la noche de verano,*
> *la eternidad serena y sin salida*
> *—única, novia fiel,*
> *madre, hermana y amiga—*
> *camina a todas partes*
> *conmigo, siempre idéntica y divina.*
> (Pp. 98-99.)

[20] La redonda es nuestra.

Sé que en ti siempre están,
por si yo los buscase,
el ala y el olor,
la luz, el agua, el aire;
sé que tú me conservas,
por si quiero encontrarme
—como te he dicho ya
que yo soy—, mi imajen...
...Sé que en ti están cayendo
como glorias, las tardes. [21]

No ha hecho su aparición aún la forma métrica de la silva, más apta para las notas sombrías de los otros "jardines"; aquí tenemos el aire cantarín del romance (que permite al poeta recoger este poema más tarde, en la *Canción,* bajo el título "Mi guardia"). Sin embargo, tenemos ya aquí la idea matriz de todo el grupo, y también esa nota conceptista característica de todos los "jardines": "sé que tú me conservas / por si quiero encontrarme / [...] mi imajen".

¿Por qué no incluyó Juan Ramón estos poemas dentro de los numerados bajo el título "Jardín"? La única explicación que se nos ocurre es, de nuevo, la reorganización antianecdótica que el poeta imprimió a *Estío:* Ambos poemas, el 44 y el 49, contienen expresamente la palabra "jardín", mientras los "jardines" no la mencionan ni una sola vez. El no incluir en la serie estos dos poemas salvaguarda el hermetismo del grupo, lo aleja de la explicación.

Cuando Juan Ramón compuso *Estío* vivía en la Residencia de Estudiantes de la calle Fortuny, donde precisamente en una serie de conferencias trabó amistad con Zenobia. Sabemos también, por las cartas de Juan Ramón a su madre, que uno de los mayores encantos que la Residencia ofrecía al poeta era el jardín, al cual daban dos lados de su habitación. ¿Cómo no imaginarnos al sedentario y enamorado Juan Ramón pensando en Zenobia y contemplando el jardín desde su cuarto... y relacionando la hermosura de ambos? Así, los innumerables jardines de la primera época juanramoniana, los jardines mágicos y dolientes llenos de arias tristes, los amados jardines reales y soñados[22], confluyen ahora, en el umbral de la

---

[21] *L.P.,* p. 133. La cursiva es nuestra.

[22] Las cartas de Juan Ramón correspondientes a la primera época están, como sus versos, llenos de alusiones a jardines. Así, en carta a Rubén Darío comentando su enfermedad —es la época del Sanatorio del Rosario— dice: "Me paso el día en el jardín o en el cuarto de trabajo, leyendo, soñando, pensando y escribiendo..." (*Cartas,* 1, p. 43). Y en otra, al mismo: [en un pueblo como Moguer] "no puede ir uno a un museo, a un concierto, a un parque monumental" (*Ibíd.,* p. 41). O en carta a Antonio

segunda época, en un metafórico jardín: la mujer amada. Jardín no ya vegetal sino humano, abstracto: jardín de segunda época[23].

Pero la metáfora "mujer-jardín" es bivalente en *Estío,* y puede funcionar con cualquiera de sus términos. Un ambiente nocturno, acorde con la tristeza del poeta abandonado, domina en los jardines de "Oro". El jardín (real) en sombra —sin el "jardín" (metafórico) de la amada—, el jardín de la Residencia de Estudiantes, se transparenta en este hermoso "Jardín 2":

> *La noche me parece, inmensa y sola,*
> *tu olvido.*
>
>   *Abajo, su jazmín huele a tu ausencia;*
> *las estrellas, arriba, tus suspiros*
> *son por rosas que nunca*
> *abrirá el alma mía...*
>   *Entre la sombra*
> *voy... Como no me ves, no soy visto*
> *de nadie. El cielo, más lejano*
> *desde que tú te has ido,*
> *tiembla, con la pasión que no sentiste*
> *por mí, suntuoso y lleno de vacíos,*
> *abierto mudamente para el éxtasis*
> *de mi dolor alerta e infinito.*
>
>   (P. 151.)

Este "jardín" desvela el fondo del problema: la sensación de no existir sin el amor de ella ("Como no me ves, no soy visto / de nadie"), la sensación de haber perdido incluso la belleza del mundo al haberla perdido ("El cielo, más lejano / desde que tú te has ido"). Todos los "jardines" de "Oro" parten de este amargo vacío. Pero el poeta difícilmente podía quedarse en este estado de insuficiencia. El orgullo —o, lo que en Juan Ramón es casi igual, la necesidad de sentirse por encima de toda contingencia, invulnerable— le hace sobreponerse *racionalmente* a su dolor e imaginar que es ella la que sale perdiendo al abandonarle a él. ¿Se siente celoso? Pues escribe, anticipando a Salinas:

> *Jamás el que te ame*
> *te amará a ti, mujer, amará a otra;*
> *tú eres solamente*
> *para mí.*

Machado: "aquí [Moguer] me faltan ciertos elementos de arte de los que no puedo prescindir: la música —conciertos—, ciertos aspectos de suntuosidad y de jardín". (*Ibíd.,* p. 116.) Etc.

[23] La enorme riqueza simbólica que la palabra "jardín" vehicula a lo largo de la producción juanramoniana en verso ha sido puesta de relieve por Domenico Frattaroli en su tesis de M.A., *El símbolo del 'jardín' en la obra de Juan Ramón Jiménez.* Université de Montréal, 1973.

No, celosa,
mi alma sollozará, cuando otro cuerpo
tuyo se enrede por las secas rosas
de cualquier otro amor, anhelo vano
de aprisionar tu verdadera forma

("Jardín 3", p. 156.)

... Solo
me quedaré cuando te vayas,
o te llevan los otros,
de la verdad inalterable y pura
que a tu vivir le puedo dar yo solo.

("Jardín 5", p. 168.)

... Serás tú, sin quererlo,
la tú que, estando en ti, no es tuya,
sino mía.

("Jardín 7", p. 176.)

El, poeta, dueño de la hermosura del mundo ("con solo alzar los ojos, / cuanto el hombre desea, y tiene Dios, / está en mi mano", p. 173), es equiparable, incluso, al cielo:

No podrás olvidarte
de mí, pues que es eterno,
uno e igual por todo
el mundo el cielo.

("Jardín 6", p. 172.)

Juan Ramón insiste, una vez y otra a lo largo de los "jardines", en esa idea central de que *sólo él posee la esencia de la amada*[24] y por tanto ella está vacía de sí misma: su partida importa poco. (¡Ingenioso sofisma!)

Los dos que fuimos uno,
en mí han quedado. Tú has seguido siendo
sola nada, sin mí y
sin ti, pues te quedaste en mí.
....

---

[24] La misma idea vuelve en otros poemas de *Estío* que no son "jardines", pero que pueden habei sido compuestos en ese tiempo y reorganizados luego por Juan Ramón: el 24 y el 36.

> *Tú, atónita, me miras con tu frío*
> *mi estrañeza, sintiéndo-*
> *te la huéspeda importuna*
> *de ti y de mí, que estamos en mí, eternos.*
>
> ("Jardín 8", p. 189.)

Pero precisamente el repetirlo tanto, el tener que repetírselo a sí mismo tantas veces ¿no nos está mostrando el orgullo herido, y el dolor verdadero por no tener a la amada, y la falacia última del razonamiento?

IV

EL AMOR DEFINITIVO: *DIARIO DE UN POETA RECIENCASADO* (1916), *ETERNIDADES* (1916-17), Y "RÍOS QUE SE VAN" (1951-53)

> "El amor, que es la poesía y la esencia suprema de la
> vida humana, no sé si usted lo sabe, es fatalmente
> breve; también la rosa y la oración son sólo apoyos
> para la totalidad."
>
> (J. R. J.: *Carta a L. Cernuda*, julio 1943.)

El *Diario de un poeta reciencasado* es el libro del viaje trasatlántico de Juan Ramón para reunirse con su amada y desposarla. Podríamos esperar que el *Diario* fuese el gran libro del amor conseguido. Y sin embargo, no: es el gran *libro de viajes*. Poemas amorosos los hay, sin duda alguna, pero su porcentaje es muy pequeño (un 9 por 100: veintidós, entre un total de doscientos cuarenta y tres poemas). Lo que domina en este libro es la anotación del instante —nuevas impresiones continuamente fijadas en palabra por el poeta—: las diferentes caras del mar, anécdotas de la vida a bordo, impresiones agradables y desagradables (éstas más abundantes) de su estancia estadounidense, etc. Zenobia aparece en unos pocos poemas, raramente en primer plano. Como si el poeta no se hubiese casado. Por eso nos parece más adecuado el título de *Diario de poeta y mar* que Juan Ramón le dio más tarde: en él el mar tiene infinitamente más importancia que la mujer amada. ¿Por qué?

La primera respuesta que viene a la cabeza es: El poeta cantaba al amor mientras éste le hacía sufrir; una vez que el amor le es favorable, ya no le inspira. Corroborando esta explicación masoquista estaría el hecho de que "Monumento de amor", el proyectado libro-homenaje a Zenobia, contiene en su mayoría poemas del mismo tono que *Estío*, poemas donde vemos a la amada superior, lejana, ausente. Y también el hecho de que, más adelante, ya casados, la esencia del "tú" se le revela sobre todo a través del dolor:

> *¡Sólo eres tú,*
> *—aquella tú—*
> *cuando me hieres!*[1]

---

[1] *Eternidades*, 45, p. 595.

69

Ahora bien, ¿es ésta la única explicación? Las motivaciones de nuestros actos casi siempre son múltiples: actuamos por una suma de motivaciones confluyentes. En el caso de Juan Ramón se nos ocurren también otras explicaciones: el juego de equilibrio en la obra juanramoniana, por ejemplo. Antes del *Diario* teníamos una serie de libros amorosos cuya razón era Zenobia: *Estío, Sonetos espirituales,* "Idilios"[2] y "Monumento de amor". El poeta necesita descansar del tema y cantar otras cosas. (Lo cual no impide que más tarde vuelva a él, en *Eternidades* sobre todo.)

Sin embargo, el lector apasionado nos dirá: "Esta explicación no es satisfactoria. Si Juan Ramón es capaz de ver todo ese anecdotario alrededor de sí (la vida americana, el mar cambiante, etc.) es porque el amor no tira de él con suficiente fuerza. Si el amor conseguido le absorbiera, no vería nada alrededor." Sí, y el lector apasionado tendría razón, fuerza es reconocerlo. Ante la avalancha de impresiones externas nuevas, el amor pasa a segundo plano. Y eso en su momento culminante, el momento de su consecución. (Por ello el título más justo para el libro, realmente, hubiera sido: "Diario de mí, enamorado, en el mar y en América".) El poeta está viviendo circunstancias enormemente anómalas: está viajando por un mar que le sobrecoge por su hermosura y por su peligrosidad (el miedo a morir ahogado es patente en muchos lugares del libro, disfrazado de agresividad contra el mar indiferente); luego sigue viajando por un continente desconocido, de costumbres extrañas, donde se siente des-sincronizado (de ahí la rezumante hostilidad ante muchos aspectos de la vida norteamericana); luego vuelve a España, y el reencuentro con su ámbito paisajístico y humano familiar, reconfortante en su rutina —tras el "extrañamiento" americano— le conmueve hondamente... Todo esto, superpuesto, es demasiado para el retraído poeta, acostumbrado a mirar extáticamente, con lupa, una microparcela de la realidad. América, el mar, todo es demasiado grande, todo causa demasiadas sensaciones que se suceden demasiado deprisa. La mirada de Juan Ramón debe adaptarse para captar, velozmente, otro panorama más vasto. Y el resultado de esta adaptación a circunstancias anómalas es, lógicamente, un libro anómalo también dentro de la obra juanramoniana: el *Diario.* Uno de los más vivos, de los más modernos, de los más "objetivos". (Una especie de muestra de lo que el poeta hubiera escrito si las circunstancias de su vida hubieran sido otras.)

Pero aunque el *Diario* es un libro vastísimo —trescientas cuarenta y

---

[2] En este libro vemos la figura de Zenobia en la segunda parte,"Idilios románticos", pero no en la primera, "Idilios clásicos": en esta parte la figura es morena y de ojos negros.

una páginas en la edición de Aguilar—, la intensidad de vida de esos meses es tal, que Juan Ramón deberá volver sobre sus impresiones más tarde, y los libros siguientes —hasta *Animal de fondo* inclusive— seguirán alimentándose en parte del *Diario:* todo el grupo 2 de *Piedra y cielo,* "Nostalgia del mar", por ejemplo, es un subproducto del *Diario;* toda la ancha corriente de poemas "marítimos" que llena la segunda época, nace del *Diario*[3]. Y, sobre todo, la motivación primera de *Eternidades* parte del *Diario* también: *Eternidades* va a intentar ser el libro del amor conseguido que el *Diario* no pudo ser por la avalancha de circunstancias.

Los poemas amorosos del *Diario*

Como apuntábamos antes, su número es muy bajo: veintidós poemas sobre un total de doscientos cuarenta y tres que integran el libro. A estos veintidós se les pueden aún añadir tres más en que el amor de Zenobia le sirve de término comparativo (números 11, 58 y 96), otros tres en que es fondo referencial (8, 26 y 106) y tal vez otros dos que pudieran ir dirigidos también a Zenobia (los números 87 y 104).

Dentro de las seis partes del libro, aparecen casi exclusivamente en la primera y la tercera (en la segunda hay dos poemas: el 27 y el 38). En la primera parte, "Hacia el mar", encontramos seis: los que llevan los números 3, 9, 10, 12, 17 y 18. Y en la tercera, "América del Este", catorce: 57, 64, 66, 68, 75, 77, 84, 85, 92, 95, 110, 119, 121 y 144. Los de la primera parte son alegres, esperanzados, impacientes: ve a Zenobia en el anillo de prometidos, en la Giralda, en Sevilla, en el acompañamiento silencioso que le da su propia pasión. Al acercarse, en tren, a su pueblo, el recuerdo de Zenobia se apaga frente a otros estímulos[4]: los recuerdos, la familia, el pintoresquismo andaluz... Embarca en Cádiz. Entramos en la segunda parte, "El amor en el mar". El poema inaugural, núm. 27, vuelve a presentarnos la imagen de la amada. Pero en seguida las nuevas experiencias —el mar terrible y hermoso, la vida de los pasajeros, etc.— borran esta imagen.

---

[3] Y ecos de unos poemas del *Diario* en otros posteriores: así el 113 de *Eternidades* es simple refundición en verso de la "Nota a Miss Rápida" del *Diario,* en prosa.

[4] Michael P. Predmore, en su interesante libro *La poesía hermética de Juan Ramón Jiménez (El Diario como centro de su mundo poético),* Madrid, Gredos, 1973, estudia la red de símbolos del *Diario,* y la situación clave de esta obra dentro de la producción juanramoniana y dentro de la poesía española. Para M. P. Predmore el tema básico del *Diario* es el conflicto, "la lucha constante entre el apego del niño a las fronteras familiares de su temprana existencia (el miedo infantil a dejar el nido) y el impulso hacia el amor, la madurez del adulto y la independencia" (p. 25).

Sólo el poema 38, que lleva una larga explicación anecdótica ("Vistién-
dome, mientras cantan, en trama fresca, los canarios de la cubana y del
peluquero, a un sol momentáneo") vuelve al tema: el poeta reflexiona sobre la historia de su amor, sus dificultades y su tiempo actual:

> .. *Tuviste*
> *como convalecencias*
> *de males infantiles.*
> *Pétalos amarillos*
> *dabas en tu difícil*
> *florecer... ¡Río inútil,*
> *dolor, cómo corriste!*
> *Hoy, amor, frente a frente*
> *del sol, con él compites.*

La tercera parte es la más abundante en poemas (catorce) y la más
significativa. El poema inicial, sencillo, hermoso, expresa en síntesis la tan
deseada unión corporal, su vaga decepción, y su espléndida consecuencia
no buscada:

> *Te deshojé, como una rosa,*
> *para verte tu alma,*
> *y no la vi.*
> *Mas todo en torno*
> *—horizontes de tierras y de mares—,*
> *todo, hasta el infinito,*
> *se colmó de una esencia*
> *inmensa y viva.*

El estar "recién casado" sería, efectivamente, la nota sintetizadora del
complejo núcleo vivencial de Juan Ramón ahora. La belleza física de su
mujer se le impone en algunos momentos —en el poema "Ocaso de entre-
tiempo"— con una fuerza tal que, de término comparativo que es, pasa a
protagonizar el poema:

> *Eres dulce*
> *paisaje,*
> *igual que una mujer*
> *que va a acostarse, un poco*
> *cansada, por la tarde.*
> *Se le ha salido el alma hacia la noche*
> *y es forma de su cuerpo —niebla suave—,*
> *y, alejada, en los oros interiores*
> *de su mente, la demostrada carne,*

se le ven los colores, por el sueño,
fuerte aún en la pálida ternura
en que está ya, de su sencillo desnudarse.
Rosa fresco, puro celeste, malva
amable,
lo mismo
que tu ocaso, paisaje.

También el reciente matrimonio intensifica un esporádico tema juanramoniano: el del sueño de la amada. Y surgen los bellos poemas 66, 110 y 119. El sueño roba a la amada, la aleja —como en el célebre soneto de Gerardo Diego más tarde—, condena al poeta de nuevo a la individualidad.

Pero el descontentadizo Juan Ramón apenas puede detenerse en su felicidad recién adquirida. En seguida le asalta el dolor de haber perdido la imagen ideal de ella al poseerla en la realidad:

Sí, Estás conmigo ¡ay!
¡Ay, sí! Y el peso de tu alma y de tu carne
sobre mi carne,
no me deja correr tras de tu imajen
—¡aquellos prados de rosales
grañas, por donde huías antes,
de donde a mí viniste, suave!—;
aquella imajen tuya, inolvidable,
aquella imajen tuya, inesplicable,
aquella imajen tuya, perdurable
como la mancha de la sangre..."
(Núm. 75, p. 310.)

Vuelve, pues, el poeta a su dialéctica entre la realidad y el sueño, entre lo conseguido y la posibilidad, como antes había hecho en *Estío* (poema 8) y hará más tarde en *Piedra y cielo* (poema 31). Y no se detiene aquí. El poema 68 nos lo muestra ya en disconformidad ideológica con Zenobia —anunciando así otra serie de poemas de *Eternidades*—, y el 77 vuelve al tema del "arrepentimiento de la carne", tan intenso en la primera época, echando sobre su mujer la culpa de sus juveniles debilidades —en la línea, pues, de los poemas 27 y 62 de *Estío*—:

Tus imájenes fueron
tus imájenes bellas, gala fácil
de aquellos verdes campos—.
¡tus imájenes fueron ¡ay! las que hicieron,
sin mí, locas, lo malo!

Tú, la tú de verdad,
eres la que está aquí —pobre, desnuda,
buena, mía—, a mi lado.

Resumiendo el tono vital de todo este grupo, encontramos que ya no es exaltador como al principio del *Diario,* sino sereno y con una cierta tendencia a la angustia (los poemas del sueño de la amada, de su "ser diferente", o aun aquellos en que el llanto aparece, como el 64). Tenemos que volver, pues, a nuestra anterior idea de que Juan Ramón canta preferentemente al amor mientras éste le hace sufrir. Conseguido, el amor le arranca un número mucho menor de poemas, aunque quizá esto quede compensado por la gran hermosura de algunos de ellos.

Y no es que creamos que Juan Ramón canta al amor que le hace sufrir *porque* le hace sufrir, sino que lo canta *mientras* le hace sufrir. En otras palabras, mientras no lo ha conseguido todavía. Lo que está por detrás —nos parece— no es tanto una actitud masoquista como el impulso poético esencial en Juan Ramón: *el libro como aventura.* El libro como resolución estética de un problema vital.

Con el *Diario* —con la consecución en la realidad del amor— se cierra para Juan Ramón la aventura de amar, y, por tanto, la posibilidad de otro gran libro de amor.

El amor reposado: *Eternidades*

Libro de amor reposado, sí, pero libro que no podrá ya sustituir al *Diario* en el cantar al amor, porque el momento vital ha pasado.

Eternidades, en la idea que el poeta se hacía de su obra, iba a ser el libro que consagrara poéticamente al amor conseguido; su dedicatoria ("A mi mujer") nos lo prueba. Sin embargo, la sorpresa del amor compartido no puede arrancarle a Juan Ramón un libro entero, ni mucho menos: esta felicidad sólo aparece en siete poemas: los que llevan los números 43, 54, 58, 68, 76, 78 y 105. En los demás poemas inspirados por Zenobia (treinta y cinco, según nuestro análisis del libro, sobre un total de ciento treinta y siete que lo integran) el matiz ya es otro: el amor aparece como convivencia cómoda, o como muerte, o como sentimiento fatalmente insatisfecho, o incluso como algo ya perdido. Pero aun prescindiendo de estos matices desagradables, antiamorosos, el número total de poemas inspirados por la mujer amada es chocantemente bajo: cuarenta y dos sobre ciento treinta y siete. ¿Podemos entonces decir que *Eternidades* es el gran libro de amor a Zenobia?

Creemos honradamente que no. Creemos que *Eternidades* intentó serlo, pero ya había pasado el momento (el momento vital de la sorpresa). Porque Juan Ramón —como tantos otros poetas— fue incapaz de salir de sí mismo para captar y cantar definitivamente, en la maravilla de su individualidad diferente, al tú amado. Cantó, en cambio, y de modo espléndido, el reflejo de la persona amada sobre su espíritu: cantó lo que de ella podía él recibir, lo que de ella cabía en su espíritu. Que no era, ni mucho menos, ella completa.

Es curioso, al llegar a este punto de la vida juanramoniana en su obra, observar un nuevo desdoblamiento entre la voluntad de escritura y la realización concreta de la Obra, o, lo que es igual, entre su yo racional y su yo emotivo. Zenobia y él se quieren en la realidad —una de las parejas más unidas de la Literatura—; Juan Ramón repetidamente quiere celebrar ese amor mediante su escritura: *Eternidades* se queda en frustrado homenaje; "Monumento de amor" será uno de los proyectos más acariciados y más incompletos de su autor; *Canción,* el único homenaje que llegó a realizar, está formado en su mayoría por poemas anteriores a la llegada del amor[5], o por otros temas, o por poemas de *Estío.* El único libro que en realidad está motivado de manera sostenida por Zenobia es *Estío:* el libro del amor-promesa y del amor perdido.

Esto no quiere decir que Juan Ramón sea incapaz de cantar el amor de Zenobia. No: lo hace en todos los libros de la segunda época —sobre todo en *Eternidades, La estación total* y, algo menos, en *Piedra y cielo*— en magníficos poemas de gran altura poética. Pero lo hace de manera esporádica, a impulsos de instantes favorables; no de manera sostenida a lo largo de un libro, como había hecho en *Estío* con el dolor de amar. (Prueba tal vez de la menor capacidad del hombre para sentir el placer que para sentir el dolor[6].)

---

[5] La dedicatoria del libro, tan cariñosa por otra parte, nos prueba que el autor es consciente de esto, y que le molesta y por eso mismo lo justifica: "A / mi mujer / Zenobia Camprubí Aymar, / a quien quiero y debo tanto, / estas canciones que le gustan / *y tantas de las cuales ha anticipado* / *y confirmado ella* / con su espíritu, su bondad / y su alegría." (La cursiva es nuestra.)

[6] "Notre sensibilité est ainsi organisée que la série des intensités de la douleur se trouve plus grande que celle du plaisir; et que le développement de la sensibilité aux douleurs, quand s'accroît l'excitation de la douleur, est infiniment plus rapide que le développement, plus lent, de la sensibilité au plaisir, quand s'accroît l'excitation du plaisir." Cf. Kowalewski, "Lust und Schmerz", en *Lowenfelds Grenzfragen des Nervenlebens.* La cita está en: Max Scheller, *Le sens de la souffrance,* Paris, Aubier, s a., p. 27.

Pero, aunque el gran amor de Zenobia se quede sin expresión adecuada, no queda perdido. Es él, su seguridad fiel, su constante velar junto al poeta, lo que va a permitirle a éste el acceso a la serenidad; la entrada en la calma vital necesaria para acceder a los temas "intemporales" de la segunda época.

PRINCIPALES MATICES DEL AMOR EN *Eternidades*

El amor compartido.

La felicidad de amar y de ser amado aparece en la serie de siete poemas de que hablábamos antes. En ellos el tema del beso vuelve a menudo (105, 76, 54). Como situación de base, aparece la de las dos almas gemelas, unidas en un contexto metafórico de naturaleza, en la dicha de la serenidad (poema 43 y 78):

> *Tu corazón y el mío*
> *son dos prados en flor*
> *que une el arco iris.*
> ....
> *Tu corazón y el mío*
> *son dos rosas que une*
> *el mirar complacido de lo eterno.*
> (Núm. 43, p. 593.)

Junto a esta serie, podríamos situar otros poemas que tienen como denominador común la *idealización de la amada,* asociada indisolublemente con la naturaleza (núms. 23, 37, 49 y 71). Y otros en que el amor de la mujer es doloroso para el poeta, como si la amada, petrarquistamente, fuese dulce dolor fatídico (28 y 45):

> *Te conocí, porque al mirar la huella*
> *de tu pie en el sendero*
> *me dolió el corazón que me pisaste.*
> (Núm. 28, p. 578.)

En este poema y en el 49 volvemos a encontrar esa atmósfera petrarquista que sellaba *Estío,* los *Sonetos* y "Monumento de amor". Esto nos inclina a pensar que estos poemas son anteriores a los demás, contemporáneos o poco posteriores a los libros del hallazgo amoroso:

Cuando tus manos eran luna,
cojieron del jardín del cielo
tus ojos, violetas divinas.
   ¡Qué nostaljia, cuando tus ojos
recuerdan, de noche, su mata
a la luz muerta de tus manos!
   ¡Toda mi alma, con su mundo,
pongo en mis ojos de la tierra,
para mirarte, mujer clara!
   ¿No encontrarán tus dos violetas
bello el paraje a que las llevo,
cojiendo en mi alma lo increado?
                    (Núm. 49, p. 599.)

También dentro del epígrafe de "amor compartido" podrían entrar algunos poemas en que el interés principal no está focalizado sobre la amada sino sobre sí mismo, pero en un contexto de amor recíproco: el 16 y el 19. O estos otros tres poemas gemelos: núms. 8, 35 y 115. (El poeta sigue usando el procedimiento de distanciar en el libro composiciones próximas para desligarlas de la anécdota, intemporalizarlas.) En esta serie Juan Ramón pone en verso, conceptualmente, su sorpresa de verse correspondido:

Es verdad ya. Mas fue
tan mentira, que sigue
siendo imposible siempre.
   (Núm. 8, p. 558.)

   ¿A qué tanto indagar
—¡oh frente trastornada!—
si fue verdad o fue mentira?
   ¡Obra como si hubiera sido
la mentira verdad!
        (Núm. 34, p. 584.)

Era tan bello como en sueños.
   La gloria, descendida,
por escalas de luz,
al ocaso de oro,
jugaba en un jardín sobre la mar.
Y, trocada en amor,
se daba a la poesía.
   ... ¡Pero era la verdad!
        (Núm. 115, p. 665.)[7]

Y, finalmente, el tema del "arrepentimiento de la carne", ya visto en

---

[7] Aquí también, como en algunos "jardines" de *Estío*, el jardín simboliza a la mujer amada, mientras el poeta aparece bajo el símbolo del *mar*.

Estío y en los libros de la primera época, reaparece aquí, en la línea del amor compartido:

> *Limpio iré a ti,*
> *como la piedra del arroyo,*
> *lavado en el torrente de mi llanto.*
> *Espérame tú, limpia*
> *cual una estrella tras la lluvia*
> *—la lluvia de tus lágrimas—.*
>
> (Núm. 35, p. 585.)

El amor incompleto.

Con la convivencia de la vida matrimonial, surge en Juan Ramón la conciencia de la alteridad de la amada, la conciencia de ser diferentes, individuales cada uno de ellos. Y el gran cariño parece que se entibia en una serie de poemas: los números 39, 62, 84, 94, 100, 112 y 126:

> *Quiero que tú no me olvides,*
> *¡y apenas me acuerdo yo*
> *de mí, ayer!*
> *Quiero que tú no me olvides,*
> *¡y me acuerdo más de mí*
> *que de ti tú!*
> *Quiero que tú no me olvides,*
> *¡y apenas me acuerdo yo*
> *de ti, mañana!*
>
> (Núm. 94, p. 644.)

> *Tú que te asustas de mí, dime:*
> *¿te asustas de mi vida o de mi muerte?*
>
> (Núm. 112, p. 662.)

Estos poemas en que la conciencia de la alteridad se agudiza, aparecen a menudo en conexión con los temas de la memoria y el olvido. El tú parece que tiene, como función amorosa principal, el recuerdo: la prolongación de la vida del yo mediante el recuerdo:

> *¡Sé tú el naciente eterno*
> *que recoja el sol cárdeno que muere, cada instante,*
> *en los ocasos de mi vida!*
>
> (Núm. 96, p. 646.)

Ven. Dame tu presencia,
que te mueres si mueres
en mí... ¡y te olvido!
¡Ven, ven a mí, que quiero darte vida
con mi memoria, mientras muero!
(Núm. 103, p. 653.)

El yo y el tú parecen incluso antitéticos: en contigüidad, pero opuestos esencialmente, como en estos dos poemas gemelos: 84 ("Universo") y 124 ("Tierra y mar"):

UNIVERSO

Tu cuerpo: celos del cielo.
Mi alma: celos del mar.
—Piensa mi alma otro cielo.
Tu cuerpo sueña otro mar.

TIERRA Y MAR

El horizonte es tu cuerpo.
El horizonte es mi alma.
Llego a tu fin: más arena.
Llegas a mi fin: más agua.

La amada puede, en el poema 66, aquiescer complaciente ante el deseo del poeta; pero su aceptación es voluntaria —aceptación de un yo externo—, mientras su yo profundo se niega:

Me respondiste como
si yo mismo estuviera
respondiéndome en ti.
                    —¡No, no eras tú!—
Y la flor de tu dicha.
tenía en su raíz
tierra negra de pena.
  —Era igual que un amor
dado, sin voluntad, entre los sueños;
como en la sujestión suave y violenta
de un heliotropo por el sol...—
  Tu boca suspiraba
que sí, a flor de sangre,
pero tus ojos, hondos hasta el alma
me decían un no medroso y triste,
apartándose al valle de lo eterno.
(P. 616.)

El desamor.

Anécdotas negativas se transparentan en ciertos poemas: el 63, el 110, el 119. Desacuerdos que sospechamos breves y transitorios en la realidad, pero que dejan su huella en este libro que hubiera querido ser el del amor encontrado y definitivo. (En este partir de un hecho anecdótico, borrárnoslo y darnos sólo la repercusión de ese hecho sobre su espíritu, sigue Juan Ramón fiel a su estilo de "vivencia y palabra": la segunda época no difiere de *Estío* ni de la primera.)

En ciertos poemas, incluso, parece que todo acabó: "Puesto que todo lo que piensa olvida, / puesto que lo sentido todo pasa." Son los números 90, 92 y 123. El 92 toma su simbología de los poemas gemelos 84 y 124:

> *Yo soy el mar donde se ha hundido*
> *tu cuerpo; yo te tengo*
> *en mi fondo, podrida...*
> *Fuera, la vida entera*
> es un doble silencio
> *—tuyo porque estás muerta,*
> *mío porque estás muerta—*, mar y playa.
>
> (P. 642.)[8]

La agresividad del poeta le hace hasta soñar que golpea a su amada (bajo los símbolos de "rosa dulce" y "rosa de luz") en el poema 130. Pero estos casos son ya extremos en el libro, no su norma. En realidad, el sentimiento dominante es el de amor compartido y confortable:

> *Piso, ahora, la casa,*
> *con la paz con que antes*
> *la volaba en mis sueños dulces.*
> *Sí, ¡vivo sobre el cielo*
> *de mis alas de niño!*
>
> (Núm. 32, p. 582.)

Esto por lo que respecta al tema amoroso. Que es importante, pero no es el principal en *Eternidades:* el principal es la vida. El amor, en *Eternidades,* forma parte de la vida, pero no es toda la vida: Nuestro "sentimental" poeta no es un apasionado...

Y este proceso se irá acentuando en los libros siguientes. Cantará, sí, a Zenobia, pero cada vez con más serenidad y menos pasión. Los vaivenes del amor-pasión en *Piedra y cielo* le parecerán ya indignos de ser cantados, materia fugaz:

> *No más perderse el alma*
> *—vana semilla*
> *insepulta y estéril—*

---

[8] La redonda es de Juan Ramón.

por los secretos surcos infinitos
de la pasada tierra
del amor... ¡A su cielo,
a su cielo estirado y transparente,
donde se ve volar
en lo inmenso, cantando,
el pajarillo!

(Núm. 98, p. 806.)

LA BÚSQUEDA DE VIDA ETERNA

El lector atento ya habrá observado, en las citas que venimos haciendo de *Eternidades,* el empleo frecuente de la palabra "eterno". La palabra forma parte del vocabulario favorito de Juan Ramón, pero aquí su uso se incrementa, y con razón: el poeta empieza a aspirar intensamente a la inmortalidad. Toda su segunda época va a llevar este sello, cada libro a su manera, hasta culminar en la creación de la divinidad en *Animal de fondo.* Aquí la búsqueda ha empezado ya (volveremos sobre estos temas más adelante) con meditaciones en torno a la muerte (núms. 29, 70, 72, 83, 103, 109, 112, 114, 127 y 136), en torno a la eternidad —centrada sobre sí mismo— (núms. 36, 38, 87, 97, 122, 125 y 137), y en torno a Dios (núm. 134). Porque por detrás de todo el libro, impulsándolo, acuciándolo en la variedad de sus temas y en su búsqueda radical de vida eterna, está el sentimiento angustioso de la vida fugaz (el poeta tiene ahora treinta y seis años):

Cada abril, se me va
de nuevo en el recuerdo.
Fuga de fuga
de fuga.
Recuerdo de recuerdo
de recuerdo...
    ¡Huir interminable,
más suave cada vez,
más pequeño— y más triste,
porque te ibas y porque tu ida
va ya a dejar de irse!—
¡Aroma del aroma
del aroma!
¡Costumbre dulce y triste de su ida,
qué triste cuando tú te pierdas...

(Núm. 33, p. 583.)

..."ME PUSISTE EL VENDAJE DE LA FE"...

Tan pronto como empezamos el libro *Eternidades,* nos llegan ecos insistentes y reiterados del Evangelio —concretamente del Evangelio de San Juan:

1

ACCIÓN

No sé con qué decirlo,
porque aún no está hecha
mi palabra.[9]

3

Que mi palabra sea
la cosa misma,
creada por mi alma nuevamente.
Que por mí vayan todos
los que no las conocen, a las cosas;
que por mí vayan todos
los que ya las olvidan, a las cosas;
que por mí vayan todos
los mismos que las aman, a las cosas...

4

Tira la piedra de hoy,
olvida y duerme. Si es luz...

5

Se quedó con la túnica
de su inocencia antigua.
Creí de nuevo en ella.[13]

En el principio existía
la Palabra, y la Palabra
estaba en Dios. [...] *Todo*
se hizo por ella, y sin
ella no se hizo nada de
lo que se ha hecho.[10]

Padre justo, el mundo
tampoco te ha conocido,
pero yo te he conocido,
y estos han reconocido
que tú me enviaste, y les
he revelado tu nombre y
se lo seguiré revelando,
para que el amor con que
me amaste esté en ellos,
y yo también en ellos.[11]

Aquel de vosotros que no
tenga pecado, sea el pri-
mero en tirarle la piedra.[12]

---

[9] En este poema se superpone una lectura de Goethe a la evangélica.
[10] Juan, 1, 1 y 3. *Nuevo Testamento,* trad. J. M. Valverde, Madrid, Ediciones Cristiandad, 1966.
[11] Juan, 17, 25 y 26.
[12] Juan, 8, 7.
[13] Subrayados nuestros. Aquí no hay cita evangélica paralela, pero la selección de esas palabras parece indicar también una lectura del Evangelio reciente.

¿Qué pensar ante todos estos ecos? ¿Que Juan Ramón, en su búsqueda de vida eterna, se ha vuelto hacia las fuentes de su fe de niño, intentando recobrar el mensaje de vida que esa fe contenía? No sería imposible, aunque sorprende un poco, ya que Juan Ramón no adoptó nunca ante la fe una actitud de búsqueda racional, consciente y continuada. Más adelante, sin embargo, el poema 59 nos da una preciosa información complementaria sobre esta extraña lectura evangélica:

> —¡Lo viste!
> —¡Sí, lo veo!
> ¡Me pusiste el vendaje
> de la fe, con tu prisa, bien mal puesto!
> (Núm. 59, p. 609.)

Es, pues, la católica Zenobia, Zenobia la abnegada, la que se ha echado encima el fardo de "convertir" al poeta mediante argumentos racionales. (¡Como si eso fuera posible!) Ella, con su intuición y su amor, percibe la encrucijada vital en que Juan Ramón se encuentra, y su necesidad de afianzamiento en la eternidad. Pero no puede remplazarle en la tarea de *salir de sí mismo* para ir, confiada y humildemente, al encuentro de la divinidad. Fracasa. Y el poeta percibe la antítesis de sus caminos recíprocos:

> Lo terreno, por ti,
> se hizo, gustoso,
> celeste.
>   Luego,
> lo celeste, por mí,
> gustoso, se hizo
> humano.
> (Núm. 13, p. 563.)

No hay ni habrá acuerdo posible entre ellos sobre este punto. Pero el eco de las conversaciones que ambos tuvieran sobre el tema, sigue impregnando poemas de *Eternidades:*

> EPITAFIO IDEAL
> DE UN CORAZÓN PARADO
>
> Ahora le brotan rosales
> en donde tuvo su fe.
> Van, donde la fe se fue
> —¿dónde se fue?—,
> olores primaverales.
> (Núm. 116, p. 666.)

En este momento, no antes, Juan Ramón se aparta definitivamente de la solución cristiana —aunque siempre conservará la admiración por la figura humana de Cristo— y comienza a elaborar la única religión posible en él, la más conforme con su egotismo radical, la que empieza y termina en sí mismo:

> *Sólo tú eres, alma mía,*
> *mayor que tú. Sólo tú eres*
> *el lugar inmortal a que tú aspiras*
> *y en donde tu ilusión omnipotente*
> *se sienta, sin más dios que tu tesoro,*
> *¡oh alma mía dueña de ti misma!*
> (Núm. 132, p. 683.)

Adiós al amor y a la palabra: "Ríos que se van"

Los últimos poemas que aparecen en la *Tercera Antolojía poética*[14], los últimos seguramente que el poeta escribió, entre unas crisis y otras de su neurosis, son, significativamente, amorosos otra vez. Tras haberse pasado casi cuarenta años intentando descifrar los grandes misterios metafísicos (el sentido de la muerte, la eternidad, la divinidad) y tras haber fracasado, Juan Ramón retrocede a la etapa anterior de su aventura interna y vuelve a cantar el amor definitivo de Zenobia. ¿Por qué?

Decíamos antes que el poeta cantaba al amor mientras éste le hacía sufrir. A lo largo de toda la segunda época, instalado en la seguridad del amor compartido, Juan Ramón es incapaz de cantar a Zenobia sostenidamente en un poemario completo. Pero a finales de 1951, en el mes de noviembre, a Zenobia se le declara un cáncer y necesita ser operada. Para ello tiene que ir a Boston, al Massachussets Memorial Hospital. Allí la opera el Dr. Meigs el 31 de diciembre. Juan Ramón no la acompaña: "Decidido el viaje, voló Zenobia a Estados Unidos sin su marido, pues aunque desesperado [...] la manía podía en él más que la desesperación", nos cuenta R. Gullón[15]. En Puerto Rico, hasta el 1 de febrero de 1952 en que Zenobia pudo regresar a su lado, Juan Ramón estuvo instalado en su tortura, terriblemente angustiado ante la idea de perderla —quizá por primera

---

[14] Emprendida por Juan Ramón, realizada en su mayor parte por Zenobia, y, al morir ésta en 1956, completada por Eugenio Florit, llamado previamente por Zenobia para este fin. El poeta se encontraba durante este período demasiado enfermo psíquicamente para poder trabajar.

[15] En *El último Juan Ramón Jiménez. Así se fueron los ríos*, ob. cit., p. 74.

vez tuvo que pensar que ella podía morirse antes que él—, incapaz de salir a la vida para estar junto a su mujer, y convirtiendo en poesía su angustia: es decir, siguiendo paso a paso su habitual patrón creativo.

Del temor a perder a su mujer, y de la toma de conciencia de su felicidad cuando Zenobia regresó a Puerto Rico aparentemente curada, nace el poemario "De ríos que se van"[16].

Nueve poemas solamente lo integran, pero su tono es sostenido, uniformemente hermoso. Tres formas de expresión alternan y dan variedad al sentimiento único: la canción, el poema en prosa y el soneto. La canción, en el poema 1 "Sólo tú", 3 "Mi Guadiana me dice", 5 "Nuestro ser de ilusión" y 7 "Este inmenso Atlántico", recoge en una cuarteta —asonantada en los versos pares— el fugaz e intenso piropo ("¡Sólo tú, más que Venus, / puedes ser / estrella mía de la tarde, / estrella mía del amanecer!"[17]), o la magia del amor compartido ("Nuestro ser de ilusión"), o la reflexión revalorativa del poeta sobre su no-vejez ("Mi Guadiana me dice") o sobre su soledad engrandecedora ("Este inmenso Atlántico"). Además de estas coplas de inspiración popular, la canción comprende también el poema 8, "¡Yo lo quiero, ese oro!", silva arromanzada dividida en tres partes. Este empleo mayoritario de la canción —cinco poemas sobre nueve— no nos sorprende, ya que esta forma fue una de las predilectas del autor desde sus últimos años madrileños.

Los dos poemas en prosa: 2, "Sobre una nieve" y 6, "Mirándole las manos", responden al gusto de sus años de exilio por la poesía prosificada, que le hizo escribir en forma de prosa poemas en verso libre como "Espacio" o los cuatro de "Dios deseado y deseante", también verso libre en realidad, como hemos mostrado en trabajos anteriores[18]. Para nuestro gusto, estos dos poemas en prosa (en prosa verdadera, no en verso libre prosificado) son la joya del "Ríos que se van", el momento máximo de alteridad enamorada: los poemas en que más habla *de* Zenobia. Veamos la descripción que de ella hace en "Sobre una nieve":

[16] Ambos títulos, "De ríos que se van" y "Ríos que se van", figuran usados indistintamente por los críticos de este período juanramoniano. Retendremos, sin embargo, "Ríos que se van" por ser el que figura en la *T.A.P.*

[17] Este poema parece tener ecos de una famosa discusión que el poeta sostuvo con el doctor García Galarza sobre si Venus era sólo lucero del atardecer —como sostenía el doctor— o lucero matutino también —como sostenía Juan Ramón—. El poeta sigue, pues, fiel a su técnica de "vivencia y palabra". Para las sucesivas versiones de esta copla desde su origen hasta la versión definitiva, vid. Gullón, *El último Juan Ramón*, p. 82.

[18] "El verso libre de Juan Ramón Jiménez en «Dios deseado y deseante»", *Revista de Filología Española*, LIV, 1971, pp. 253-269. Y en nuestro estudio, patrocinado por el Conseil des Arts du Canada, *Las formas fronterizas entre prosa y verso en Juan Ramón Jiménez*. Montreal, 1971.

> *Ni su esbeltez de peso exacto, tendida aquí, mi mundo, y como para siempre ya; ni su a veces verde mirar de fuente con agua sólo; ni el descenso sutil de su mejilla a la callada suavidad oscura de la boca; ni su hombro pulido, tan rozado ahora de camelia diferente; ni su pelo, de oro gris un día, luego negro, ya absorbido en valor único; ni sus manos menudas que tanto trabajaron en todo lo del día y de la noche, y sobre todo en máquina y en lápiz y en pluma para mí; ni... me dijeron, por suerte mía:*
> *Mi encanto decisivo residía, ¡acuérdate tú bien, acuérdate tú bien!, en algo negativo que yo de mí tenía; como un aura de sombra que exhalara luces de un gris, sonidos de un silencio (y que ahora será de la armonía eterna), incógnita fatal de una belleza libertada; residente, sin duda, más visible, quizás, en los eclipses.*[19]

El encanto de ella, pues, residía, sí, en lo que era, en su vida, pero sobre todo en lo que todavía no tenía, su muerte, su dejar de ser, la vulnerabilidad de su belleza. Posición masoquista, si se quiere, pero sincera y profundamente lúcida por parte de Juan Ramón. "Se canta lo que se pierde", había dicho ya su amigo Antonio Machado a Guiomar; "el encanto de su hermosura estaba en su muerte vivida", viene a decir ahora Juan Ramón.

El otro poema, "Mirándole las manos", nos da el otro matiz decisivo en el amor del poeta por su mujer: la gratitud o, si se prefiere, la dependencia. El carácter solícito, maternal, del amor de Zenobia, queda destacado por el ángulo escogido para la alabanza: las manos de ella, siempre trabajando para él. Al perderla a ella (puesto que este poema también está motivado, como el anterior, por la idea de la muerte próxima de Zenobia), Juan Ramón pierde sobre todo las manos maternas que lo atienden:

> *En la sombra o la luz, el fondo poco visto (ese oscuro dorado, esa claridad fría) estas* manos humanas que trabajan, *mano derecha que lo emprende todo, izquierda mano que la asiste comprendiéndola, y da el toque menudo que completa, son para el que contempla su destino propio (y el otro que es el otro y más que suyo), la clave más segura descifrada.*
> *... (Y a veces, ¡cuantas veces!,* manos *que obedecen más pasivas, al pensamiento, al sentimiento ajenos, haciendo con su imajen, perdida ya de vista, lo imposible.)*
> *Amigo, mira siempre las manos que trabajan ... (La mano derecha que yo aprieto, una izquierda que beso.) Piensa amigo...*
> *¡Las* manos muertas, *descansadas ya pero no manos, con su historia también debajo, como pecho frío! Y qué historia (y qué leyenda, quizás, luego) lo quieto de unas manos; un día, de estas manos*[20].

---

[19] *T.A.P.*, pp. 1034-1035.
[20] *T.A.P.*, pp. 1039-1040. Incluimos en tipo redondo los elementos más reveladores del poema.

La belleza que se desprende de este poema vuelve a ser, como en las primeras obras del poeta, de carácter semántico: es la belleza de una emoción verdadera. En lenguaje directo, Juan Ramón nos va dando los elementos esenciales de su amor hacia las manos de Zenobia: manos que trabajan y le obedecen a él —manos que van a morir— "la clave más segura descifrada", lo único seguro entre tanto contemplar su propio destino sin lograr ninguna certeza.

Finalmente, los dos sonetos sorprenden en primer lugar por su forma. Desde 1914 *(Sonetos Espirituales),* Juan Ramón había abandonado esta modalidad para lanzarse a la aventura del verso libre. Pero el gusto creciente por la simetría —perceptible ya en *Piedra y cielo—* que le lleva primero a la canción y luego al romance, culmina en esta vuelta a la sujeción del soneto, mientras el gusto por la libertad desemboca, desde el verso libre, en las prosificaciones de éste y en los poemas en prosa. Y las dos corrientes antitéticas confluyen en estas postrimerías de la palabra juanramoniana: "Ríos que se van".

Los dos sonetos, "Concierto" y "El color de tu alma", de espléndida belleza emocionada, son el canto sereno del recíproco amor:

> *Echada en otro hombro una cabeza,*
> *funden palpitación, calor, aroma,*
> *y a cuatro ojos en llena fe se asoma*
> *el amor con su más noble franqueza.*
>
> *......................*
>
> *la paz de dos en uno.*
> *Y que convierte*
> *el tiempo y el espacio, con latido*
> *de ríos que se van, en el remanso*
> *que aparta a dos que viven en la muerte.*
>
> ("Concierto", p. 1037.)

El motivo del beso, que había desaparecido en los poemas amorosos de Juan Ramón desde *Eternidades,* vuelve en el soneto "El color de tu alma". Y resulta mucho más conmovedor ahora, en que la amada está atardeciendo, "pálida y fundida" en el crepúsculo:

> *El color de tu alma; pues tus ojos*
> *se van haciendo ella, y a medida*
> *que el sol cambia sus oros por sus rojos*
> *y tú te quedas pálida y fundida,*
> *sale el oro hecho tú de tus dos ojos*
> *que son mi paz, mi fe, mi sol: ¡mi vida!*
>
> (P. 1043.)

Juan Ramón Jiménez. 7

Estos son los últimos versos del poeta. Los que cierran al mismo tiempo la aventura de la palabra poética y la aventura de amar. Lo demás (la depresión en que cayó el poeta desde la muerte de Zenobia en 1956, y de la que sólo salió para morirse en 1958), lo demás es vida sin eco en la obra: Silencio.

SEGUNDA PARTE

LA CONQUISTA DE LA ETERNIDAD

V

LA BÚSQUEDA DE VIDA TRASCENDENTE: *ETERNIDADES* (1916-17), *PIEDRA Y CIELO* (1917-18), *POESÍA* (1917-23), *BELLEZA* (1917-23), "EN EL OTRO COSTADO" (1936-42) Y "UNA COLINA MERIDIANA" (1924-50)

Este es, seguramente, el gran tema de toda la segunda época. Tema complejo, que aglutina en torno a sí toda una serie de temas conexos: la muerte, la Obra, las diferentes formas de vida ultraterrena, incluso la divinidad. Aventura magna de toda la madurez y vejez del poeta. Aventura no ya dual, como la del amor, sino personal e insoslayable. Juan Ramón ahora, instalado en el amor definitivo, aislado y protegido por él, va a emprender el mayor proceso interiorizador de su vida: el de la asimilación a su yo de todo lo existente. El proceso, ya iniciado en los libros anteriores mediante la interiorización de la naturaleza y la de la otredad amada, se va a extender ahora a las entidades sobrehumanas: la muerte, el más allá, Dios. A lo largo de cuarenta años, Juan Ramón empeñará todas sus fuerzas en esta aventura interiorizadora cuyo trasfondo es de signo megalomaníaco: la autodivinización, la ruptura de los límites humanos del yo para adquirir las dimensiones y los poderes divinos.

Es significativo que la aventura empiece cuando acaba de obtener su gran triunfo amoroso y, además, como poeta su nombre comienza a adquirir resonancia mundial (mediante la *Primera Antolojía, Poesías escojidas,* para la Hispanic Society of America). Es significativo también que suceda cuando decide romper definitivamente con el cristianismo y orientarse en la dirección opuesta (no sumisión del yo al tú, sino sometimiento del tú al yo). Y es también significativo que en esta búsqueda de vida trascendente —o "ansia de eternidad", como dice Sánchez Barbudo—, se dirija el poeta por las vías del neoplatonismo, como los filósofos arábigo-andaluces y judíos españoles medievales. ¿Inconsciente colectivo? ¿Afinidades temperamentales? Sin querer entrar en tan profundo asunto —aunque inclinándonos por la segunda posibilidad—, diremos que además pudo haber un elemento desencadenante de la ideología panteísta juanramoniana: sus traducciones de R. Tagore con Zenobia. Y podemos también

91

pensar, como hace Saz-Orozco en su inteligente libro, que la filosofía panteísta de Krause, impartida por la Institución Libre de Enseñanza y asimilada por Juan Ramón en sus años madrileños junto al Dr. Simarro, tuvo repercusión en la Obra muchos años más tarde.

La primera alusión a la inmortalidad panteísta que encontramos en la Obra es irónica: "¡Si renaceremos, de veras, yo seré, en otra vida, mía, guardia civil!" (*Libros de Prosa*, p. 733.) Está en las "Notas" de 1907-1917, y podemos suponerla escrita en la época eufórica de su noviazgo (o amistad correspondida) con Zenobia. Pero, como sucede siempre en Juan Ramón, la idea arraiga con los años y se ramifica por la Obra hasta alcanzar su plenitud estética mucho tiempo después.

Eternidades: **La lucha contra la vida fugitiva**

Decíamos antes que, si bien *Eternidades* debió de ser en su intención inicial uno de los homenajes amorosos a Zenobia, en realidad —como el mismo título lo indica— es un libro de *búsqueda de eternidad*. El amor queda en segundo plano, posibilitando con su serenidad al poeta el planteamiento de otros problemas trascendentes. Si cada libro en Juan Ramón es la huella de una aventura espiritual, la marca de su pensamiento luchando por resolver un problema estético o vital, *Eternidades* es precisamente el libro que abre la gran aventura juanramoniana de vencer a la muerte. La conciencia de vida fugitiva le asedia (poema 33), el tedio de la vida encarrilada le oprime (poemas 69 y 86), y su pensamiento, siempre en búsqueda de horizontes vitales no resueltos, se vuelve hacia la muerte —esta vez sin elementos pintorescos: hacia la muerte esencial.

Porque ¿qué es eso de morir? En nueve poemas Juan Ramón se enfrenta en *Eternidades* a la muerte: los que llevan los números 67, 70, 72, 103, 109, 112, 114, 127 y 136. En cada uno de ellos de manera diferente, desde un ángulo diverso —lo que prueba que el poeta está en plena búsqueda inicial: aún no se ha orientado en ninguna dirección indagatoria fija. El poema 72 nos da seguramente el punto de partida:

> *¡Tan bien como se encuentra*
> *mi alma en mi cuerpo*
> *—como una idea única*
> *en su verso perfecto—,*

> *y que tenga que irse y que dejar*
> *el cuerpo —como el verso de un retórico—*
> *vano y yerto!*
>
> *(L.P.,* p. 662.)[1]

Es, pues, la melancolía más común entre los mortales, la del "tener que morir un día", la que impulsa la búsqueda. Vemos aquí que la muerte aparece como separación del cuerpo y del alma, a la manera cristiana: el cuerpo muere y el alma se va. (Este planteamiento será el más frecuente en Juan Ramón[2]). Notamos, sin embargo, como un cierto distanciamiento del problema en estos versos: el poeta no ve todavía la muerte cerca: "tendré que morir un día, y es una lástima", parece pensar. La comparación con el "verso del retórico" nos rebaja aún más la emotividad del poema. Juan Ramón está aún fuera de la angustia de la muerte, como si pensara "para después".

Otro factor que rebaja mucho el nivel de angustia en el tratamiento de este tema —a lo largo de toda la segunda época— es que Juan Ramón nunca considera la posibilidad de la muerte absoluta, del *disolvimiento total del ser.* En su poesía sólo el cuerpo es mortal. La sobrevida del espíritu parece una de sus convicciones más arraigadas, que nunca pone en duda (como corresponde a la calidad idealista de su espíritu). Toda la problemática de la muerte se va a centrar, pues, sobre el carácter mortal del cuerpo.

La muerte está a menudo mezclada con el tema amoroso —en los poemas 103 y 112—, o mezclada con el tema de la Obra —en el 136—, o tratada de modo alegórico —en el 114—. Indicio de que la angustia del tener que morir no se ha centrado aún totalmente sobre su propio objetivo; pero indicio también de la flotante preocupación de fondo que contagia la mirada del poeta. Veamos un ejemplo de mezcla "muerte/olvido amoroso", que va a ser una de las direcciones indagatorias de los libros siguientes:

> *Ven. Dame tu presencia,*
> *que te mueres si mueres*
> *en mí... ¡y te olvido!*
> *¡Ven, ven a mí, que quiero darte vida*
> *con mi memoria, mientras muero!*

---

[1] Este poema es versificación de un aforismo de 1906-1912. ("Esquisses", núm. 14: "Tan bien la idea en su verso como un alma que se sintiera a gusto en su cuerpo.")

[2] En los mismos términos plantea la muerte el poema 109, que podría ser otro más de sus "Epitafios" por su rotundez y concisión.

En cuanto a la *forma de estar* en el más allá, también el poeta duda, concibe varias posibilidades. Unas veces la imagina como "olvido, soledad", apartamiento de todos:

LA GLORIA

¿Necesité yo, acaso,
de algún vivo en la vida?
¿Para qué quiero vivos en mi muerte?
¡Olvido, soledad; tan gratos
aquí, despierto; olvido, soledad eternos;
qué divinos seréis a los dormidos
para siempre!

(Núm. 127, p. 678.)

Otras veces se insinúa la forma de sobrevivir como un reiterado retorno a la vida:

EPITAFIO DE UN MUCHACHO
MUERTO EN ABRIL

Murió. ¡Mas no lloradlo!
¿No vuelve abril, cada año,
desnudo, en flor, cantando,
en su caballo blanco?

(Núm. 29, p. 579.)

Sin embargo, la forma de sobrevida personal más frecuente en *Eternidades* es la que nos presente al poeta inmerso en la eternidad y situado en su propio centro:

ETERNO

Vivo, libre,
en el centro
de mí mismo.
Me rodea un momento
infinito, con todo —sin los nombres
aún o ya—.
¡Eterno!

(Núm. 87, p. 637.)

Esta forma de eternidad es algo hermética para el lector. ¿De dónde procede? ¿Cómo acaece? ¿Qué fundamentos racionales la sustentan? Juan Ramón no la explica. Acaba de intuirla emotivamente, no por vías de raciocinio: "tu yo, reciennacido/eterno", se dice a sí mismo en el poema 36.

Esta forma de supervivencia es inexplicable, es incomunicable, porque es una construcción voluntariosa de su espíritu, que el poeta acaba de crear al desprenderse de su fe cristiana:

> Yo solo Dios y padre y madre míos,
> me estoy haciendo, día y noche, nuevo
> y a mi gusto.
>   Seré más yo, porque me hago
> conmigo mismo,
> conmigo solo,
> hijo también y hermano, a un tiempo
> que madre y padre y Dios.
>   Lo seré todo,
> pues que mi alma es infinita;
> y nunca moriré, pues que soy todo.
>   ¡Qué gloria, qué deleite, qué alegría,
> qué olvido de las cosas,
> en esta nueva voluntad,
> en este hacerme yo a mí mismo eterno!
>   (Núm. 97, p. 647.)

Este importante poema nos revela con exactitud la posición espiritual de Juan Ramón en este momento. El empleo de formas verbales futuras o de presente continuo ("me estoy haciendo", "seré", "nunca moriré") y la insistencia en el estarse creando a sí mismo "nuevo/y a mi gusto", "seré más yo, porque me hago", etc., nos indica que el proceso de autoeternización es tarea continua, obsesiva, ingente. Tenemos aquí ya en germen todo el libro *Animal de fondo* en sus elementos constitutivos:

1. Identidad del yo con la divinidad creante y creada ("Yo solo Dios y padre y madre míos").
2. Identidad del yo con todo lo existente ("soy todo").
3. Exaltación cuasi-mística de ánimo como consecuencia de la eternización ("¡Qué gloria, qué deleite, qué alegría,/qué olvido de las cosas").

En el proceso solipsista emprendido por el poeta tras su matrimonio (aislamiento semiclaustral del mundo, desentendimiento de las necesidades materiales del vivir, y seguridad del amor definitivo), esta vía de salida para sus necesidades espirituales nos parece lógica, coherente con su personalidad y circunstancias [3]. El mundo creado y la eternidad están —misteriosamente— en relación estrecha:

---

[3] "Solamente tú solo llenarás / enteramente el mundo", se dice a sí mismo en el poema 135.

> *Cada otoño, la vida*
> *afirma, en un martirio lento*
> *el ideal.*
> *¡Hoguera altiva,*
> *inmortal primavera,*
> *de fuego que da el oro,*
> *de oro que da la luz*
> *de luz que da la muerte,*
> *de muerte que da a Dios la vida eterna!*
>
> (Núm. 134, p. 685.)

Entre el yo del poeta, el mundo y la eternidad, se establece una relación dialéctica de dependencia recíproca. Por eso cuando el yo llegue a morir (todavía la seguridad de la vida eterna no está conseguida en *Eternidades*), los otros dos morirán también necesariamente:

> *Sé bien que soy tronco*
> *del árbol de lo eterno.*
> *Sé bien que las estrellas*
> *con mi sangre alimento.*
> *Que son pájaros míos*
> *todos los claros sueños...*
> *Sé bien que cuando el hacha*
> *de la muerte me tale,*
> *se vendrá abajo el firmamento.*
>
> (Núm. 122, p. 673.)

(La posición filosófica idealista —como ha subrayado Basilio de Pablos en su sugestivo libro[4]— está detrás de éste y otros muchos poemas de la segunda época, consolidando el egocentrismo poético de Juan Ramón.) Y ahora, cuando el yo se enriquece y se revela como sustrato del universo y de la eternidad, este yo se diversifica, se vuelve problemático, se convierte en subtema importantísimo. Así empieza toda una corriente de poemas que surca toda la segunda época: el tema del "otro yo" inmortal.

> *Yo no soy yo.*
>   *Soy este*
> *que va a mi lado sin yo verlo;*
> *que, a veces, voy a ver,*
> *y que, a veces, olvido.*
> *El que calla, sereno, cuando hablo,*

---

[4] *El tiempo en la poesía de Juan Ramón Jiménez*, Madrid, Gredos, 1965.

> *el que perdona, dulce, cuando odio,*
> *el que pasea por donde no estoy,*
> *el que quedará en pie cuando yo muera.*
> (Núm. 125, p. 676.)

Aunque ésta es la modalidad más frecuente (dualidad de "yos") a lo largo de la segunda época, la problematicidad de su propia esencia llevará a Juan Ramón a un planteamiento del *yo múltiple* en algunos poemas. Como en éste de *Eternidades:*

> *¡Olvidos de estos yos*
> *que, un punto, creí eternos!*
> *¡Qué tesoro infinito de yos vivos!*
> (Núm. 38, p. 588.)[5]

La eternidad del yo va a posibilitar la eternidad de su palabra poética (y no al revés, como sucede en el trasfondo habitual de la creatividad en la mayor parte de los escritores). El yo corporal muere, la lengua muere ("ya en la nada la lengua de mi boca"), pero la palabra sigue viviendo porque el yo del poeta —su "memoria"— es eterno (poema 137).

El tema bimembre "muerte-inmortalidad", eje verdadero del libro *Eternidades,* acarrea pues otros cuantos temas conexos: el del "otro yo", el de la palabra poética, el del amor (a través del tema de la "memoria que vence a la muerte"), el de Dios = yo y el del yo = sustrato del mundo. Finalmente, el tema del sueño, muy frecuente en este libro y en los siguientes, nos parece también en conexión directa con el eje "muerte-inmortalidad", porque el sueño es otra forma de vida, tal vez conexionada con el más allá:

> *¡Tristeza de los sueños,*
> *que el llanto de la aurora*
> *no puede consolar; tristeza,*
> *mayor que la de uno mismo,*
> en la subvida o la posvida
> de la madrugada!
> (Núm. 85, p. 635.)[6]

El sueño, imagen de la muerte, imagen del amor en la literatura: imagen también de la "otra vida" en Juan Ramón. Y como tal, continuo campo de exploración, de asedio.

---

[5] Anterior al planteamiento del " yo múltiple" es el de "la otra tú, la verdadera", 'leit-motiv' de los "Jardines" de *Estío.*

[6] El tipo redondo es nuestro.

La doma de la muerte: *Piedra y cielo, Poesía* y *Belleza*

Junto con *Eternidades,* estos tres libros forman un bloque animado por el torcedor central de la muerte. Más concretamente, por la angustia del tener que morir él, Juan Ramón, como persona. Sin embargo, en cada uno de ellos el tema adquiere modulaciones particulares: *Piedra y cielo* explora sobre todo la muerte como olvido; *Poesía* la muerte como decaer corporal y entrada gozosa en otra forma ideal de vida; y *Belleza,* finalmente, la muerte como vida, independientemente de la supervivencia que espere al alma luego.

Piedra y cielo: EL RECUERDO

Juan Ramón sigue adentrándose, vitalmente, en la madurez. Y, como lógico contrapeso, la propia infancia aparece, acuciante, en este libro: en los poemas núms. 25, 33, 45 y 48 sobre todo. El mismo poeta se sorprende de esta nostalgia de la infancia:

CRISTALES

1

Afán triste de niño, aquel
afán de poseerlo
todo, de recrearme en todo, inmensamente.
....

2

Poco a poco, mi vida
fue adueñándose
del mundo que creía de los otros.
Las estampas aquellas de los libros,
fueron mar, tierra, cielo,
navegado, pisada, penetrado
por mí. El domingo lento —¡calle sola!—
del nostáljico pueblo, fue domingo
universal y alegre.

y   3

Hoy, alma, ¿qué no es mío?, ¿qué no es tuyo?
¿Qué verjas no se abren, qué muros no se rinden,
qué bocas no se llenan de palabras
para tí?

¿Y estás triste,
y necesitas persuadirte de este
dominio tuyo, retornando
a aquellos días, ¡ay!,
en que sólo tenías,
la ventana, el afán loco y el libro?

(Núm. 33, pp. 730-731.)

Sí, quizás ahora Juan Ramón se siente dueño de realidades; quizás ahora ha llegado a una plenitud de vida en que posee todo lo que deseó durante mucho tiempo —fama, amor, y hasta silencio—; pero precisamente por eso ya no es dueño de sueños, ya no puede desear gran cosa... Se produce, de hecho, un empobrecimiento de horizontes vitales por debajo de la satisfacción de lo conseguido. Y el poeta, como tantos humanos antes y después de él, añora su infancia. (Huellas de esta añoranza hay no sólo en sus libros de verso sino también en los de prosa, incluidos luego en *Por el cristal amarillo:* "Entes y sombras de mi infancia", 1907-1927; "El calidoscopio prohibido", 1908-1933, y "Casa azul marino", 1908-1933.) Vuelve a recordar a su querida madre —en la serie de poemas titulada uniformemente "A la vejez amada" que comienza en *Eternidades* y llega hasta *Belleza,* y en este otro poema—:

Todo el día
tengo mi corazón dado a lo otro:
de madre en rosa,
de mar en amor,
de gloria en pena...
Anocheciendo
—¡Habrá que ir ya por ese niño!—,
aún él no se ha venido, ¡malo!,
del todo a mí —¡Duérmete ya, hijo mío!—
Y me duermo esperándolo sonriente,
casi sin él.
Por la mañana
—¡No te levantes, hijo, todavía!—,
¡qué grito de alegría, corazón
mío, un momento, antes de irte, en mí!

(Núm. 25, p. 722.)[7]

Nótese la confluencia de esta modalidad infantil del tema del recuerdo con el tema del "otro yo", aquí representado simbólicamente por el "co-

---

[7] Las frases en redonda aparecen en el libro de Aguilar con letra bastardilla, representando la voz de su madre incrustada en el poema.

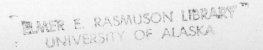

razón"[8]. Es que la preocupación básica de la muerte, con sus subtemas conexos, se infiltra hasta en las imágenes más cargadas de vida: las de la infancia. Por eso tal vez se complace el poeta en representarse *su propia muerte siendo niño*[9] —nuevo desdoblamiento del yo—, enlazando así con imágenes usuales en su primera época: la muerte de otros niños.

LA MUERTE

Estabas viendo,
contra el sol del domingo,
estampas de colores en una caja vana,
con tus negros ojazos estasiados.
Luego, tus ojos se cerraron tristemente...
¡Y ahora eres tú mismo la caja;
ahora tienes en tu alma las estampas de colores;
y tus ojazos negros, estasiados,
las miran hacia adentro, para siempre!

(Núm. 45, p. 743.)

El tema del recuerdo, pues, agudizado por la nostalgia de la infancia, se conjuga en *Piedra y cielo* con la preocupación básica de la muerte. Y surge así la serie de seis poemas titulados "El recuerdo" (núms. 8, 9, 10, 11, 12 y 13) y el poema "El olvido" (núm. 114). El recuerdo puede vencer a la muerte:

¡Istante, sigue, sé recuerdo
—recuerdo, tú eres más, porque tú pasas
sin fin, la muerte con tu flecha—,
sé recuerdo, conmigo ya lejano!
...¡Oh, sí, pasar, pasar, no ser istante,
sino perenidad en el recuerdo!

(Núm. 8, p. 702.)

El recuerdo es simultáneamente materia de eternidad y materia que destruye la individualidad:

---

[8] Otros poemas que representan en este libro el tema de los varios "yos": el 5 ("Yo y yo") el 8 ("Este istante, este tú, / que va ya a ser muriendo, ¿qué es?"), el 29, el 59, el 88 ("Eres igual a ti, / y desigual..."). Los varios "tús" de Zenobia aparecen, por su parte, en el núm. 86.

[9] En *Estío* ya teníamos esta idea, en el "Epitafio de un niño muerto en un cuadro", interpretable en clave personal bajo la presentación objetivadora —muestra de la técnica antianecdótica de la segunda época—. Por otra parte, las *imágenes anticipadas de muerte* las utiliza Juan Ramón no sólo en su propio caso, sino también en el de Zenobia (poema 107 de *Poesía*, por ejemplo) y sobre todo en el de su madre (núm. 123 de *Poesía* también).

¿Soy? ¡Seré!
Seré, hecho onda
del río del recuerdo...
(Núm. 12, p. 708.)

[...] recuerdo, vida con mi vida,
hecho eterno borrándome, borrándome.
(Núm. 10, p. 706.)

Pero el recuerdo, como todas las vías de escape ante la muerte[10], se le ofrece a Juan Ramón como tarea titánica que exige todas las fuerzas anímicas: el poema 10, recogiendo la lucha del poeta por no dejar escapar la imagen de un ser femenino muerto, es buen ejemplo:

—¡Aunque me olvide de mí mismo;
aunque tome mi rostro; de sentirlo tanto,
la forma de su rostro;
aunque yo sea ella,
aunque se pierde en ella mi estructura!

La unión del tema de la muerte con el del recuerdo nos parece lo más distintivo de *Piedra y cielo,* aunque no es la única dirección en el libro. La muerte sigue apareciendo como algo problemático, desperdigado en diferentes aspectos y vías: el tema sigue sin resolver, acuciante. Así, el poeta tan pronto se pregunta si ya ha muerto ("—¿Nada sucede; o es que ha sucedido todo, / y estamos ya, tranquilos, en lo nuevo?—", núm. 56), como ve la vida entremezclada con la muerte ("Y la muerte se mezcla con la vida / inesperadamente", núm. 57), o el viaje por el mar, recuerdo del *Diario* aún, se le representa como viaje a la muerte y a la eternidad (núm. 61), o la muerte se le ofrece como disolvimiento en la luz (núm. 116); o, de pronto, se cansa de darle vueltas a la idea de mortalidad y, en uno de sus característicos arrebatos, concluye que da igual todo:

DESCANSO

Basta. El jardín cerrado
es lo mismo que abierto.
—La llave de la verja,
hablando de otras cosas, en lo oscuro,
los que se van, despacio,

---

[10] Lo mismo va a suceder con la vía panteísta: el estar el yo esencialmente unido a la naturaleza no es un "dato inmediato de la conciencia", sino algo que se conquista con esfuerzo: "¡Qué inmensa desgarradura / la de mi vida en el todo, / para estar, con todo yo, / en cada cosa" (núm. 7, p. 701).

> *¡suena tan dulcemente por la tarde!—*
> *Todo tú estás en ti,*
> *aunque te vayas de ti. Basta.*
>
> (Núm. 52, p. 751.).

Paralelamente, el "afán de gozarlo todo, / de hacerme en todo inmortal" (núm. 110) sigue impulsando al poeta. Alejado ya definitivamente de la solución cristiana[11], la forma de supervivencia se le presenta cada vez con más fuerza bajo el signo del panteísmo. (Esta solución alcanzará desarrollo pleno en los siguientes libros.) Porque el cuerpo muere, morirá sin remedio, pero el alma no puede morir —y ésta es la creencia más inamovible de Juan Ramón. ¿Qué será, entonces, del alma luego?:

> *Alma, ¿hasta dónde*
> *llegarás, muerto yo?*
> *¿Dónde te perderás en lo que venga a ti*
> *de dónde?* (Núm. 29, p. 726)
>
> (Núm. 29, p. 726.)

La muerte llega —momentáneamente— a ser aceptada con gusto por el poeta (núm. 119) porque la vida parece prolongarse en otras vidas suyas sucesivas:

> *[...] he pensado*
> *—por vez primera—*
> *con gusto —¡corazón mío!— en la muerte.*
> *Ha sido igual que otro*
> *nacer, como un entrenacer,*
> *entre el nacer primero*
> *y el último, el morir.*
> *Y los recuerdos*
> *de mi vida de antes, se han quemado*
> *en el sol grande del olvido.*
>
> (Núm. 109, p. 817.)

No hay soledad, no hay muerte, porque no hay individualidad: cada ser humano está atado a los demás por hilos invisibles. Y el poeta que va a empezar a dedicar sus libros "a la inmensa minoría", canta:

---

[11] Aparece claramente esto en el poema 92. En él nos dice: "siendo niño yo, creí el infierno", —El niño ya no tiene / miedo a la sombra—". Y en el poema 84: "¿Y cuándo, di, Señor de lo increado, / creerás que te queremos?" Obsérvese cómo la idea de divinidad se ha quedado ya sin función: Señor de lo increado. Si Dios no es el Creador, ¿qué puede ser? La idea de Dios, hasta *Animal de fondo* (tras algunos vislumbres en *La estación total*), va a quedar vacía: prácticamente inexistente.

> *¡Cómo no somos únicos!*
> *¡Cómo nos engañamos, uno en otro, siempre,*
> *con la sangre, mezclada,*
> *del sentimiento! ¡Cómo ríe uno, cómo llora*
> *con los otros!*
> *¡Hilos sutiles*
> *que quedáis, para atarnos unos a otros,*
> *tras nuestro desatarnos;*
> *para que no seamos nunca solos.*
>
> (Núm. 14, p. 711.)

¿Juan Ramón poeta comunitario? Sí: la conciencia panteísta que comienza ahora va a conducirle a planteamientos semejantes[12]. Pero, como poeta que es, y gran poeta de la naturaleza, es la comunidad con ésta la que verdaderamente va a interesarle. Así, los poemas 7, 49, 67, 95, 102, 110, 113 y 118 desarrollan al tema con diferentes modalidades, a menudo hermosísimas:

> *Cenizas de mi cuerpo*
> *debajo, en el pasado.*
> *¡Pero en la tarde, mi alma*
> *sin final, goteando!*
>
> (Núm. 113, p. 822.)

El tan traído y llevado orgullo de Juan Ramón, su exaltada conciencia de la propia valía es, precisamente, lo que posibilita esta forma *sui generis* de panteísmo en que él incluye en sí toda la naturaleza (anunciando así *La estación total):*

> *De pronto, me dilata*
> *mi idea,*
> *y me hace mayor que el universo.*
> *Entonces, todo*
> *se me queda dentro. Estrellas*

---

[12] Esta conciencia comunitaria no es, sin embargo, nueva en la obra de Juan Ramón, aunque el panteísmo la agudice. En *Estío*, prefigurando ya todo el tema de la resurrección, había escrito:

> *Con todos los corazones,*
> *ya enterrados, que me amaron,*
> *frío, entre oscuras angustias,*
> *me siento un poco enterrado.*
> *Con todos los corazones,*
> *gloriosos ya, que me amaron,*
> *ardiendo en oro, me siento*
> *un poco trasfigurado.*
>
> (Núm. 88, p. 179.)

> *duras, hondos mares,*
> *ideas de otros, tierras*
> *vírjenes, son mi alma.*
> *Y en todo mando yo,*
> *mientras sin conprenderme,*
> *todo en mí piensa.*
>
> (Núm. 102, p. 810.)

Poesía: LA CONCIENCIA DE ENVEJECER

Libro paralelo en su motivación y en sus fines a los dos anteriores, *Poesía* parte también, como ellos, de una vivencia de tiempo fugitivo (núms. 67, 71, 86, 100 y 118). Pero ahora, al contar el poeta entre treinta y seis y cuarenta y dos años, esta conciencia existencial se complica con el terror a envejecer, que en Juan Ramón es particularmente agudo por la gran estima en que tenía su cuerpo, e incluso la belleza de éste: Recuérdese su atildamiento, su gusto por hacerse retratar en buenos cuadros y su antipatía por los retratos fotográficos, generalmente menos favorecedores[13]; su curiosa idea de que un poeta gordo como Salinas no podía ser buen poeta porque lo físico y la calidad poética van juntas, etc. Al ser tan importante la corporeidad en Juan Ramón, la conciencia de envejecer reviste acentos trágicos: el desgarramiento de los poemas números 59, 77 y 126 nace de este sentimiento. Pero como en nuestro poeta la salvaguarda de su propia imagen pone en movimiento todas sus reservas de actividad interna, al no poder aceptar su propia imagen envejecida, va a poner en marcha una serie de recursos cuyo común denominador es la negación (o, si se quiere, la sublimación). Y buscará valores en la madurez (poema 85). O imaginará su palabra actual como fuente de eternidad y belleza para los hombres (núms. 51 y 64). O bien el envejecimiento de su cuerpo, "cáscara vana", "capullo seco", no importará porque su Obra, lo más hermoso de sí mismo, seguirá viviendo:

> *Al lado de mi cuerpo muerto,*
> *mi obra viva.*

---

[13] "Le he dicho mi deseo de tener un retrato suyo, y me ha respondido que me lo dará con mucho gusto. *Como no le gustan los de fotógrafo, me dará una reproducción de un dibujo,* una cabeza maravillosa que le ha hecho hace poco Daniel Vázquez Díaz", cuenta Juan Guerrero el 15 de septiembre de 1915. (La cursiva es nuestra.) Durante la segunda época se irá haciendo cada vez más asequible a las fotografías ordinarias, y hacia el año 34 se dejará retratar ya con facilidad.

¡El día
de mi vida completa
en la nada y el todo
—la flor cerrada con la abierta flor—;
el día del contento de alejarse,
por el contento de quedarse
—de quedarse por alejarse—; el día
de dormirse gustoso, sabiéndolo, por siempre,
inefable dormirse maternal
de la cáscara vana y del capullo seco,
al lado del eterno fruto
y la infinita mariposa!

(Núm. 117, p. 963.)

La fealdad de envejecer y de morir aparece en *Poesía* con más fuerza que en los libros anteriores —véanse los poemas 40 y 59, por ejemplo— y conduce a Juan Ramón hasta los acentos silogísticos y desamparados de Quevedo:

Ese día, ese día
en que la muerte —¡negras olas!—
        ya no me corteje
—y yo sonría ya, sin fin, a todo—,
porque sea tan poco, huesos míos,
lo que le haya dejado yo de mí!

(Núm. 46, p. 884.)

Pierdes el tiempo, muerte, en mi herida,
pues quien no vive no padece muerte;
....

Yo soy ceniza que sobró a la llama;
nada dejó por consumir el fuego
....

Vuélvete al miserable, cuyo ruego,
por descansar en su dolor, te llama,
que lo que yo no tengo, no lo niego[14].

O bien el conocido poema 42, en que siguiendo Juan Ramón su habitual procedimiento (visto ya en los "Jardines" de *Estío*) de dar la vuelta a los términos del problema cuando él se siente por debajo de una situación, imagina que él es el dueño de la muerte, que él está por encima de ella. (Y coincide de nuevo con Quevedo, otro mago especializado en inversión racional de términos y situaciones para aplacar la angustia interna.)

¿Cómo, muerte, tenerte
miedo? ¿No estás aquí conmigo, trabajando?
¿No te toco en mis ojos; no me dices
que no sabes de nada, que eres hueca,
inconciente y pacífica? ¿No gozas,
conmigo, todo: gloria, soledad,
amor, hasta tus tuétanos?

14 F. de Quevedo, *Obra Poética*, ed. José Manuel Blecua, Madrid, Castalia, 1969, pp. 668-669.

¿No me estás aguantando,
muerte, de pie, la vida?
¿No te traigo y te llevo, ciega,
como tu lazarillo? ¿No repites
con tu boca pasiva
lo que quiero que digas? ¿No soportas,
esclava, la bondad con que te obligo?
¿Qué verás, qué dirás, adónde irás
sin mí? ¿No seré yo,
muerte, tu muerte, a quien tú, muerte,
debes temer, mimar, amar?

(P. 880.)[15]

Y, fiel a su sistema, cuanto más le atenaza una idea (en este caso la muerte corporal), más veces va a cantarla y con más alegría. La voluntariedad de esta alegría, su esfuerzo exaltador, se revela en una serie de poemas en que la muerte aparece con caracteres positivos: el 22, el 32, el 53, el 56, el 59, etc.[16]. El entrar en la muerte es entrar en un encantado mundo de maravillas —con atmósfera de cuento germánico— en el poema 90, significativamente titulado "Luz".

Y todo esto porque el poeta va sintiendo más próximo el momento de morir. Ya no hay en *Poesía* el distanciamiento de *Eternidades,* sino una urgencia que arranca los acentos más originales del libro. Así, en "Revida" el poeta "vive" con escalofriante belleza el momento de pasar a través de la muerte hasta la nueva vida:

[...] ¡Qué momento
tan estraño, tan difícil
este en que, aún fríos los pies,
del fondo nocturno y ancho,
comenzamos a sentir
la luz primera en los hombros!
¡Esta cal viva que había
¿quién? echado en nuestro vientre!
La carne sigue redonda,
tibia, bella; ¡qué alegría!
... ¡Qué tristeza!

---

[15] Obsérvese en este poema y en otros de este libro los abundantes juegos de palabras (derivaciones y equívocos sobre todo) que sitúan la palabra juanramoniana en áreas conceptistas —quevedescas también, quizás— y que alcanzarán su cima en *Animal de fondo.*

[16] Otros poemas en que la muerte aparece como no amenazadora (aunque sin alegría), son el 20, el 48 y el 91.

Se oyen
—cerca, lejos—
gritos de la superficie.

(P. 973.)[17]

Y en otros dos poemas, el 113 y el 129, se detiene a considerar la vida de los muertos. Estremecedores, estos poemas nos traen acentos nuevos, preludiando la sinfonía que será *La estación total.* Así, el 113: "Tras la pared ha sonado / su voz [...] / Todos están ahí al lado / ¡y no nos podemos .ver!" O el 129, que cierra el libro trasladándonos a una especie de Hades adonde llega el poeta tras la muerte:

No me mirarán diciendo:
"¿Qué eres?";
sino sin curiosidad
y dulcemente.
 Porque yo seré también de
los quietos;
y ya no tendré difíciles
los pensamientos.
 Mis ojos serán, serenos,
los suyos;
los miraré sin preguntas,
uno en lo uno.

(P. 975.)[18]

Atmósfera homérica. Como en esas imágenes de paraíso ultraterreno que nos ofrecen los poemas 84 y 75:

Los ¡adiós! serán
—¡alegres!—
para al punto vernos.

....

---

[17] Atención a los versos "La carne sigue redonda, / tibia, bella". Precisamente éste es el centro de la problemática juanramoniana de la muerte. Aquí, en este gozoso poema en que la imagina en sus mejores condiciones, hasta la carne en la plenitud de su hermosura traspasa la barrera de la muerte. El cuerpo está salvado.

[18] Obsérvese el panteísmo implícito en la pregunta que los muertos le hacen: no *"quién* eres", sino *"qué"* eres.

> *Los divinos árboles.*
> *De oro será el río,*
> *siempre, aunque anochezca.*
> *Si vamos al cielo*
> *por algo,*
> *diremos: ¡Espera!*
>
> (Núm. 75, p. 915.)[19]

¿Se ha esfumado acaso el dinamismo del renacer panteísta ante el estatismo del Hades? Es cierto que en este libro se aprecia un cierto retroceso de la idea panteísta, posiblemente por nuevas lecturas del mundo clásico, Platón sobre todo[20]: sin embargo, el poeta está intentando sintetizar ambos modos de inmortalidad (poema 129), y además el panteísmo sigue vivo en la naturaleza interiorizada (poemas 14, 25, 83 y 88), aflorando en claras formas de renovada vida en los poemas 4, 10, 80 y 95:

> *—¿De quién, este agua,*
> *resurrección será? ¿Qué nueva vida*
> *alcanza en ella, triunfal, la muerte?*
> *(¡Quién fuera, un día*
> *de primavera verde, agua!)*
>
> (Núm. 4, p. 840.)

---

[19] Juan Ramón tiene especial interés en que no se confunda este lugar ultraterreno con el cielo. De ahí los versos finales: "Si vamos al cielo / por algo". El "lugar eterno" será superior al "cielo", al que sólo irán esporádicamente, por haber olvidado algo allí: el anticristianismo del poeta da un nuevo coletazo, casi sonriente, en estos versos.

[20] Ecos de lecturas platónicas (o, al menos, helénicas) nos parecen los siguientes:

1) En el poema 36 impreca así a la Poesía: "¡Ven ya *del fondo de tu cueva oscura*, / desnuda, firme y blanca, / y abrázate ya a mí, fin de mi sueño!"

2) En el poema 96, "Patria", se pregunta por el *lugar original* de lo bello, lo bueno y lo verdadero de este mundo. ("¿De dónde es una hoja / trasparente de sol? / —¿De dónde es una frente / que piensa, un corazón que ansía?— / ¿De dónde es un raudal / que canta?")

3) El tema griego de la "inspiración" que se sirve del poeta como "medium" pasivo y le hace hablar sin control, aparece en el poema 63, y nos sorprende enormemente, ya que Juan Ramón siempre ha profesado el concepto "activo", occidental o latino del trabajo poético y su esfuerzo ("Nulla die sine carmine"): "Poder que me utilizas, / como médium sonámbulo, / para tus misteriosas comunicaciones; / ¡he de vencerte, sí, / he de saber qué dices, / qué me haces decir, cuando me cojes; / he de saber qué digo, un día!"

4) Finalmente el clásico río de la muerte y la platónica disociación de los seres entre su ser eterno y su reflejo contingente en la vida, subyacen en el espléndido poema 29:

LA CORRIENTE INFINITA

> *En mí la cojo yo, desde mi hora,*
> *entre las dos orillas*
> *de mi alma y su imajen infinita;*
> *en mí la cojo, pura,*
> *como si, en ella, el largo tiempo oscuro de los hombres*
> *no hubiera sido más que clara eternidad.*

> *A veces, siento*
> *como la rosa*
> *que seré un día, como el ala*
> *que seré un día,*
> *y un perfume me envuelve, ajeno y mío,*
> *mío y de rosa;*
> *y una errancia me coje, ajena y mía,*
> *mía y de pájaro.*
>
> (Núm. 10, p. 846.)

La reencarnación se conjuga incluso con el tema del "llegar a la otra vida" —que es el límite de *Poesía*— en el poema 119, "El pajarito verde"[21]. (Pensamos que el título alude precisamente a la forma de reencarnación que imagina el poeta para su cuerpo):

> *He venido.*
> *Pero no os serviré de nada,*
> *porque allí se quedó*
> *mi alma.*
> *He venido.*
> *Pero no me llaméis hermano,*
> *que mi alma está allí,*
> *llorando.*

Finalmente, conexionado con estos poemas de reencarnación, está el ciclo del "otro yo": los números 9, 12 y 92 ("El solo amigo"):

> *Hablaba de otro modo que nosotros todos,*
> *de otras cosas de aquí, mas nunca dichas*
> *antes que las dijera. Lo era todo:*
> *naturaleza, amor y libros.*
> ....
> *¡Qué lejos y qué cerca*
> *de mí su cuerpo! Su alma,*
> *¡qué lejos y qué cerca*
> *de mí!*
> *... Naturaleza, amor y libro.*
>
> (Núm. 9, p. 845.)

---

[21] El ciclo del *pájaro verde* es seguramente uno de los más proteicos y misteriosos de toda la segunda época. Comienza en "Arte menor" y "Domingos"; sigue en *Eternidades;* en *Piedra y cielo* queda eclipsado por el símbolo del "perro divino" —el cuerpo del poeta tras la muerte—; en *Poesía* resurge con nueva vida, en los poemas 95, 102, 107 y 119; y su vitalidad seguirá hasta culminar en *La estación total.*

No podrás quedarte, amigo...
Yo quizás volveré al mundo;
pero tú ya te habrás ido.

(Núm. 92, p. 936.)

Resumiendo, en *Poesía* el gran tema de la muerte, acrecentado en su angustia por la conciencia del envejecer corporal, parece conseguir, paradójicamente, un cierto apaciguamiento a fuerza de tesón mental por parte del poeta. La muerte va adquiriendo tonalidades más positivas y grandiosas, y el más allá se va perfilando en su modalidad clásica de Hades. Pero la coexistencia de esta concepción con la panteísta (más acorde con el temperamento de Juan Ramón), y las oscilaciones de dichas concepciones entre unos poemas y otros, nos dicen que el problema de la muerte y la supervivencia no está aún resuelto en el espíritu del poeta.

Belleza: LA MUERTE AMANSADA

Al tener las mismas fechas compositivas que *Poesía,* 1917-1923, se suele considerar a *Belleza* como libro "gemelo". Sin embargo, temáticamente son dos libros bastante diferentes. En *Poesía* recoge Juan Ramón sus acentos más angustiosos; en *Belleza,* los más serenos. Hay por todo el libro —*Belleza*— una voluntad de alegría y de hermosura que es su sello distintivo. Y, consecuentemente, la temática recoge los aspectos más radiantes del Juan Ramón de esos años: la Obra, el amor reposado (aumenta este tema aquí), y la satisfacción de sí mismo. ¿Se ha liberado ya del torcedor de la muerte?

No. Numéricamente, incluso se ha duplicado la presencia de este tema: en *Poesía* doce poemas se centraban en la muerte; en *Belleza,* veinticuatro (los que llevan los números 8, 16, 18, 19, 23, 27, 31, 36, 38, 39, 40, 47, 52, 56, 61, 63, 68, 82, 84, 90, 111, 118, 125 y 127). El tema principal de *Belleza* es, sí, su Obra; pero el problema que le sigue acuciando es el de su muerte.

Paralelamente a la voluntad de alegría y afirmación que preside todo el libro, ciertos temas secundarios que recorren toda la segunda época pierden importancia aquí aunque no desaparezcan del todo: el del sueño y el desvelo (ligado frecuentemente con el de la muerte en libros anteriores, y siempre con el del misterio); el de la nostalgia por su infancia; y, lo que es más sorprendente, el de la eternidad también.

¿Cómo, en un libro afirmativo, disminuye este tema? (Sólo aparece plenamente en los poemas 28, 44, 59 y 123, aunque ecos del mismo se detecten en varios más.) Quizás el examen de estos poemas nos dé la clave. Los poemas 28 y 123 presentan la eternidad como metempsicosis[22]. El 123, en lenguaje directo, más que de la eternidad habla de una especie de muerte aplazada:

OTOÑO CORPORAL

Nada me importa esta muerte
que es la caída del cuerpo.
No me moriré al morirme
de esta manera de aquí.
    —¡Qué alegría no saber
qué muerte será mi muerte,
ni en qué siglo, ni si en esto
o en lo que habrá de llegar!—
    ¡Qué alegrón esta conquista
del ignorarse el morir,
el morirse verdadero!

(P. 1121.)

En este poema, aparentemente exultante, notamos una palabra que suena a hueco: "conquista". No la serenidad de la certidumbre sino la exaltación de la voluntad le ha dictado estos versos: "conquista" tras una lucha.

El 28, en cambio, en lenguaje mucho menos directo, más simbólico —más juanramoniano— conjuga hermosamente la reencarnación con el platónico recuerdo del mundo de las Ideas:

LUZ

¿Por qué este olor, mezclado
de carne y de infinito,
en la tarde tranquila?
    ¿De qué mujer radiante y venidera,
viene ya a mí, como un recuerdo
de mi vida futura?

(P. 1015.)[23]

Sin embargo, esta concepción no es la única del libro: El poema 44 vuelve a presentarnos la sobrevida en ese ultraterreno paraíso grecolatino (como en el poema 75 de *Poesía*), lejos ya de toda idea de reencarnación.

---

[22] La metempsícosis se produce no sólo entre diferentes formas de vida, sino también entre los seres y las ideas: así en el poema 124 nos presenta Juan Ramón a "La verdad, ya diosa, / [...] —campana eterna sin badajo de hombre—" que está soñando *"sus días antiguos de mujer"*. (La cursiva es nuestra.)

[23] Ya en *Estío* habíamos encontrado insistentemente la nota de "olor" como característica femenina (por ejemplo, en los poemas "Eva 1", "Eva 2", 36, 49, etc.). El olor parece significar en Juan Ramón la esencia de la feminidad.

Y, más significativamente aún, el hermoso poema 59, "Posprimavera" empieza afirmando la eternidad como misterio, sigue luego cantándola como esperanza y al final del poema como imposible:

> ¿Qué ser de la creación sabe el misterio;
> el pájaro, la flor, el viento, el agua?
> ¡Todos están queriendo decirme lo inefable
> —sólo verdad en la alegría
> del alma con su carne, tan gozosas
> de esperar, sin cansancio y sonriendo,
> esta promesa múltiple de amor
> inmenso e impotente,
> alba eterna (y mejor
> en su imposible afán) de un ¡pobre! día,
> ... que no se abrirá nunca!

(P. 1051.)

Es, pues, esta crisis de fe en la vida eterna (o en las formas de supervivencia) la que motiva la casi desaparición de este tema[24], su contrapartida —el aumento de poemas centrados en la muerte— y, sobre todo, la nueva concepción de la muerte como vida. Porque, si la eternidad es problemática, ¿cómo no concentrar los esfuerzos en anular la muerte? Y ¿no es su mejor anulación el considerarla como vida equivalente?

> ¡Cómo se truecan plenas,
> sonriéndose desnudas una a otra,
> vida y muerte, las dos dulces, enteras,
> bajo la tierra, el cielo!

(Núm. 47, p. 1038.)

El poeta aspira con todas sus fuerzas a que la vida anule la muerte hasta el punto de que ésta no exista (núm. 56) o de que se funda, se identifique con la vida:

LA MUERTE

> ¡Vida, divina vida!
> ....
> Y luego, al fin —¡qué gozo!—, en su momento justo,
> la suprema delicia, el cumplimiento
> —¡anochecer, eterno amanecer!—
> del secreto infinito de la muerte.

(Núm. 63, p. 1055.)

---

[24] El bello poema 90 ("Noche; lago tranquilo, / donde miente mi vida / su eternidad") confluye con el 59 en la negación de la eternidad, considerada como autoengaño subjetivo.

La muerte *es* la vida, forma parte de ella. El yo no está completo mientras no ha muerto aún:

CENIT

> Yo no seré yo, muerte,
> hasta que tú te unas con mi vida
> y me completes así todo;
> hasta que mi mitad de luz se cierre
> con mi mitad de sombra
> —y sea yo equilibrio eterno
> en la mente del mundo:
> unas veces, mi medio yo, radiante;
> otras, mi otro medio yo, en olvido—.
> Yo no seré yo, muerte,
> hasta que tú, en tu turno, vistas
> de huesos pálidos mi alma.

(Núm. 118, p. 1116.)

Y así, culminando estos poemas de exaltación de la muerte, llega Juan Ramón a representarla como madre universal y eterna. (Madre: el símbolo protector por antonomasia para el poeta):

> La muerte es una madre nuestra antigua,
> nuestra primera madre, que nos quiere
> a través de las otras, siglo a siglo,
> y nunca, nunca nos olvida;
> madre que va, inmortal, atesorando
> —para cada uno de nosotros sólo—
> el corazón de cada madre muerta;
> ....
> madre que nos espera,
> como madre final, con un abrazo inmensamente abierto,
> que ha de cerrarse, un día, breve y duro,
> en nuestra espalda, para siempre.

(Núm. 40, p. 1028.)

¿Caben acentos más tiernos para definir a la muerte? Aparentemente, el poeta ha superado ya su antiguo miedo. Y sin embargo, el final del poema nos muestra a éste enteramente montado sobre la voluntad (una vez más) y no sobre la convicción[25]: la muerte es, sí, maternal, pero su abrazo es "breve y duro" y "para siempre". El gozoso y confiado poema se cierra con notas trágicas.

---

[25] Confirmación de esto nos la ofrece el poema 36, en que *desea* el poeta que su vida desemboque bellamente en la muerte.

La metáfora de "muerte madre" nos conduce a hablar brevemente (más adelante lo haremos con mayor detenimiento) de una de las grandes preocupaciones del poeta en estos años: la muerte próxima de su querida madre. (Esta preocupación nos explica también, en el poema que acabamos de citar, la insistencia en versos como "el corazón de cada madre muerta", "cuantas más madres nuestras mueren" y "cada madre sólo es / un arca de cariño".) En las cartas a su madre de este período se inquieta por su salud y le ruega que se proteja del frío y no trabaje[26]. Y en *Poesía*, paralelamente, escribe:

SETIEMBRE

Voy a taparle a su carta
los pies, que esta noche hará
ya frío, a la madrugada.
(Núm. 125, p. 971.)

En el mismo libro, poema 123, se representa anticipadamente la muerte de su madre. Y en *Belleza* vuelve al mismo tipo de representaciones en los poemas números 16 ("La paz"), 18 ("Madre"), 61 ("A la vejez amada"), 68 ("Adiós"), 111 ("Rosas") y 125 ("Despedida"). Como para vencer la angustia de la separación definitiva, Juan Ramón necesita una y otra vez imaginar anticipadamente la escena de la muerte de su madre. (La reiteración obsesiva de una situación angustiosa y su fijación en palabras es uno de los procedimientos habituales en el poeta para vencer la congoja, como ya sabemos.)

Como novedad de *Belleza* en el tema que nos ocupa, además de la muerte (prefigurada) de su madre, aparece la muerte de otras personas: un hombre —¿Nicolás Achúcarro?[27]— en el poema 8 ("Día siguiente") y en el 27 ("La muerte"); una mujer joven —caracterizada mediante el habitual "olor"— en el hermoso poema 31; un matrimonio, en el poema 52 ("La mentira"); y, finalmente, los mismísimos Juan Ramón y Zenobia, que el poeta imagina enterrados ya en Moguer (núm. 38, "El pueblo. Un entierro y Goethe"). Este grupo de poemas objetivadores cierran, nos parece, el ciclo de "Epitafios" —diseminados desde *Estío* hasta *Belleza*—, aunque no lleven el título.

---

[26] Juan Ramón Jiménez, *Cartas* (1.ª selección), ob. cit., pp. 156-195.

[27] Las únicas señas identificadoras son el verso: "rubio amigo, muerto en mayo" y su "alegría", reiteradas en el retrato que Juan Ramón hace de él en *Españoles de tres mundos*, Madrid, Aguilar, 1969, pp. 132-133.

La muerte, pues, en *Belleza* está "casi" domada —amansada, diríamos—, mediante ímprobos esfuerzos de imaginación por parte del poeta. Pero falta el "casi", y así encontramos poemas como el 39, "Mitolojía"[28] en que la muerte adquiere la forma de una odiosa esfinge; el 19, "Cinco y media de la mañana", rebosante de preguntas existenciales y caos ideológico; o el 84, "El tren perdido", que enfrenta la muerte como partida del mundo y la muerte como sobrevida en el mundo.

El tema de los "varios yos", como el de la muerte, aparece también reforzado en *Belleza,* abarcando los poemas números 5, 17, 46, 55, 80, 106, 110 y 115. Además del aumento numérico, aumenta la importancia del tema por su conexión más estrecha aún con el de la muerte, y por la calidad de muchos de estos poemas:

EL SOLO AMIGO

Será lo mismo
—tú vivo, yo en la muerte—
que en una cita en un jardín,
cuando se tiene que ir el que esperaba
—¡con qué tristeza!—, a su destino,
y el que tenía que llegar, llega
de su destino, tarde —¡y con qué afán!—
Tu irás llegando, y verás solo
el banco; y, sin embargo, llegarás a él,
y mirarás un poco a todas partes,
con ojos tristes, deslumbrados
del sol interno de tu ocaso grana;
y luego, lentamente, lo mismo que conmigo
te irás, tan lejos
de ti, como esté yo.

(Núm. 87, p. 1074.)

Los mismos temas y subtemas surcan toda la segunda época desde *Eternidades* en continua lucha por vencer la angustia de la muerte corporal. *Belleza* los recoge y, como modulación propia, aporta una especie de incertidumbre sobre la eternidad y un correlativo deseo intensificado de afianzarse en la belleza del vivir anulando, voluntariosamente, la muerte. Ambos matices aparecen bien en este poema, de pre-guilleniana atmósfera:

---

[28] Los ecos de lecturas clásicas perviven también en *Belleza:* en el poema 39; en el 42 ("¿Te cojí? Yo no sé / si te cojí, pluma suavísima, / o si cojí tu sombra"); en el 28 antes citado; y en el 70 ("Eternas / variedades se ofrecen, repetidas, / al alma trasplantada a nueva escena").

PRESENCIA

¡Sin una nube el cielo!
¡Sin una gasa el cuerpo!
¡Viva la gloria esterna;
la verdad y la tierra!
¡Corriendo libre el agua!
¡Sin una norma el alma!
¡Viva la luz del día;
la evidencia y la vida!
¡Ni ilusión ni cansancio!
¡Cómo cantan los pájaros!
¡Viva lo conocido;
la mano y el estío!

(Núm. 89, p. 1085.)

Harto de golpear con su frente el muro del misterio, Juan Ramón en *Belleza* intenta volverse hacia la vida, hacia su Obra y hacia el amor.

Muerte y eternidad en los últimos años de Juan Ramón

Desde el punto de vista del tema que nos ocupa, podemos saltarnos ese importante libro que es *La estación total* —analizado por extenso en el capítulo siguiente—, ya que sus posiciones sobre la muerte y la eternidad repiten prácticamente las de *Poesía* y *Belleza*. Como en *Poesía,* el mundo del más allá está imaginado con escalofriante hermosura como vida mejor que comunica a veces con ésta nuestra, terrena. Y, como en *Belleza,* obedeciendo el poeta a una intensificación del tono vital y a unas nuevas ganas de vivir, se aleja de la idea de la muerte como entrada en un más allá, para concentrarse en el goce pleno de muerte y vida. Sin embargo, al final de *La estación total* notamos ya un cansancio de la posición hedonista, un malhumor renovado, y un buscar el más allá en la tierra, pero en lo menos terreno de la tierra: el sueño.

La estación total, pues, no aporta elementos nuevos al tema que estudiamos ahora. Sus aportes —grandes aportes— son de otro orden. Y en 1936, con pasaporte diplomático, salen Juan Ramón y Zenobia de España. Comienza la época de exilio. Salen por La Junquera el 22 de agosto, pasan por París y se embarcan, camino de Nueva York, en Cherbourg el día 26. En el barco, en su segundo viaje marítimo, Juan Ramón escribe el "Requiem" que figura en la *Tercera Antolojía* iniciando los poemas del libro

"En el otro costado" (1936-1942)[29], que junto con "Una colina meridiana" (1922-1950), "Dios deseado y deseante" (1949) y "Ríos que se van" (1951-1953), comprenden la totalidad de la obra juanramoniana en el exilio.

Si exceptuamos *Animal de fondo* ("Dios deseado y deseante") y "Espacio" (parte 3 de "En el otro costado"), que han recibido ya la atención crítica suficiente, ésta es la zona de producción juanramoniana menos estudiada. Son poemas que agarran al lector con menos fuerza que los de *La estación total* o los de "Dios deseado y deseante". Y no porque les falte maestría de expresión o "firmeza de pulso" como algún crítico ha dicho (son poemas excelentes desde el punto de vista formal), sino porque *no suponen ningún avance en la aventura interior del poeta.* Son más bien retrocesos, zigzagueos en torno a posiciones anteriores.

Creemos que esto puede estar motivado, en mayor o menor parte, por el *desarraigo,* cuyos efectos parecen ser: *a)* disminución enorme de la producción poética[30], *b)* repeticiones o retrocesos ideológicos, y *c)* repetición de esquemas formales previos —romance y canción[31].

---

[29] Este libro, en la *T.A.P.,* aparece dividido en cinco partes: 1, "Mar sin caminos"; 2, "Canciones de La Florida"; 3, "Espacio"; 4, "Romances de Coral Gables", y 5, "Caminos sin mar". (Cf. *Tercera Antolojía Poética.* Madrid, Biblioteca Breve, 1970[2], pp. 849-937.)

[30] Si comparamos la producción de los años 39-53 con la de otro período de tiempo semejante (los años 1904-1918, por ejemplo, o incluso, puestos a escoger el período anterior menos fértil, 1922-1936), notamos la sequedad interior que el desarraigo debió de traer al poeta. Que esta sensación de vacío tuvo que afectar negativamente su equilibrio psíquico, nos parece bastante probable.

Veamos un ejemplo de esta desvitalización producida por el desarraigo —desvitalización que tiene que repercutir necesariamente en una disminución de la productividad—: la relación del poeta con el paisaje, cómo lo siente. Sabemos, por un artículo de octubre del 36, "De piedra, Puerto Rico", que Juan Ramón *deja de comunicar con la naturaleza* al exiliarse: "¿Por qué esta naturaleza hermosa me parece blanda, floja, insuficiente? Tierra, piedra, árbol, ¿por qué es todo tan demasiado "bonito"? Los panoramas llegan a parecer grandiosos, los efectos de monte, mar y cielo sorprenden, pero nada acaba de imponérsenos con grandeza verdadera. Las mismas nubes [...] parece que van a durar poco [...] // (En el campo de Nueva York he sentido, esta vez, una pregunta semejante; en Francia, pasándola, esta vez, seguida, después de media España, también)." Sin embargo, el poeta no da —nos parece— con la causa verdadera de su falta de contacto con la naturaleza: atribuye el efecto a la fragilidad de las casas puertorriqueñas y a la solidez de las españolas: "Es, sin duda, el efecto de la vivienda frágil [...] La casa delgada de aquí." (En *Estética y ética estética,* pp. 186-187.) Coincidimos con G. Palau en interpretar este texto como desconexión afectiva con los nuevos lugares (Palau, p. 296). Sólo en ocasiones aisladas recuperará Juan Ramón fuera de España su contacto afectivo con la naturaleza: los árboles de "En el otro costado", el mar de *Animal de fondo,* la costa lisa de "Espacio", etc.

[31] En una difundida carta de Juan Ramón a Enrique Díez-Canedo el 6 de agosto de 1943, le dice: "En la Florida empecé a escribir otra vez en verso. Antes, por Puerto Rico y Cuba, había escrito casi exclusivamente crítica y conferencias. Una madrugada me encontré escribiendo *unos romances y canciones que eran un retorno a mi primera juventud,* una inocencia última, un final lógico de mi última escritura sucesiva en España." (*Cartas,* 1, p. 374. La cursiva es nuestra.) Se refiere el poeta a las "Canciones de La Florida" y "Romances de Coral Gables", partes 2 y 4 de "En el otro costado". Las canciones nos parecen más relacionadas con las de la Nueva Luz, de *La estación total,* que con las de

Interesa, sin embargo, detenerse en la modulación de la ideología juan-ramoniana en el exilio, pues, aunque zigzagueante y poco rica en aportes nuevos, es la última que vivió el poeta.

La problemática de la propia muerte y de la existencia o no existencia de otra vida tras ésta, son los temas centrales de "En el otro costado" (1936-42): Intento desesperado por resolver las sombras de su vivir.

El "Requiem" por España, el primer poema del exilio, está lejos del tono patriótico. Al contrario. Su grandeza deriva de la idea de que la Tierra es la patria actual y última de todos. La Tierra, personificada como reina, como madre y amiga, "es bastante para darnos / a todos la sustancia eterna". Es el Lugar definitivo: "y nos detenemos seguros / de estar en lo que no se deja." (p. 852.) El panteísmo, pues, parece subyacer aquí, sin mezcla de más allá ninguno[32].

Pero, en seguida, le angustia el no saber qué sucede con las apariencias actuales (o las formas fenomenológicas) tras la muerte: ¿Adónde van las formas, los colores / de las coronas súbitas de las ideas, / cuando su dios las rompe?" ("En nada más", p. 853.) Juan Ramón sigue sin poder aceptar la desaparición de lo que ha tenido vida: "flores de ceniza vana / en la pisada universal de la miseria."

Así termina la parte 1, "Mar sin caminos". Las "Canciones de La Florida" no añaden nada importante al tema que nos ocupa. Y el poeta entra en la primera de sus fases depresivas en el destierro, que provoca su hospitalización; al salir de ella, en la nueva toma de contacto con el mundo, escribe el largo poema "Espacio": "La Florida es, como usted sabe, un arrecife absolutamente llano y, por tanto, su espacio atmosférico es y se

---

Almas de violetas. De su impulso último por la canción había dejado espléndida muestra en el libro *Canción,* publicado en Madrid, 1936. El uso pues del romance y de la canción nos parece un *reanudar con el pasado, viviendo de él:* Situación espiritual bastante frecuente en los poetas exiliados.

En su magistral trabajo "Juan Ramón Jiménez y la lírica tradicional", en su miscelánea *Los poetas en sus versos: desde Jorge Manrique a García Lorca,* Barcelona, Ariel, 1973, Tomás Navarro Tomás observa la predilección del poeta por el género canción: "No deja de ser significativo el amplio espacio que Juan Ramón dedicó a sus canciones en la formación de sus antologías. Es igualmente de notar el hecho de que en el plan de sus obras en verso, el primer volumen que preparó y publicó fue precisamente el de *Canción,* aunque no fuera el primero en la serie proyectada." Y añade este curioso recuerdo personal del exilio juanramoniano: "No parecerá vano mencionar aquí el recuerdo de una noche de apacible paseo por las alturas de Morningside, en Nueva York, 1936, en que el autor de este artículo oyó de labios del poeta, como íntima reflexión, que a su juicio lo más apreciable de su obra y a lo que suponía un porvenir más duradero eran sus canciones" (pp. 288-289.)

[32] El patriotismo (moderadísimo siempre en Juan Ramón) y, sobre todo, su condición de desterrado —expresada colectivamente—, ese volver con tristeza a recomenzar la vida dando la espalda a la catástrofe nacional, aparecen en los poemas "Con lo altivo intacto" y "País súbito", pp. 854-855. Las prosas "De mi Diario Poético, 1936-1939" (En *Estética...,* pp. 171-182) revelan también el desgarramiento afectivo del poeta fuera de España.

siente inmensamente inmenso. Pues en 1941, saliendo yo, casi nuevo, resucitado casi, del hospital de la Universidad de Miami [...], una embriaguez rapsódica, una fuga incontenible empezó a dictarme un poema de espacio, en una sola interminable estrofa de verso libre mayor." (Carta a E. Diez-Canedo, *Cartas,* 1, p. 375.)

En "Espacio" las dudas persisten, y con más fuerza quizá que en "Mar sin caminos". Así, la duda sobre la nueva forma del poeta en la otra vida: "Cuando tú [conciencia] quedes libre de este cuerpo, cuando te esparzas en lo otro (¿qué es lo otro?)." O la duda sobre el Lugar: "Esperan [las plantas] más que verdear, que florear y que frutar; esperan, como un yo, lo que me espera; más que ocupar el sitio que ahora ocupan en la luz, más que vivir como ya viven, como vivimos; más que quedarse sin luz, más que dormirse y despertar? En medio hay, tiene que haber un punto, una salida; el sitio del seguir más verdadero, con nombre no inventado, diferente de eso que es diferente e inventado que llamamos, en nuestro desconsuelo, Edén, Oasis, Paraíso, Cielo, pero que no lo es, y que sabemos que no lo es." (*T.A.P.,* p. 871.)

Los "Romances de Coral Gables" ofrecen posiciones análogas, aunque más matizadas y abundantes[33]. Así, la creencia en la inmortalidad aparece en el poema "En la mitad de lo negro" ("Y entre dos vidas me alejo, / noche fiel con viento eterno"), y sobre todo en el bello poema "Carmín fijo", donde el color carmín —como sucede en los últimos libros del poeta— simboliza la eternidad:

> *Este carmín no se ha ido,*
> *este carmín arde allí*
> *este carmín aquí canta,*
> *no se podrá nunca ir.*
>
> *....................*
>
> *¡Carmín del poniente, entre*
> *los pinos del existir,*
> *quemándonos lo infinito*
> *en un eterno morir!*
> *En el corazón cansado,*
> *el poniente de carmín;*
> *en el corazón carmíneo,*
> *el poniente de carmín;*
> *en el corazón sereno,*
> *el poniente de carmín.*

---

[33] Arturo A. Fox en su excelente artículo "Angustia y secularismo de Juan Ramón en *Romances de Coral Gables"*, (*E.T.L.,* 1974-75, III-2, pp. 173-177) habla también de la "experiencia problemática y angustiada" del poeta, "lanzado en busca de la plenitud del ser inmutable".

O aún en el espléndido poema "Niño último", donde pregunta si su pueblo, Moguer, le espera en el más allá.

La prefiguración de su propia muerte, en forma de "los dos yos" casi siempre, aparece en conexión con este tema de la eternidad afirmada. Así en "La noche mejor":

> *Como yo lo serené*
> *y como se durmió en gracia,*
> *el ruiseñor lo cantó*
> *la noche y la madrugada.*
>
> ....
>
> *¿No había de oírlo lindo*
> *si, partido en cuerpo y alma,*
> *iba y venía de mí,*
> *con él estaba y no estaba?*
>
> ....
>
> *¿No había de oírlo lindo*
> *si, ya cerrada su cara,*
> *lo oía desde su fin,*
> *desde su todo y su nada?*

Observamos que la expresión, al tocar este tema, se hace enigmática, paradójica. Lo mismo sucede en "Ente": "Ente costante al olvido, / olvido en gloria del dios / que no está en ninguna parte / de tanto estar sin saberlo, / y colma la soledad. // Este no ser sucesivo / que es este ser verdadero."

En otros poemas, la afirmación deja paso al *deseo* de eternidad: "¡Que yo lo aspirara todo / en mi combustión sublime! // [...] ¡Qué final! Este sería / el ser de todos los fines; / todo quemándose en mí, / y yo con todo, ascua libre." ("Libre de libres".)

O bien a la *duda* pura, como en el extraordinario poema "Preguntas al residente": "¿Tu suelo y tú estáis fundidos, / como yo, con otro suelo? // [...] ¿El sueño que vas rumiando, / vuelve a ti como a su centro? // [...] ¿No hay más que un pinar, y es uno, / y es aquél y es éste, pinos?[34] // [...] ¿Esos cirros de carmín, / qué paraísos reponen? // [...] ¡Trastornos de aires y fe, / descomposición de soles!"

En cambio, la negación de la eternidad para el cuerpo —en conexión con el tema del "otro yo", naturalmente— parece ser la idea de fondo del

---

[34] Nótese el sabor platónico de estos versos. Platón fue una de las lecturas más constantes del poeta en sus últimos años, como sabemos por el Diario de Zenobia.

poema "El más fiel", impresionante por su misterio, su capacidad visualizadora y su onirismo:

> Cantaron los gallos tristes
> como señal del destino;
> el hombre se puso en pie,
> miró sin sueño al abismo.
>   Pero, ante la luz rojiza
> qué recortó el roto pino,
> uno, que era diferente,
> siguió tendido lo mismo.
>
> ....
>
>   (Donde el que tendido está
> está de pie, como un río,
> sed una hecha agua una,
> solo leal espejismo.)
>   Pero no se levantaba
> uno que ya estaba fijo,
> uno, el que estaba ya en él,
> uno, el fiel definitivo.

En los "Romances de Coral Gables", pues, el tema que nos ocupa alcanza la mayor complejidad (aunque no su resolución). Sin embargo, el grupo poemático más misterioso de "En el otro costado" es el siguiente, "Caminos sin mar", que cierra el libro. Cuatro poemas solamente lo componen, en simetría perfecta con el grupo primero del libro, "Mar sin caminos", integrado por cuatro poemas también.

Ya desde el primer poema, "Espejismo", Juan Ramón anuncia la pérdida de las certezas que alegraban su vida, y habla de la sequedad de su presente. Y en el siguiente, "De otra parte", explica su desengaño del más allá, subjetivo consuelo que él se había creado:

> Una luz de otra parte en una nube.
>
> ....
>
>   Sí, yo sabía que era luz invicta y rara,
> pero no, por mi eternidad, de dónde.
>   Hoy, la luz de otra parte en una nube,
> tras la palma espinal con luna y con estrellas
> bien nocturnas, me asalta
> en suelo estraño y parecido.
>   Y sé, por mi miseria, de qué parte
> es esta luz, eran todas las luces
> de otra parte.

Si la eternidad no existe para el poeta, la vida es despreciable ("Mudo universo que me cercas / en esta bola de arrabal"), y el universo pierde su otra dimensión exaltante:

(Y el mar se sume negro, sólo
para sí solo y su total;
elemental agua cerrada,
con sus especies nada más.)
¿Qué es lo que das, altor, bajando
al que se abisma en tu mirar,
pero que sabe bien que eres
eterna imposibilidad?
("Mudo universo que me cercas", p. 935.)

Saber el momento preciso en que Juan Ramón escribió estos poemas nos parecería de una gran importancia. Su colocación al final de "En el otro costado" (1936-42) nos puede inducir a pensar que debieron de escribirse en el mismo 1942 ó 1941 todo lo más. Pero la perfecta simetría que presentan respecto al grupo inicial, nos pone en guardia contra la interpretación "lineal", sabiendo ya lo amigo que era el poeta de reorganizar sus libros según criterios estéticos, opuestos casi siempre a la línea anecdótica.

De la lectura de "Mudo universo que me cercas" sacamos la impresión de que el poeta está en una isla, pues el mar y el cielo le rodean completamente; y en el poema "De otra parte" nos habla Juan Ramón de "la palma espinal con luna y con estrellas" y "suelo estraño y parecido". Todos estos indicios confluyen para inclinarnos a pensar en Cuba, donde el poeta y su esposa estuvieron dos años largos, entre 1936 y 1939[35]. (Aunque tampoco podemos descartar completamente el paisaje costero de La Florida, donde Juan Ramón vivió entre el año 39 y el 42, en que se trasladó a Washington.) En fin, dejamos esta cuestión para los especialistas de los manuscritos juanramonianos, por si acaso encuentran alguna indicación suplementaria...

No sabemos hasta qué punto la depresión del poeta, que empezaba a reaflorar en estos años, pudo influir en esta triste orientación de la problemática. Pero sí podemos decir que la orientación se mantuvo (y también la depresión). En 1950, en "Notas sobre poesía y poética", incluye un largo texto titulado "Muy significativo. (A José María Valverde. Poeta de emanación)", del que entresacamos el siguiente párrafo:

---

[35] Las prosas de "Viajes y sueños" (pp. 183-193 de *Estética*...) confirman a Cuba como el lugar de esta crisis espiritual.

Yo pienso que este mundo es nuestro único mundo, y que en él y con lo suyo, hemos de realizar todo. Pero, ¿por qué no hemos de intentar que nuestra conciencia contenga el universo ilimitado, si la conciencia puede contenerlo? El hecho de que haya poetas que clarivén lo ilimitado es prueba de su existencia; y cualquier imajinación que se da dentro del hombre es humana. Yo estoy seguro de que en este mundo en que vivimos y morimos hay un más allá en inmanencia, un más allá moral, y que el poeta es el que puede comprender, contener y espresar esa inmanencia sin límites[36].

Inmanencia en *este* mundo. Y no existencia de otro mundo mejor. La conciencia del poeta es la que contiene lo ilimitado del universo: la eternidad está en ella. Posición idealista, pues, pero de un idealismo subjetivista extremo. La misma posición de 1948, cuando el poeta descubre a Dios como "conciencia mía de lo hermoso." De hecho, en uno de los poemas inéditos de "Dios deseado y deseante", Juan Ramón aborda el tema del Lugar en estos términos:

Quiero quedarme aquí, no quiero irme
a ningún otro sitio.

    Todos los paraísos
(que me dijeron) en que tú habitabas,
se me han venido desvaneciendo en mis ensueños
porque me comprendí mejor en este que vivo
ya centro abierto en flor de lo supremo[37]

Y en otro, también inédito, el de la eternidad:

La eternidad es sólo
lo que concibo yo de eternidad
con todos mis sentidos dilatados,
la eternidad que quiero yo es esta eternidad
de aquí y aquí con ella, más que en ella,
porque yo quiero, Dios,
que tú te vengas a mi espacio,
al tiempo
que yo te he limitado en lo infinito,
a lo que es hoy en lo infinito,
al fin de tanto vuelo en lo imposible[38]

---

[36] En Juan Ramón Jiménez, *Estética y ética estética*, p. 95. El carácter obsesivo del "pensamiento mágico" juanramoniano se aprecia mejor en este otro texto, de 1950 también: "Si el poeta piensa y sueña y espresa otras realidades, las invisibles, que él clarivé, su espresión, su pensamiento, su sueño quizá las cuaje."
[37] Cf. Carlos del Saz-Orozco, *Desarrollo del concepto de Dios en el pensamiento religioso de Juan Ramón Jiménez*, p. 182.
[38] *Ibíd.*, p. 185.

En cuanto al grupo poemático "Una colina meridiana", su mayor problema interpretativo es el gran número de años abarcados por su composición: 1924-1950. Para nuestro gusto, es un poemario de una belleza extraordinaria, belleza que radica en la *reafloración del sentimiento* y en la *concentración en la Naturaleza*. La intensidad romántica de sentimiento que el poeta había manifestado en *Arias tristes,* reaparece en versos como éstos:

> *Cuando se caen sus hojas*
> *en el otoño, los árboles,*
> *amigos que el sol separa,*
> *comienzan a separarse.*
> *Sus verdes ya no se besan*
> *con los sentidos colgantes,*
> *cabellos que se trenzaron*
> *de unos con otros; se caen,*
> *rendidos de amor, al suelo,*
> *a besarse ecos de sangre.*
>
> ("Los mármoles seréis árboles", p. 961.)

El tranquilo amor compartido del poeta y su esposa subyace —aunque nunca alcanza categoría de tema principal— en poemas como "Primavera 63", "Del bajo Takoma", "Con ella y el zurito", "Con ella y el cardenal" y "Del fondo de la vida". Es que por todo el poemario circula una veta de sentimentalidad, un volverse hacia la hermosura natural y el calor humano. Debió componerlo el poeta en un momento de alza en su humor vital, y tal vez por esta razón o por ser poemas anteriores a la crisis cubana, todos ellos afirman la esperanza al abordar los temas que nos ocupan: muerte, vida eterna y paraíso.

La muerte aparece, una vez más, como destructora de su cuerpo —pero sólo de éste— en el poema "Riomío de mi huir": "¡Cómo me gusta tu entrarme / en la armonía perpetua, / [...] que si soy un ser de fondo / de aire, una bestia presa / por las plantas de los pies / que me sientan la cabeza, / compensarán las espumas / de mi sangre que corriera / al mustioso amapolar / que cubra mi parte quieta! (p. 953).

La vida futura tras la muerte está afirmada en los poemas "Sobre lo verde fijo", "Invierno anunciador" y "Los mármoles seréis árboles". Al ser la naturaleza vegetal el reino preferentemente contemplado en "Una colina meridiana", la vida futura se presenta como nuevo ciclo de vida igual a la precedente: Los árboles en invierno son "seres entre dos vidas, / la gozada y la por gozar" ("Invierno anunciador"). Son también "perpetuidad retornable; / y como los mismos dioses, / sin morir, os cambiáis / en pie, de árboles en mármoles / y de mármoles en árboles" (p. 961). Pero no solamente los árboles disfrutarán de eternidad cíclica, sino todas las cosas y seres del mundo: "Y nosotros / [...] tocados de amarillo sol radiante / [...] que se va, no al poniente a terminar, / no al fin, sino al principio; / [...] ¡Con que todo, / tierra, trabajo, amor y muerte, hasta mañana!"

En otros poemas, la afirmación no es ya categórica. El poeta pregunta. Así, en "Colores; ideas", o en "Alerta": "Iluminada, mi cabeza, / alta en el mundo oscuro, / ¿es la semilla iluminada / de otro y más bello mundo?" (p. 978). O bien, en el hermoso poema "En su copa de gloria", Juan Ramón contempla cómo las hojas secas caen, y *desea* "que se entren gustosas en la tierra" para que vuelvan a su origen: "para que a las raíces / les den sus almas rojas; / las raíces que fueron / sus hondas formadoras." Y desde su origen resuciten nuevamente a la vida: "¡Ojalá otra vez sean / todas verdes cantoras! / [...] ojalá todas tengan / en su copa su gloria!" (pp. 957-958).

Pero el retorno a la vida idéntica no es la única forma de supervivencia en "Una colina meridiana". También el paraíso aparece en su modalidad platónica, con el bello poema "Por fuego", que suponemos uno de los primeros del poemario: "La presencia una, en hombre / y mujer, rotas las cercas / del paraíso completo: / lo de dentro y lo de fuera. / Y aunque es la mañana azul, / las inmanentes estrellas / en otro igual árbol arden, / el de las sombras supremas."

Libro afirmativo, esperanzado y centrado en la Naturaleza, es "Una colina meridiana". Podríamos preguntarnos el porqué de este retorno a la contemplación del mundo —vegetal sobre todo— que nos sitúa en atmósferas de primera época. ¿Acaso ha renunciado el poeta, aunque sea por poco tiempo, a girar sobre la problematicidad de su yo?

La respuesta es, nos parece, que Juan Ramón en este grupo de poemas parte de una *identidad de esencias* entre el mundo vegetal y su propio ser. Este tema está expresado con profundidad y hermosura insuperables en el poema "Del fondo de la vida":

> *Déjame que lo mire yo, este espino (y lo oiga)*
> *de gritante sol fúljido, fuego sofocante*
> *silencioso.*
> *que ha sacado del fondo de la tierra*
> *ese ser natural (tronco, hoja, espina)*
> *[..........]*
>
> *y su esencia (que es su vida y su conciencia).*

Una espresión distinta, que en el sol
grita en silencio lo que yo oigo, oigo.
Déjame que lo mire y considere.
Porque yo he sacado, diverso
también, del fondo de la tierra,
mi forma, mi color, mi olor; y mi sustancia,
y mi esencia (que es mi vida y mi conciencia)
carne y hueso (con ojos indudables)
sin más cuidado ni ansia
que una palabra iluminada,
que una palabra fuljidente,
que una palabra fogueante,
una expresión distinta, que en el sol está gritando
silenciosa;
que quizás algo o alguien oiga, oiga.

(Pp. 925-926.)

"Una colina meridiana", pues, es un paréntesis de belleza y de esperanza en medio del descorazonamiento progresivo de los años de exilio. (El extraordinario "Dios deseado y deseante" será el otro gran paréntesis exultante.) Y en medio de ambos y con posterioridad, la concepción de la eternidad inmanente en el poeta, con su tormento aparejado: la imposibilidad de alcanzar certidumbres, el tener que girar continuamente —obsesivamente— en torno a la creencia, siempre provisional, para que no se volatilice.

Por eso el tema no puede desaparecer del horizonte juanramoniano: El 1 de febrero de 1953, en el periódico "La Prensa" de Nueva York, Juan Ramón afirmaba que deseaba ser enterrado junto a su esposa en Puerto Rico, isla de la simpatía, "incorporados juntos los dos a la eterna armonía, una vez que no circulemos de pie por nuestra órbita, sino tendidos"[39]. (Es decir, regresa a esperanzadoras posiciones anteriores.) Y así, en tensión siempre entre esperanza y desesperanza, llega Juan Ramón hasta el fin de sus días, sin haber resuelto para sí mismo de manera concluyente el problema.

La gran aventura de vencer a la muerte mediante la fe en otra vida mejor, no termina —a diferencia de la aventura de amar— en triunfo.

---

[39] Es de notar que esta declaración y otras semejantes coinciden con los períodos en que la depresión remitía y Juan Ramón se encontraba mucho más animoso física y mentalmente.

VI

LA CUMBRE DEL POETA: *LA ESTACIÓN TOTAL* (1923-36)

Cincuenta y cinco años tiene Juan Ramón cuando concluye este libro. Trece años le ha costado su composición. Y, podríamos decir, treinta y seis años (desde sus comienzos literarios) ha venido preparándolo. Es el libro-cima. El libro de la madurez poética total. Uno de los libros más hermosos, en nuestra opinión, de la literatura española. Libro sin altibajos, de sostenida belleza; libro con unidad expresiva, sin un verso fallido o prosaico a lo largo de sus 55 extensos poemas[1]: Estrella de la segunda época juanramoniana, cumbre de ella.

Desgraciadamente para él, al mismo tiempo que es cumbre y síntesis de los temas juanramonianos, es también el súmmum de su hermetismo[2]. Y la crítica, aun alabando unánimemente su belleza, no se suele adentrar mucho en la explicación interna de este libro. Razón por la que nos detendremos más en él, pasando luego con rapidez mayor por *Animal de fondo,* muchísimo más comentado.

En primer lugar su título: La estación *total*. Juan Ramón, tan aficionado al cambio de las estaciones en la Naturaleza[3] —reflejo y acorde de su cambiante espíritu— se sitúa deliberadamente *fuera* del tiempo (tras haber pasado imaginativamente por la "quinta estación"[4], es decir, la muerte), en esta "estación total" que asume en sí a las otras. Y, de hecho, la agotadora lucha que ha sostenido contra la temporalidad (luchar contra la muerte es

---

[1] La tendencia juanramoniana a dar el mismo título a diversas composiciones —rasgo de la segunda época desde *Estío*— reviste en *La estación total* otra modalidad: *la agrupación bajo un título común* de diversos poemas, 3 ó 4 casi siempre, cada uno de los cuales recibe a su vez un título propio. *La estación total* es, pues, una sucesión de pequeños ciclos poéticos engarzados: Indicio de un importante *alargamiento de la palabra poética* o tendencia al poema largo (en este libro, de tipo sinfónico) que desembocará en el extenso poema "Espacio" de 1954.

[2] El hermetismo de este libro tiene tres orígenes: Primero, la conocida ordenación antianecdótica del poeta, que se extrema aquí; segundo, el carácter equívoco y misterioso de los temas abordados; y tercero y principal, la elisión sistemática de puntos de referencia concretos en el poema para su interpretación. Un poema no es interpretable aisladamente. Su sentido sólo se nos aclara situándolo en el contexto del libro entero, en el contexto de la evolución del pensamiento juanramoniano —para lo cual es necesario conocer a fondo los libros precedentes y siguientes—, y en el contexto de la vida de su autor.

[3] Recordemos algunos títulos de sus libros: *Baladas de primavera, Estío, Las hojas verdes,* etc.

[4] Poema 5, 2, p. 1.143.

luchar contra la conciencia de tiempo fugitivo) parece "casi" haber terminado aquí. La muerte vuelve a hacer su aparición en algunos poemas, pero ya apenas es amenazadora: en el poema 6 ("La plenitud") es "gran armonía / de lo que se despide sin cuidado"; en el 15.3 ("Vida, gracias, muerte") se identifican ambos términos antitéticos; en el 26 ("El Sur"), la muerte se equipara al querido paisaje infantil[5]; y sólo en la importante serie de poemas a la muerte de su madre —serie que estudiaremos en breve—, y en el poema núm. 7.3, "Mostruo alto", la muerte se reviste de su antiguo carácter temeroso:

> [...] *tus grandes dedos verdes, ocres, lívidos*
> *para entrarse por todo,*
> *pinzan mujeres, niños, hombres,*
> *tendidos solos, de pie juntos,*
> *menudos frutos secos,*
> *maduros, verdes.*
> *(Miramos, encojiéndonos*
> *en la pequeña luz artificial,*
> con pavor natural de que nos veas.
> Sentimos un dolor *de hombro en el hotel,*
> un placer *sin local ¿tedio, esperanza,*
> *o qué dudoso escalofrío?)*
> *¿Variante mirada miriante,*
> *mostruo inmanente de la luz sombría,*
> *cielo concreto en ojo sin dominio:*
> *ves lo que coje tu abismada mano?*
> ¿De dónde ese contento *huracanado, alerta,*
> que domina el espanto *miserable,*
> *ese negro mayor sobre lo pálido?*
> *¿Palpa tu momentánea voluntad traqueteada,*
> *o tu posible distracción de eterno?*
>
> (Pp. 1152-1153.)[6]

En este importante poema vemos con exactitud la posición del poeta ante la muerte en este período: personificada en *monstruo,* sigue inspirando "pavor natural" y "espanto"; pero, simultáneamente, al ser un ser *alto,* enviado de la eternidad, produce "placer" y "contento huracanado" por encima del terror. El poeta parece haber llegado, meditando y medi-

---

⁵ "Horizonte de paz. / Horizonte de tierra, / [...] Horizonte de mar. // [...] Los ojos son felices / mirando sin mirar. // [...] La boca está contenta / cantando sin cantar. // Placidez de horizonte / [...] Horizonte final." *L.P.,* p. 1.213.

⁶ El tipo redondo es nuestro. En la edición de Aguilar hay un punto en el penúltimo renglón, errata evidente: en su lugar hemos puesto una coma.

tando sobre la muerte, a domesticar la idea, a pactar con ella una tregua ambigua: punto máximo de resolución desde el cual puede lanzarse a una nueva aventura espiritual, la exploración imaginativa del más allá.

Decíamos antes que la temporalidad disminuye en este libro. La razón es, pues, que ya está resuelta (o casi), y esto va a posibilitar la exploración de *la espacialidad intemporal:* el "lugar", el "paraíso", el "oasis", la "casa", el "sitio perpetuo", el "espacio", el "estado", la "ciudad del cielo", el "Samoén", el "reino" —todos estos nombres recibe el más allá en *La estación total.*

El tema[7] no puede ser más gozoso ni más juanramoniano, y por ambas características *La estación total* es el Gran Libro de su autor. Un libro gozoso: escrito como en éxtasis al divisar lo siempre deseado; un libro de expresión madura y jubilosa, con la comunicatividad de la emoción trascendente. Y al mismo tiempo el libro más juanramoniano, es decir, más *estático:* "estatua ardiente en paz del dinamismo", diríamos con sus propias palabras[8]. Todo el sedentarismo del poeta; todo su poetizar engrandeciendo microparcelas interiores o de la realidad externa interiorizada; todo el carácter "contemplativo", "espiritual" y "emotivo" de la escritura de nuestro autor, halla su campo poético más adecuado en esta indagación del más allá estático, misterioso, anímico, exaltador y subjetivo.

Pero antes de entrar en el análisis de este tema —complejo y vasto como corresponde a su cualidad de central en el libro—, vamos a estudiar otra importantísima serie, no tratada por ningún crítico, que sepamos.

Los poemas a la muerte de su madre

Es sabida la devoción que Juan Ramón sintió durante toda su vida por su madre[9]; hasta sus pensamientos finales fueron para ella: "Antes de morir llamó varias veces a su madre. Fueron sus últimas palabras"[10]; es sabida la gran semejanza física y espiritual entre ambos, incluso la herencia patológica que de ella recibió; es menos conocido, aunque dado afortunadamente a la imprenta por F. Garfias, el libro "Domingos", donde el espíritu del poeta se debate entre el apego al nido familiar y la necesidad de

---

[7] Ya preludiado en *Poesía,* núms. 90, 127 y 129.

[8] Poema 3.2, "La otra forma", p. 1139.

[9] *Vid.,* sobre todo, *Por el cristal amarillo,* en *Libros de prosa,* Madrid, Aguilar, 1969, pp. 999-1275.

[10] R. Gullón, *El último Juan Ramón Jiménez,* p. 180.

lanzarse al mundo literario —Madrid— durante los años 1911-1912; es patente en los años que siguen el conflicto entre el continuar agarrado al tronco familiar o independizarse fundando un nuevo hogar, conflicto estudiado a nivel de símbolos por Predmore en el *Diario* y en los libros precedentes y siguientos publicados por el poeta[11]; y, finalmente, circula por los libros de la segunda época toda una corriente de poemas dedicados a su madre: En *Eternidades,* los núms. 106 y 129; en *Piedra y cielo,* el 18 y 25; en *Poesía,* el 123 y 125; y en *Belleza,* los núms. 10, 16, 18, 61, 68, 111 y 125.

    El sentimiento de culpabilidad por haber hecho sufrir en el pasado a su

---

[11] Michael P. Predmore, *La poesía hermética de Juan Ramón Jiménez,* ob. cit. Después de este libro, el "complejo de Edipo" juanramoniano es un hecho con el que hay que contar a la hora de interpretar al poeta. Es lástima, sin embargo, que M. Predmore no estudie los *L.I.P.,* pues en su segundo volumen, en el libro "Domingos", están los tres poemas más edípicos de toda la Obra: "La madre", "El estudiante" e "Invierno". En ellos la madre le retiene junto a ella; al hacer sus maletas él para irse, se da cuenta de que faltándole ella está él ausente de sí mismo; y, lejos ya de la madre, se culpabiliza del dolor y de la muerte lenta de ella. Y en otro libro del mismo volumen de *L.I.P.,* "La frente pensativa" (1911-12), aparecen otros dos poemas edípicos, reproducidos en la *Segunda Antolojía Poética* y en la *T.A.P.* El primero, "¡Qué goce triste este / de hacer todas las cosas como ella las hacía!", nos muestra al poeta reconociendo en multitud de gestos cotidianos que él realiza, los mismos gestos de su madre, y sintiéndose "celeste", contagiado "de otra poesía" y "como un héroe" por la pervivencia de ella en él. El segundo, "Se quejaba. / No le pregunté: ¿Qué tienes?", es un poema lleno de culpabilidad hacia su madre, tan atenta y cariñosa con él mientras él le corresponde con ingratitudes.

    Pensamos, sin embargo, que los poemas en que la madre aparece como posesiva y celosa pueden ser "proyecciones" de Juan Ramón sobre su madre, ya que el plano de la realidad, tal como lo vemos en las *Cartas* (Primera selección, pp. 159-185), es muy diferente del vivencial que presenta la Obra. Por el epistolario de Juan Ramón vemos que la madre estaba terriblemente inquieta por la prolongada soltería de su hijo y le presionaba para que se casase con Zenobia. (Juan Ramón le ocultó siempre, para no angustiarla, las dificultades que tuvo durante casi cuatro años para hacerse amar por Zenobia y aceptar por la familia de ella.)

    El "complejo de Edipo" del poeta no pasó inadvertido para el agudo Antonio Machado, si es cierto lo que dice R. Gullón (en "Relaciones entre Antonio Machado y Juan Ramón", *Estudios sobre Juan Ramón Jiménez,* Buenos Aires, Losada, 1960, p. 64); que hay una alusión a Juan Ramón en el poema "Recuerdo infantil" del capítulo VI de *Juan de Mairena:* "El niño Juan, el solitario, / oye la fuga del ratón, / y la carcoma en el armario, / y la polilla en el carbón. // [...] *El niño está en el cuarto oscuro, / donde su madre lo encerró; /* es el poeta, *el poeta puro / que canta; ¡el tiempo, el tiempo y yo!"* (La cursiva es nuestra, y la lectura en clave edípica, también.)

    Que el "complejo de Edipo" no desapareció siquiera después del matrimonio, nos lo prueba el poema "Yo salté a la barca nueva", fechado en 1919-24 e incluido por F. Garfias, no sabemos por qué, en "La frente pensativa", 1911-12: "Yo salté a la barca nueva. / —Caía la tarde.— / ¡Qué triste la barca vieja! / / ¡Qué lenta se fue la barca / vieja, mar / abajo, contra el ocaso sin playa! / / Contra el sur solo y salvaje, / ¡qué doblada se iba, / —como una olvidada madre!— // Y yo abrazaba en la barca / nueva al amor mío, / a la mujer demudada. // [...] // El mar, ya oscuro, ¡qué ancho / entre las dos barcas, / mar arriba, mar abajo! // Mar abajo, sangre fija / y oleada cárdena, / que yo casi no veía! // ¡Qué negra se iba la barca / vieja —madre sola—, / contra la noche sin playa!" Este poema es uno de los que revelan con mayor claridad el conflicto entre el amor definitivo del poeta por Zenobia y su culpabilidad por haber *abandonado* a su madre al formar un hogar, provocando así incluso, involuntariamente, su muerte: "la noche sin playa".

madre informa algunos de estos poemas: El 18 de *Piedra y cielo,* y el 10 de *Belleza*[12]. Pero, sobre todo, es el temor a la muerte próxima de su madre, o la representación anticipada de ésta, lo que aparece con mayor frecuencia: En el poema 129 de *Eternidades;* en el 123 de *Poesía;* más en toda la serie de *Belleza* a excepción del 10. (Este aumento rápido en el número de poemas que dedica a su madre, y su enfoque uniforme —muerte prefigurada de ella—, pensamos que responden a la gran preocupación del poeta ante la salud deteriorada de su madre.)

Y el 1 de septiembre de 1928, según el propio poeta ("Muerte de Mamá Pura", en *Por el cristal amarillo*), fallece en Moguer su madre, rodeada de sus hijos y nietos. El relato que Juan Ramón hace de este importante hecho es sencillo, sin estilismo apenas, como si se tratase de una "escena de vida" más. Sin embargo, sabemos por Juan Guerrero Ruiz que la enfermedad y muerte de su madre desencadenó una crisis terrible en el poeta[13].

De hecho, *La estación total* —a pesar de la ordenación antianecdótica del poeta— parece estructurarse vitalmente así:

1. Estado agudo de crisis, con causa explicitada (muerte de la madre), en los poemas núms. 11.1, 11.2, 11.3 y 11.4; o bien, con causa desplazada, en los poemas 28.1, 28.2 y 28.3[14].

2. Salida progresiva del estado de crisis, intentando reunirse de nuevo con su madre mediante el sueño y la noche (7.1, 7.2, 29, 33); o incitándola a reanudar contacto con el día (20.4); o imaginándola en un lugar per-

---

[12] R. Gullón en *Direcciones del modernismo* (Madrid, Gredos, 1963, pp. 195-234) menciona una nota manuscrita de Juan Ramón en que el poeta se reconoce culpable de ingratitud hacia su madre y hacia Gregorio Martínez Sierra. El mismo sentimiento, más explicitado y sólo en relación con su madre, reaparece en la prosa "Esijente, feroz, terminante", de *Por el cristal amarillo* (*Libros de prosa,* 1, pp. 1220-1222).

[13] Dice Juan Guerrero Ruiz en su valiosísimo *Juan Ramón de viva voz,* p. 50: "8 de enero de 1929. / Anoche estuve en casa de Juan Ramón [...]. No le había visto después de la muerte de su madre, ocurrida el verano último, poco tiempo después de haber Zenobia perdido a su madre. / Juan Ramón me dijo que el año 1928 había sido un mal año para él, y que *una parte de él había estado como muerto, sin ánimo de nada.*" (La cursiva es nuestra.)

[14] Estaríamos también tentados de incluir en este grupo de poemas el ciclo núm. 25, "Con la flor más alta" (1, "La perdida"; 2, "Mi triste ansia"; 3, "Valle tranquilo", y 4, "Una mujer partida") El tono es deprimidísimo: ni el cementerio ("Valle tranquilo"), ni el sueño, ni siquiera el morir, puede reunir a los dos seres separados por la muerte de uno de ellos: "Y morirnos tras la muerte / no nos quita cruz, / que cada muerto camina / por distinta luz." No lo interpretamos, sin embargo, como motivados por la muerte de su madre, porque sabemos que escribió el poema "La perdida" cuando Zenobia se fue a Mallorca y él se quedó en Madrid angustiadísimo, pensando "en la noche, que sólo había agua debajo del barco en que yo iba" —anota Zenobia en su Diario el 3 de enero de 1956—. (R. Gullón, *El último Juan Ramón Jiménez,* p. 146.)

fecto (5.2), viva (35), hablando con él en eterno silencio (41), transfigurada en luz (40) y en rosa (43.2).

3. Reafirmación en la alegría de vivir, en la belleza del mundo, en la conciencia totalizadora del yo; insistencia en el carácter transustancial de la naturaleza y los humanos; representaciones del más allá, etc.: el resto del libro.

Veamos ahora un poco más en detalle los dos primeros apartados.

La serie poemática que aborda de manera más directa el hecho real es la 11, titulada encubridoramente "La voluntaria M." (la voluntaria *madre,* interpretamos)[15]. Consta la serie de cuatro poemas: 1, "Siesta"; 2, "Espacio"; 3, "Lugar", y 4, "Aurora". Permítasenos citar por extenso el poema "Siesta", donde se puede apreciar tanto la técnica hermética del poeta (la palabra "madre" y la palabra "muerte" no se mencionan ni una sola vez) como la extraordinaria economía verbal del poema y su luminosidad, una vez conocidas sus claves referenciales:

> *¡Qué sólo suena el tiempo rojo y verde*
> *contra* tu comenzada ausencia eterna!
> *¡En qué arrinconamiento quemado* nos dejaste
> *la superficie material sin tu presencia!*
>
> *Te llevaste contigo a tu* más ser
> *la identidad de nuestro azul,*
> *la istalación desnuda del anhelo,*
> *el fervor amplio de la estación plena.*
> ....
>
> Verano *y sol aquí encima, sin ti,*
> *un eco frío y una pompa seca.)*
> *Ahora será, otra vez primaveral, debajo,*
> *a tu apretado alrededor,* tu hora entera.
> *Hora con radios de* tu corazón,
> centro parado *en floración suprema.*

(Pp. 1162-1163.)

---

[15] También podría leerse "la voluntaria *muerta*". La clave de este capítulo nos la da el último verso de la serie:[..]"Tú dentro ya, [...], el muerto es inmortal, / *sustancia voluntaria para más alta obra"* (la cursiva es nuestra). Este ciclo apareció en el cuaderno 4.º de "Presente", 1933. En la edición de los *Cuadernos de Juan Ramón Jiménez* (Madrid, Taurus, 1960) aparece esta serie bajo el título "La voluntaria" (pp. 61-63) y lleva la fecha de "Agosto 1932". Ignoramos si esta fecha corresponde a la primera redacción del ciclo, o bien a su "reviviscencia": el título de los cuadernos parece reelaboración posterior del más completo "La voluntaria M." (La segunda posibilidad —"reviviscencia" en 1932— pensamos que es la más probable.)

Hemos puesto en tipo redondo en este poema por una parte las referencias al hecho y a su cronología ("tu comenzada ausencia eterna", "verano") y por otra la concepción que el poeta tenía de él: la muerte es "más ser", y el muerto posee la totalidad del tiempo, su "hora *entera*". (Desde esta imagen se nos aclara de nuevo el título, la estación *total*, como la intemporalidad que asume lo temporal en la otra vida.)

El tono del poema no es desesperado: podría parecer sereno a primera vista. Es que el espíritu de Juan Ramón está por debajo incluso de la desesperación (en ésta hay al menos signos de vitalidad del yo que se rebela): al morir, su madre ha llevado consigo toda vida interna y externa (versos 3-8); sólo hay vida donde ella está (verso antepenúltimo y anterior). La elegía posee el acento liso, horizontal, de lo irremediable.

En el poema 11.2, "Espacio", la madre muerta *es* el espacio, la atmósfera que rodea a los vivos amados: "Tu forma se deshizo. Deshiciste tu forma. / Mas tu conciencia queda [...] / en la totalidad."

> *Nos miras*
> *desde todo, nos sumes,*
> *amiga, desde todo, en ti, como en un cielo,*
> *un gran amor,*
> *o un mar.*
>
> (P. 1164.)

El 11.3, "Lugar", parece haber nacido en el cementerio, donde han enterrado a su madre: "[...] Y en lo evidente variable, / por el alrededor, jardín de espera / de caballeros y señoras, / tirito al blanco de la feria vana, / los otros, sí, nosotros, grises, negros, / intentando, tentando, tanteando." Frente a la contingencia y la frivolidad de los vivos, su madre se instala "con la tierra", "en esa paz sin sed" que es "tesoro del estar definitivo": Este definitivo estar es el "lugar" —y no el cementerio— donde su madre se ha instalado sabiamente:

> *(Mano, ¡con qué mano segura*
> *te abriste tú la entrada del remanso;*
> *qué bien sabías tú en la sombra, arriba,*
> *que penetrabas en la luz, abajo!)*
>
> (P. 1165.)

Y en el poema 11.4, "Aurora", imagina el poeta que amanece antes en el mundo de los muertos que en el de los vivos; su madre despierta y recuerda aún cosas de este mundo: el "gorrión accidental", la "fija esquila":

> *Estará auroreando, primero, sobre ti*
> *el campo seco, Guadarrama rosa;*
> *aún sonará tu tierra gris en esa lucha dulce*
> *del sol que viene y la huidera sombra;*
> *el gorrión accidental, la fija esquila*
> *gotearán su son, su pío de la hora*[16].

(El poeta, parece, escribe al amanecer, separado ya por un cierto tiempo del acontecimiento: Las exclamaciones del poema nos revelan que el poeta ha salido ya del total anonadamiento del poema primero.) Frente al amanecer de los vivos, que los encadena al continuo sufrimiento —"... el alto tren del alba / conducirá sus deshumbrados presos de una pena a otra"—, el amanecer de los muertos es gozoso porque está ya fuera del tiempo:

> *[...]tu nueva vida solitaria*
> *por lo real profundo sin pasadiza forma;*
> *semilla verdadera de lo fijo, escultura, conciencia*
> *enquistada en la tierra que no se desmorona!*
> ....
>
> *... ¡Tú dentro ya, tú fuera, tú ya libre,*
> *el vivo muere, el muerto es inmortal,*
> *sustancia voluntaria para más alta obra!*
>
> (P. 1166.)

Veamos ahora el desplazamiento del problema: En el invierno de 1928-29 —conjeturamos— una nevada cubre Madrid. La antítesis asociativa "nieve-muerte" frente a "fuego-amor" se le impone al poeta, y surge la serie "Incendio". La nieve es "llama blanca" cuyo copo "como el ascua / de la contraria siesta" (de nuevo esta palabra, "siesta", como en el poema 11.1) enciende el "refugiado amor". El estado depresivo del poeta es aún evidente: el sol no domina la sombra, sino que "Es la sombra / la reina / del sol". Juan Ramón, de nuevo convertido en sujeto de su canto, autosimbolizándose en un pájaro muerto de frío, busca el calor materno una vez más:

---

[16] Obsérvese la imagen "tu tierra *gris*". En este libro el color gris simboliza reiteradamente *lo muerto*. Como en el poema 11.3 que acabamos de citar: para hablar de los vivos-muertos dice: "Sí, nosotros, grises, negros". Esta persistencia simbólica va a explicar el título del poema 20.4, "A la grisa" = a la muerta por antonomasia, a su madre.

EL PAJARO YERTO

¡Qué negro está
grande y negro,
el día blanco
de nieve!
¡Déjame que me caldee
en lo leve
de tu seno,
tu nido de oro
caliente!

(P. 1208.)

Dentro luego de las diferentes aproximaciones a la idea de su madre muerta, la primera es la que nos ofrece el poema 40, "Luz tú" (en el que, curiosamente, parece haberse contagiado de la tipografía ultraísta):

Luz vertical,
luz tú;
alta luz tú,
luz oro;
luz vibrante,
luz tú.
Y yo la negra, ciega, sorda, muda sombra horizontal.

(P. 1241.)[17]

La antítesis de fondo "tú viva / yo muerto" y la separación *esencial* de ambos sigue siendo la misma de la serie "La voluntaria M." escrita más cerca del hecho. Pero aquí ya advertimos un elemento nuevo: Hay una mayor abstracción: ella (su madre) es "luz" y él es "sombra". Hay descorporeidad por ambas partes. Y hay, sobre todo, un tono cuasi-litúrgico, de letanía laudatoria, para dirigirse el poeta a su madre: Es que ha comenzado en el espíritu del poeta un proceso de "divinización" de la imagen materna.

Progresivamente, el ánimo de Juan Ramón va saliendo de su estado depresivo. A este momento nos parece que debe corresponder el hermoso poema "Viento de amor", que bajo las ligeras apariencias de la canción formula toda la problemática del reencuentro con su madre[18] en la eternidad. He aquí el principio:

---

[17] En *Canción,* poema 118, encontramos acentos semejantes: "Que yo estoy en la tierra, / que yo soy calle oscura y mala, / jaula fría y mohosa / [...] // Que tú estás por el cielo, / que tú eres nube de colores, / pájaro errante y libre, / brisa de última hora / ¿quién lo podrá negar?"

[18] El título "Viento *de amor*" y el tema de la búsqueda de un tú que nos parece femenino, nos inclinaría a ver en ese tú más bien a Zenobia que a su madre, si no hubiera varias razones en contra: *a)*

> *Por la cima del árbol iré*
> *y te buscaré.*
> *Por la cima del árbol he de ir,*
> *por la cima del árbol has de venir,*
> *por la cima del árbol verde*
> *donde nada y todo se pierde.*
> *Por la cima del árbol iré*
> *y te encontraré.*
> *En la cima del árbol se va*
> *a la ventura que aún no está,*
> *en la cima del árbol se viene*
> *de la dicha que ya se tiene.*
> *Por la cima del árbol iré*
> *y te cojeré.*

El símbolo de base en el poema es "la cima del árbol": eje en los estribillos e iniciador de las dos primeras estrofas, su sentido es oscuro en apariencia. Sin embargo, el propio poeta nos lo explica en estas dos primeras estrofas: la cima del árbol es "verde" —color de la primavera, color de la *vida renaciente* en Juan Ramón—; es además, un *lugar* "donde todo y nada se pierde" —esta paradoja "todo y nada" ya la hemos visto reiteradamente aplicada a la muerte en los libros anteriores—; la "cima del árbol" es, además, el lugar de la *felicidad:* por este lugar "se va / a la ventura que aún no está" y "se viene / de la dicha que ya se tiene". ¿No queda suficientemente claro el simbolismo? La "cima del árbol" es la muerte, vista aquí como puerta de acceso a la vida eterna.

En cuanto al movimiento de vaivén, componente estructural del poema, así como la paradoja "la ventura que aún no está / la dicha que ya se tiene", se explica por el doble punto de vista del poema, correspondiente a los sujetos implícitos "tú, muerta / yo, vivo". El poeta al principio piensa atravesar la muerte para ir a reunirse con su madre: "te buscaré". El movimiento es doble: de él hacia ella ("he de ir") y de ella hacia él ("has de venir"). El, viniendo del mundo de los vivos, no posee aún la felicidad ("En la cima del árbol *se va* / a la ventura que aún no está") mientras ella, habitante ya de lo eterno, sí la posee y va con ella al encuentro de su hijo ("en la cima del árbol se viene / de la dicha que ya se tiene"). Y en este momento sucede —anticipado imaginativamente— el reencuentro: "te cojeré".

El tú está lejos, separado del poeta (por la muerte). *b)* No podemos interpretar ese poema como dirigido a Zenobia, muerta imaginativamente antes que el poeta, porque sabemos por las biografías de Juan Ramón que él siempre pensó morirse pronto y, por supuesto, antes que Zenobia (incluso más tarde, cuando a Zenobia se le declaró el cáncer y él seguía tan pimpante). Y *c)* Este poema coincide en tono y vocabulario con otros que tratan del mismo tema, del reencuentro ideal con su madre.

(Fijémonos en esta palabra "coger", clave en *La estación total*. La vamos a encontrar en muchísimos poemas, siempre con el sentido de *aprehensión de una esencia superior*.)

El poema llega en este momento a la exaltación, a la alegría máxima. Sin embargo, el espíritu aún deprimido de Juan Ramón le hace concluir el poema con notas desoladas:

> *El viento la cambia de color*
> *como el afán cambia el amor,*
> *y a la luz de viento y afán*
> *hojas y amor vienen y van.*
> *Por la cima del árbol iré*
> *y te perderé.*
>
> (P. 1208.)

El "tú" y el "yo" cambian tras la muerte (como en el poema "La perdida"): simbólicamente aquí el tú "cambia *de color*"[19], es decir, de forma, exactamente como el amor del poeta con su madre ha cambiado de naturaleza ("como el afán cambia el amor"). De ahí que el reencuentro, aun sucediendo, frustre la esperanza del poeta: "te perderé", es decir, al no tener tras la muerte un tú y un yo iguales al tú y yo que teníamos en la vida, la pérdida es irremediable. O, como dice en el poema que sigue en el libro, "cada muerto camina / por distinta luz".

Notemos algo extremadamente importante y explícito en este poema: Juan Ramón es consciente de ese proceso de idealización que está atravesando la figura de su madre en su espíritu, y, correlativamente, del cambio de sus sentimientos hacia ella, a fuerza de meditar sobre la separación: "como el afán cambia el amor". En algún poema todavía aparecerá la imagen primitiva de su difunta madre —identificada con su *cuerpo muerto*—, como en el poema 20.4, "A la grisa", es decir, a la muerta por antonomasia (el neologismo "grisa" está formado sobre la metáfora "gris = muerto", vista en los poemas precedentes):

---

[19] El "la" del verso inicial es ambiguo: Puede interpretarse como referente a "la cima del árbol" —es lo que hace Sánchez Barbudo en sus *Cincuenta poemas comentados* (Madrid, Gredos, 1963, pp. 118-120)— o bien referente al ser femenino que aparece a lo largo del poema identificado como "tú". Nos inclina a esta segunda interpretación toda la filosofía reencarnativa del poeta, constante en la segunda época. En apoyo de nuestra interpretación (el cambiar de forma la madre muerta) tenemos, incluso, un explicitador aforismo del poeta: "No se está muerto, como vivo, más que un cierto tiempo. Podría decirse que la muerte no dura más que la vida. Después de sesenta u ochenta años de tierra ya no se es un muerto, como no se es un vivo después de sesenta u ochenta años de aire." (En *La colina de los chopos*, *Libros de Prosa*, p. 985.)

> *¡Abre tu puerta a la aurora,*
> *que entre la gracia*
> *en tu sombra!*

(P. 1199.)

Pero cada vez más esta imagen de cuerpo muerto va a ir siendo borrada por la de *espíritu inmortal* —quizá coincidiendo con la salida del poeta de su estado depresivo y la entrada en un estado de euforia, que será el más característico de *La estación total*. Su madre va dejando de ser la mujer anciana de sus últimos días, sustituida primero por la mujer joven que fue[20], pero con condición espiritual, y luego, borrada aún la base realista "mujer joven que fue", puro espíritu arquetipo del eterno femenino.

El primer paso de esta evolución aparece ya en el poema "Tú te quedas viva", cuyo título realista contrasta vivamente con la idealización del poema:

> *Nosotros cerramos.*
> *Tú te quedas fuera*
> *con las azoteas*
> *barandas estrellas.*
> *Tú te quedas viva*
> *(¡nuestra vista seca!)*
> *en las escaleras*
> *barandas estrellas.*
> *¡Qué estraños nosotros*
> *a la luz eléctrica!*
> *¡Tú en las azoteas*
> *almenas estrellas!*
> *¡Ausente, desnuda,*
> *libre, sola, esterna,*
> *por las azoteas*
> *barandas estrellas!*

(P. 1233.)

(Es precisamente la reiteración de símbolos la que nos permite la interpretación de la hermética *Estación total:* Primero, la "luz eléctrica" re-

---

[20] Esta hipótesis está avalada por el mismo poeta. En la serie de prosas "Muerte de Mamá Pura (1 setiembre 1928)" leemos: "La mamá Pura que yo había conocido mejor, desde sus cuarenta a sus sesenta años, se desvanecía, y quedaba la de su última vejez, menos conocida por mí, unida a la de su juventud según el retrato de Cádiz. [...] / Yo le dije que sabía que cuando ella era joven la jente se asomaba para verla pasar. / Sonrió hacia dentro, hacia lo que le quedaba de existencia [...] mirándose lo que ya le quedaba [...] / Y se reía porque no quería llorar." (*Por el cristal amarillo, Libros de Prosa*, ob. cit., p. 1196.) Vid. también, en el mismo libro, p. 1195, el poema en prosa "La carne caída (mi madre)". De él entresacamos estas líneas, "Te dejé bella, completa, joven en tu vejez primera. [...] ¡Tan bella como tu hija, madre, eras! Y así te tengo, para mí solo, perfecta en tu alegría, en la memoria iluminada de mi corazón."

cuerda por contraste el poema 40, "Luz tú" antes citado, con la oposición conocida "mundo verdadero de los muertos / falso mundo de los vivos"; segundo, las "escaleras" envían directamente al poema 5.2, "Samoén": "Las *escaleras* granas que andas / te siguen todas, señaladas / por la quinta estación"; tercero, las "barandas", al ciclo de título revelador, "Tú en las nubes", en cuyo tercer poema leemos: "¡Sal a tus *barandas,* mírame / con tus grandes ojos altos / batidos de luz y sombra / mientras me voy apagando!" —y, de paso, notemos otra palabra clave del libro, "alto", equivalente a 'sobrehumano, del otro mundo', como en el poema "Mostruo alto"—; cuarto, y finalmente, las "azoteas", al verso "sobre las *azoteas* deslumbradas" del ciclo más hermético de todo el libro, "Idea estival"[21].)

La idealización de la imagen materna en su etapa de identificación con el eterno femenino, aparece en las cuatro partes del ciclo que acabamos de citar, "Idea estival": "Pecho sumo", "Con fatal lamento", "La otra desnudez" y "Reina oscura interior".

Permítasenos detenernos en estos poemas, que representan en este libro la cumbre del eterno femenino —con todo lo que de erótico hay en esta idea[22]—. En primer lugar, el carácter de *fantasía semiconsciente* nos lo re-

---

[21] El proceso idealizante de la imagen materna no está sujeto, pensamos, a la cronología real, sino a *enfoques internos* del hecho (la muerte de su madre) por el poeta. Esto lo prueba un poema como "La paz", del libro *Belleza,* donde —imaginándose anticipadamente la muerte de su madre— el poeta recurre a los mismos símbolos que va a utilizar en *La estación total:* "grana", "sombra desnuda y blanca", "azotea vacía", "luz tristísima", etc. "Cuando esta madrugada / abran las campanillas granas / a la luna dorada, / tú no estarás ya en casa, / sombra desnuda y blanca. // —Estarás noblemente / sosegada y risueña entre / la novedad alegre, / contenta de tu suerte / que te hace indiferente, / tras la vida, la muerte.— // Se irá encendiendo el día / con una luz tristísima; / la brisa verde y fría / llenará, como un agua descendida, / la azotea vacía." (*L.P.,* p. 1001.)

[22] Tenemos la impresión de que la idea de eterno femenino estuvo siempre en Juan Ramón ligada al tipo de belleza materna: ojos oscuros, cabello negro, piel clara. Esta imagen recibe una gran carga erótica a lo largo de los *P.L.P.:* es el atractivo de lo andaluz, de lo familiar, de lo endogámico. El impresionante poema 80 de *Canción,* "Los cabellos negros", habla de la devastación de "mi jardín de carne y luna" por el "huracán de los cabellos negros" (y en cambio no hay otro poema de intensidad semejante en toda la Obra para los cabellos rubios). En un momento de extraordinaria lucidez, en el aforismo 66 de "Notas" (1907-1917) Juan Ramón había escrito: "Relaciones. / Una amiga en el norte y *una amante en el sur."* (La cursiva es nuestra.) La belleza rubia de ojos claros surge precisamente para aliviar al poeta de la culpabilidad inconsciente, incestuosa (Freud), que la imagen morena pudiera producirle. Por ello la belleza rubia está ligada significativamente al *exotismo* ("Francina"), a la mujer extranjera, nórdica, ajena al clan familiar. (Recuérdese que Zenobia —rubia, ojos verdes— era "la americanita" para sus amigos de Madrid.) Y tampoco hay que descuidar el atractivo de "mujer espiritual" que la belleza rubia debía de ejercer en Juan Ramón —tan buscador del "alma"— por oposición a la carnal atracción —más intensa tal vez pero menos aceptable para el poeta— de la mujer morena. Recuérdese la oscilación "rubia / morena" que veíamos en "la mujer de otro" según el enfoque del poeta fuera idealizante o pasional. En el *Diario de un poeta reciencasado,* al ir de Madrid a Cádiz para embarcarse rumbo a Nueva York y desposar a Zenobia, la llama *"andaluza* del cielo" (poema 10), la

vela el mismo poeta desde el título, "Idea estival": "estival", por ser el 1 de septiembre la fecha de la muerte; e "idea" por ser imaginación libre, brote del inconsciente[23].

El primer poema, "Pecho sumo" nos da, también desde el título, la referencia real: su madre es "pecho sumo", es decir, "acogida máxima y femenina" para su ser. Su madre es mujer, y como tal, blanca (rasgo común de todas las amadas del poeta); pero de modo diferente que las demás mujeres, con blancura interior, luminosa, con blancura ya eterna:

> ¡Qué blancura (qué luz)!
> Más blanco (y encendido)
> sin ser blanco (ni lúcido)
> que todo lo que es blanco (y luminoso).
>   (P. 1156.)

El tercer poema, "La otra desnudez" ofrece una atmósfera muy semejante al poema "Tú te quedas viva" que citábamos hace un momento. Incluso el vocabulario es semejante ("azoteas", anochecer, paisaje ciudadano, balcón y sensualidad), todo ello en un fogonazo semionírico:

> Sobre las azoteas deslumbradas
> ....
>
> la luna llena sube verde
> ....
>
> y una sensualidad opaca y blanca
> sale y se esconde aquí y allá,
> de abajo.

---

asocia reiteradamente con Sevilla (poema 18), con la Giralda (8), con un almendro en flor del campo moguereño (11), etc.: Intenta, creemos, fundir los contrarios, reunir cuerpo y alma, juntar el impulso endogámico y el exogámico. Pero aún después de su boda, en *Eternidades,* encontramos un extraño poema, el 11, cuya interpretación dejamos al lector, poniendo en cursiva, por nuestra parte, las palabras que podrían ser claves: "¡No! / —Pero *estás en mí* / como una pintura / *mal borrada con otra.*— // Blanca, *limpia, sin ti, mi alma* / toda. // Me trasparenta el corazón poniente / de *la nostalgia,* y en su roja / verdad iluminada, / *vas tú surjiendo, igual* / *que entonces, muda y melancólica.*—"

[23] El carácter de imaginación libre, semiconsciente o incluso inconsciente, de este ciclo, tal vez se deba al hecho de que Juan Ramón poetizaba también en sueños. (Muchos de los poemas oscuros o fantásticos parecen transcripciones de imágenes soñadas.) El propio poeta nos lo dice: "Yo trabajo en mi labor de creación poética mientras estoy despierto y aun dormido, pues muchas veces el alba me da resueltas las cosas turbias de la entrada del sueño" (en "La obra", *Estética y ética estética,* Madrid, Aguilar, 1967, p. 23). La importancia del trabajo realizado en sueños por los grandes creadores —científicos o artistas— ha sido puesta de relieve en el excelente libro de Arthur Koestler, *The Act of Creation.* New York, Dell Publishing Co., 1964. (Traducción francesa: *Le cri d'Archimède. L'Art de la Découverte et la Découverte de l'Art.* Paris, Calmann-Lévy, 1965.)

> *Momento ¿ajeno*
> *a la vida normal? esaltador,*
> *que nos ofusca (y nos infunde)*
> *con luz alta la otra desnudez,*
> *¡mujer celosa del balcón abierto!*
>
> (P. 1158.)

Este carácter de celos, de tristeza femenina ante la propia belleza que se escapa, reaparece en "Reina oscura interior", poema 4 de la serie. Aquella mujer que tristemente compara su "desnudez redonda y blanca / de luna, con la luna", percibe que "en la noche triste" (la muerte), "se sentía menguar la realeza" al ir desapareciendo su bella forma corporal, expresada mediante el oxímoron "de negro oro"[24].

Y el poema 2, "Con fatal lamento", el más cargado de simbolismo[25], nos presenta el rapto o el rescate del eterno femenino materno ("la mujer más blanca") por el pensamiento titánico inmortalizador del poeta ("el caballo más rojo"): "¡Lo redondo desnudo, / uno, / blanco y rojo, trotando firme, / vertical, / sin su sombra, por la playa!" Contra este triunfante resucitarla nada puede "el viento en celo" (¿la muerte?) que exalta "la doble y otra soledad". El ser corporal de la madre, simbolizada en el mar, de donde ha salido "en doble ola incolora" el espíritu femenino materno, intenta acompañarlos también pero en vano:

> *Y la ola, la ola y la ola,*
> *madre animal, tendiéndose a lo largo*
> *de la hervorosa arena plata,*
> *agua de sed, constante y sin fatiga,*
> *blanca mujer, caballo rojo*
> *con lamento fatal acompañaba.*
>
> (P. 1157.)

A una etapa más avanzada de idealización, con abandono ya de lo que de erótico había en los poemas anteriores, y orientado el poema hacia la

---

[24] Una vez más tenemos que insistir en la *reiteración de símbolos* y en el hecho de que estos símbolos están *ligados a temas* y no ligados a la cronología de forma estricta. Así, en *Belleza*, antes de morir de hecho su madre, Juan Ramón la imagina ya moribunda y la llama "reina infinita de la ausencia oscura". En este mismo poema, se anticipan también los colores oro y negro: la playa de esta vida es dorada; la de la otra vida, negra ("Despedida", poema 125, p. 1123).

[25] Recoge este poema símbolos obsesivos de Juan Ramón: el mar = 'eternidad cambiante' (vid. el *Diario*); caballo = 'el pensamiento del poeta volcándose en la Obra' (vid. poema 42 de *Eternidades*, o 15 de *Piedra y cielo*); y sobre todo, el mito de Venus naciendo del mar, presente en *Estío* (45) y en el *Diario* (31). Una primera redacción de este poema aparece en los *L.I.P.*, 2, p. 218. "Desnudez". Pertenece a "La frente pensativa (1911-12)". Recuérdese que éstos son los años del edípico libro "Domingos".

captación de la nueva forma del espíritu materno —aún femenino—, pertenecen el poema 33, "Ráfaga", y el ciclo "Confusión de la rosa ella": 1, "Rosa de sombra", 2, "Rosa secreta", y 3, "Rosa íntima", que figuran entre los más herméticos del libro[26].

El poema "Rosa de sombra" describe a su madre emergiendo del mundo de los muertos para venir a visitarlo bajo su nueva forma de sombra:"[..] su sombra / que vino justa, cálida a asomarse / por mi vida entreabierta, / esencia gris sin más olor". El mundo que los muertos, como en *Poesía,* está presentado así: "(Sombras que ven del todo, y no reciben / mirada. Nos alarman, mas son invulnerable- / mente tranquilas como aceite. // Con su espiralidad de escorzo esacto inventan / todo acto imposible de espionaje, / de introducción, de envolvimiento. // Sobrecojen sin miedo, / muerden sin labio, / se van sin compromiso (p. 1250).

"Rosa secreta" es el más directo de los tres. Ha pasado el tiempo desde la muerte de su madre. El poeta sigue añorándola y la siente desconectada de su presente a pesar de que ella le ha visitado:

> *Estás de nuevo oculta entre la primavera*
> *que viene. Y yo ¿no te veré*
> *tus ojos, rosa, con las rosas,*
> *platas en lo amarillo y el carmín[27]*
> *del nuevo sol eterno?*
>   *El golpe, son,*
> *de mi sangre que late, fe, fe, fe,* ·
> ....
>
> *cava, enredo de hierro, estos caminos*
> *por donde no andas tú. Los tuyos,*
> *tus pendientes de gloria y porvenir,*
> *cuelgan, con tu ignorancia de mi hoy,*
> *como los míos hacia oriente, un día,*
> *antes de venir tú de tus alturas.*
>
> ....

---

[26] La asociación entre madre y rosa era casi inevitable: valores sumos para el poeta, humano uno y estético el otro, tenían que comunicar en algún momento. Y el puente entre ambos nos parece el término "mujer", comunicable tanto con "madre" como con "rosa". Por otra parte, tenemos testimonio del propio poeta de la estima en que su madre tenía a la rosa: "La rosa, me decía mi madre, que siempre tenía "una rosa", no cansa, hijo." (*Estética y ética estética*, p. 343.)

[27] El color "carmín" o su variante "grana" es el color de la divinidad y del más allá. Así, en "Samoén": "Las escaladas granas que andas / [...] por la quinta estación." Y el dios, el "Hado español de la belleza" está "sellado de granates primitivos". Vid. también en la *T.A.P.*, "Carmín fijo", pp. 912-913.

¡Y mis ojos, jirando descompuestos,
tras la órbita invisible de los tuyos,
doble sí de luz fija
(Pp. 1252-1253.)[28]

El poema "Rosa íntima" es una reducción de toda la hermosura plural del mundo en la simbólica rosa única que es la esencia de su madre (el eterno femenino): "Y todo queda contenido en ella, / breve imajen del mundo" / "... Y para el alma era aquella rosa / que se escondía dulce entre las rosas, / y que una tarde ya no se vió más" (pp. 1254-1255).

En el poema "Ráfaga", la imagen del espíritu materno está también desmoronándose ya y confluyendo con la de *espíritu puro:*

En lo negro te cojo,
pasajera de oro.[29]
¿De qué formas tu seno
en el molde del cielo?[30]
¿Saliste de la rosa,
esencia de la sombra?[31]
....
¿Qué más que cuerpo y alma
de mujer eres, ráfaga?
¿Qué tercer sueño es ese
que te imanta tres veces?[32]
¡Párate ante mis ojos!
¡No te lleves... lo otro![33]

La imagen materna ha dejado definitivamente su forma corporal y ha adquirido una forma vaga, fluida, fugitiva. (Esta es la última etapa de su

---

[28] La extraña imagen "doble sí" se explica mediante el poema "El azul relativo" que citamos en seguida. El "doble sí" son las palabras "sí, sí eras tú" que escucha a su madre al aparecérsele.

[29] El color oro simboliza en el poeta la *eternidad.* Alude, pues, a su madre, pasajera de la eternidad, cuyo espíritu Juan Ramón aprehende ("te cojo") durante la noche ("en lo negro").

[30] Importa retener esta imagen del cielo como *molde* para futuras formas de vida. Es central en la teoría reencarnativa del poeta. Por eso ha llamado a su madre "pasajera": está pasando de una forma a otra.

[31] Estos versos nos conectan este poema con el ciclo "Confusión de la rosa ella" que acabamos de examinar. En *La estación total* no hay cabos sueltos, todo se refuerza recíprocamente.

[32] Esta tercera imantación la interpretamos textualmente: es la tercera vez que durante el sueño se le aparece su madre al poeta: la primera se nos describe en "Ser súbito" y "El azul relativo", y la segunda en "Rosa de sombra".

[33] "Lo otro" nos parece el recuerdo de *la anterior forma corporal* de su madre. Al presentarse ésta al poeta en forma de ser o "ráfaga" inconcreta, la nueva imagen se superpone a la anterior del cuerpo vivo. Entonces el poeta le suplica que detenga su dinamismo de representación, en la esperanza de que surja la otra forma, la anterior que tuvo, con la inmovilidad.

evolución.) Es ya un "ser" por encima de toda especificidad contingente —sexo, edad, apariencia corporal...—; de ahí que el poeta de ahora en adelante la denomine con la palabra más neutra posible: *ello*. El fugaz reencuentro con ese "ello" —siempre durante la noche o al amanecer, en estados semiconscientes o no conscientes— se nos describe en los poemas 7.1, "Ser súbito", y 7.2, "El azul relativo" de la serie "Otro desvelo", y también en el poema 29, "Ser en flor". Veamos este encuentro con el "ser" en el menos hermético de lo tres, "El azul relativo":

> De la noche ha saltado. Y yo le digo
> "Te cojeré, sabré de ti".
> > Y doy un salto
> tras ello.
> > Nuestras sombras
> henchidas, plenas, esaltadas,
> se enlazan o se esquivan,
> ....
> "Sí, sí eras tú", me dice.
> > Y al istante,
> se olvida el tú en lo oscuro
> ....
> el sí que, allá en el fondo
> del gran jardín de nuestro olvido,
> vive en el májico palacio,
> con secreto fatal, de la memoria [34].
> "¡Eres tú, fuiste tú!", le digo,
> "y yo ¿te fui, te soy?"
> Un frío entre los dos nos elimina,
> el frío del no solo.
> Y salto de la noche
> a mi cobijo que era mi verdad,
> la verdad del resigno y del conforme.
> > (Pp. 1150-1151.)[35]

La relación entre el poeta y "ello" es dinámica, misteriosa y semi-mística. Hunde al poeta en un estado intenso de exaltación; pero este estado es pasajero, y el poeta vuelve desde el éxtasis hasta la realidad, "la

---

[34] Recuérdese la conexión "muerte-olvido" y "memoria-vida", vista ampliamente en *Piedra y cielo*.

[35] Este diálogo reaparece en el poema 41, "Hueco" —también dedicado a su madre—, en el canto del "pajarillo aire": "Desde que no te oigo, / ¡qué gran silencio el mundo, / el mundo en nueva luz! // [...] Y el pajarillo aire / cantante tan seguido / que es pico silencioso: / *"Sí tú sí tú"* // [...] Me gusta este silencio, / silencio eterno tú, / que es molde de tu voz." (Pp. 1245-1246. La cursiva es nuestra.)

verdad del resigno y del conforme", "el azul relativo, [...] plano, lo mismo, como ayer, como antes".

Y llegamos aquí a un momento crucial en la evolución del espíritu juanramoniano: Llegamos a la confluencia de la idea de "espíritu materno" con la idea de "Dios". El Dios juanramoniano, existente en potencia pero privado de imagen y definición desde *Eternidades,* va a hacer una fugaz aparición en *Belleza* y terminará por consolidarse (todo lo que pueda consolidarse una creación voluntariosa del poeta) en *Animal de fondo,* tras haber recuperado su función de "creador" en *La estación total.* Y es *la imagen subyacente de su madre,* pasada por filtros sucesivos, la que va a posibilitar la imagen de divinidad al suministrar al poeta la *alteridad* y la *autoidentificación* necesarias[36].

El carácter semidivino y des-sexualizado de la madre, así como la actitud de humildad y dependencia del poeta, estaban ya expresados con lenguaje no hermético, en el poema 24 de *Canción* (1936):

ESTRELLA MADRE

Tú estás ahí sola y hermosa, madre,
como una estrella baja en la colina.
Yo estoy aquí oscuro, desvelado
con lo despierto de tu luz blanquísima.

Y en "Los sonetos de Lourdes" (*Por el cristal amarillo,* parte 9, núm. 24) explicitaba Juan Ramón el fondo del problema, desde la religión de su primera época, como sentimiento de su juventud: *"Como yo quiero más a mi madre que a mi padre,* pienso a veces, sintiéndome medieval, que la Virjen María puede ser mi Diosa más que Jesús mi Dios. La Virjen mi Diosa y Jesús mi Hermano." (La cursiva es nuestra.) Y esta misma moti-

---

[36] Uno de los más agudos estudios sobre este tema, el de Leo R. Cole, *The religious instinct in the poetry of Juan Ramón Jiménez* (Oxford, the Dolphin Book Co., 1967), se aproxima a esta idea al comentar las analogías entre el Dios juanramoniano y la imagen materna a propósito de los poemas "Respiración total de nuestra entera gloria" y "Esta órbita abierta" de *Animal de fondo.* Dice Leo R. Cole: "The fact that the mother is no more than a more complete and mature form of the child has interesting implications which we shall not examine here" (p. 94). E insiste en las palabras "mecer", "mecedora", "rezagada" y "madreada" que refuerzan "this impression that the 'poeta-dios' relationship is analogous to the 'niño-madre' relationship". (*Ibíd.*). Y al relacionar esto con el poema de *Belleza* en que la muerte es "una madre nuestra antigua", añade en nota: "The idea of death being related to the mother suggests a theory which goes a little deeper than that of the Oedipus complex, especially if couples with the idea that the poet is striving to fuse word and object." Confluyendo ambas ideas, encuentra en Juan Ramón "a desire to return to the state from whence he came, to the mother's womb. Is it mere coincidence that Juan Ramón uses the child swimming in the womb as an image which symbolises his immersion in the Universal Consciousness (wherein life is given in death)?" (p. 192).

vación, nos parece, le hace alejarse instintivamente del Dios creador, inmanente, paternal del cristianismo, para buscar en fuentes orientales y crear sobre ellas un dios incompleto, al que se accede por vías de la emoción y no del razonamiento: un dios subjetivo sobre la imagen transfigurada de su madre muerta. Insistiendo aún en la conexión para el poeta entre divinidad y feminidad, podríamos citar aún el final del largo poema "Espacio", escrito en La Florida en 1941, donde Juan Ramón subraya con imágenes el carácter femenino ("conciencia") de la parte inmortal y divina de su yo, mientras su yo mortal ("cuerpo") está destinado a perecer: "Difícilmente un cuerpo habrá amado así a su alma, como mi cuerpo a ti, conciencia de mi alma" [...] "Él quisiera besarte con un beso que fuera todo él, quisiera deshacer su fuerza en este beso" [...] "Mi cuerpo no se encela de ti, conciencia; mas quisiera que al irte fueras todo él" [...] ¿Y te has de ir de mí tú, tú a integrarte en un dios, en otro dios que este que somos mientras tú estás en mí, como de Dios?"

La estación total, pues, representa la resolución de un problema vital —la muerte de su madre con la *separación* y el *desamparo* del poeta subsiguientes— y, por otra parte, el encuentro con la divinidad. Búsqueda y encuentro que culminarán en *Animal de fondo,* doce años después, tras la recapitulación de vida que supone el poema "Espacio"[37].

"Uno entre dioses descielados tú"

En *Eternidades,* decíamos, Juan Ramón rompe definitivamente con el cristianismo de su infancia. (A pesar de los esfuerzos que Zenobia hace por "convertirlo"; y quién sabe si rompe tan radicalmente justo para oponérsele.) Entonces parte a la gran aventura de toda la segunda época: la creación de un universo ético propio. Reconciliados ya carne y espíritu mediante el amor definitivo, necesita el poeta construir todos sus puntos de referencia existenciales, puntos de referencia que la religión cristiana le había suministrado hasta entonces: para qué sirve la vida, qué es la muerte, cómo es el más allá, cómo debe uno situarse entre los demás[38], qué es el bien y el mal —la ética—, etc.

---

[37] Vid. el completo estudio de María Teresa Font, *"Espacio": Autobiografía lírica de Juan Ramón Jiménez,* Madrid, Insula, 1972. La cita anterior del poema, en p. 44.

[38] Hay toda una corriente de poemas a lo largo de la segunda época —a menudo bajo el título "Ellos"— en que Juan Ramón se plantea el problema de la convivencia entre los otros hombres. (El título "Ellos" aparece por primera vez en el libro —inédito— más religioso de la primera época: "Bonanza". La coincidencia no nos parece accidental ni mucho menos.) Vemos, además, en la *Segunda*

Sólo un dogma parece aún interesarle de su antigua religión: la Trinidad, parodiada en clave egocéntrica en el poema 97:

> Yo solo Dios y padre y madre míos,
> me estoy haciendo, día y noche, nuevo
> y a mi gusto.

(Notamos, en este poema y en otros futuros, una marcada ausencia del "Espíritu": la Trinidad se reduce a "binidad", al yo en espejo, más apropiado al carácter solipsista juanramoniano.)

En *Piedra y cielo*, la idea de la divinidad persiste aún a pesar de que el poeta no cree ya racionalmente en un ser creador del mundo llamado Dios —una vez más notamos el carácter emotivo e ilógico del pensamiento juanramoniano—: Dios es una idea vacía, sin funcionalidad, a la que el poeta sigue apegado sentimentalmente:

> ¿Y cuándo, di, Señor de lo increado,
> creerás que te queremos?
>
> (P. 791.)

La divinidad reaflora en *Poesía* como "lo invisible" que el poeta es capaz de ver. (Nótese el carácter visual, de imagen, de esta idea, y el estilo anunciador de *Animal de fondo*):

> Y a lo invisible que yo veo encima,
> ....
> al pecho, al rostro no mirado,
> derecho de los astros frescos,
> virjen en su infinita desnudez,
> el mar, alto, le arrulla
> una alborada
> inmensamente pura y nueva.
>
> (P. 919.)

El título de este poema es ya muy revelador: "Auroras de Moguer". Juan Ramón pierde al Dios cristiano en Madrid y encuentra un primer reflejo de su nuevo dios en Moguer. (También antes, en los años 1911-12,

---

Antolojía Poética una representación de cuatro poemas del libro "Ellos (1918-19..)" (otro de los muchos proyectos del poeta) cuyo tema parece ser sus hermanos. El cuarto poema, "Enfermo", sorprende por sus acentos de "religiosidad de primera época": Ante la enfermedad —que puede ser mortal— de un ser querido de su familia, el poeta pide al Señor su curación en tono directo y angustiado.

había elaborado en Moguer el único libro de temática religiosa de su juventud: "Bonanza"[39].) Como si el poeta sólo pudiera aproximarse a la divinidad retornando al lugar de su origen, a sus fuentes vitales[40].

Y llegamos a *Belleza*. Tres poemas contienen la idea de divinidad aquí: el 33, aún como "lo invisible"; el 70, en relación con el mar ("¿Dios es marino?"), y sobre todo el extraordinario poema 73, "Ello":

> *Esiste; ¡yo lo he visto*
> *—y ello a mí!—*
> *Su esbeltez negra y honda*
> *surjía y resurjía*
> *en la verdura blanca del relámpago,*
> *como un árbol nocturno de ojos bellos,*
> *fondo tras fondo de los fondos májicos.*
> *Lo sentí en mí, lo mismo, vez tras vez,*
> *que si el rayo me helara los sentidos*
> *con su istantaneidad.*
> *¡Lo he visto, lo he tenido;*
> *—me ha tenido, me ha visto!—*
>
> (P. 1067.)

Este es el primer encuentro del poeta con su dios. El júbilo, la posesión recíproca, la sorpresa, hasta el lenguaje: todo como en *Animal de fondo*. Es un poema aislado —por eso quizá no ha llamado la atención de la crítica—, pero valiosísimo: es el poema inaugural de la mística juanramoniana ("Bonanza" no era un libro místico, sino sentimentaloide), y es *un acto de fe:* "Esiste; ¡yo lo he visto!".

¿Por qué surge el dios del poeta precisamente en este libro? Permítasenos exponer una hipótesis que mostrará una vez más la coherencia y el entrecruzamiento de temas (y vivencias) en esta época del poeta. Habíamos indicado en el capítulo anterior que en *Belleza* se observa un retroceso en la creencia en la vida eterna y un avance paralelo del deseo de vivir plenamente, gozosamente, en esta vida. Hemos indicado también en ese capítulo el enorme aumento de poemas, en *Belleza,* dedicados a explorar anticipadamente la muerte de su madre (dedicados a disolver su propia angustia ante la muerte futura y próxima de su madre, podríamos decir también): poemas números 11, 16, 61, 68 y 125. Hemos observado, en

---

[39] En *L.I.P.*, 2, pp. 123-170. En el prólogo a este volumen de libros inéditos juanramonianos, F. Garfias comenta favorablemente esta "poesía religiosa" poco conocida.

[40] De hecho, el poema que anuncia desde *La estación total* el libro *Animal de fondo,* se titula "Hado español de la belleza", y comienza así: "Te veo mientras pasas / sellado de granates primitivos, / por el turquí completo de Moguer." (La cursiva es nuestra.)

notas acá y allá, el empleo en estos poemas de *los mismos símbolos* que usará el poeta en *La estación total,* en los poemas escritos *después* de la muerte de su madre (lo que nos revela identidad de situación anímica antes y después: En *Belleza* la madre no ha muerto aún, pero en el pensamiento y en la obra del hijo es como si ya hubiera muerto). Entonces, ¿cómo no poner en relación todos estos datos y ver la llegada del dios conexionada con el deseo de asegurar para su madre una inmortalidad que su pensamiento racional le negaba en este momento? Como confirmación de esta hipótesis, tenemos, en 1948, las propias palabras de Juan Ramón en el poema 15 de *Animal de fondo.* En este poema nos confirma el poeta tanto el carácter de "retorno a sus orígenes" propio de su religiosidad, como la salvación de su madre a través de sí por estar ambos identificados:

> *La Cruz del Sur me está velando*
> *en mi inocencia última,*
> *en mi volver al niñodios que yo fui un día*
> *en mi Moguer de España.*
> *Y abajo muy debajo de mí, en tierra subidísima,*
> *que llega a mi esactísimo ahondar*
> *una madre callada de boca me sustenta*[41],
> *como me sustentó en su falda viva,*
> *cuando yo remontaba mis cometas blancas;*
> *y siente ya conmigo todas las estrellas*
> *de la redonda, plena eternidad nocturna.*
>
> (P. 1313.)

Salvación de su madre —del espíritu de su madre—, pues, mediante el encuentro con *Dios,* en *Belleza.* (O, si se prefiere, salvación de sí mismo *desde* el espíritu de su madre.) Reunión con el espíritu materno en *La estación total* reiteradamente, durante el sueño. Desaparición progresiva de las características del espíritu materno: desaparición incluso de su carácter femenino. Y llegamos así a una serie de "encuentros" de carácter místico con un ser intermedio que participa de la divinidad: en los poemas 42, 53 y 55. En los poemas número 53, "La Gracia", y 55, "Mensajera de la estación total", el ser mágico es femenino; en el 42, masculino. En los tres, el "ser" se manifiesta mediante un constante y velocísimo ir y venir,

---

[41] En este verso podemos ver una doble alusión: al estado de muerte de su madre, que la hace "callada de boca"; y al mutismo en que cayó al dar a luz a Juan Ramón, por tanto cuando el poeta recibía su primer sustento de ella. El primer sentido sería el lógico, el evidente; el segundo, una especie de armónico superpuesto, enriquecedor del poema.

característico de los espíritus inmortales. Esta rapidez de movimiento se conexiona con la que su madre tiene en el poema 5.2, "Samoén":

> *Las escaladas granas que andas*
> *te siguen todas, señaladas*
> *por la quinta estación,*
> *donde ni adelfa ni reguero*
> *ni silencio ni alondra*
> *se alteran con tu rápida presencia.*
>
> (P. 1143.)

De estos tres poemas, el que más cerca está de la idea de espíritu materno es el 55, donde el ser se nos define como "lo elemental más apretado / en redondez esbelta y elejida". Eterno femenino, espíritu materno alquitarado, gracia, poesía, su movimiento es el *venir:*

> *Y venía, y venía*
> *entre las hojas verdes, rojas, cobres,*
> *por los caminos todos*
> *de cuyo fin de árboles desnudos*
> *pasados en su fin a otro verdor,*
> *ella había salido*
> *y eran su casa llena natural.*
>
> (P. 1282.)

En el 53, "La Gracia" el movimiento es de *ir y venir* según leyes propias, en gozoso revoloteo: "se echa en el viento, viene y va, / con deleite de sentirse ella, / sobre el alto verdor en flor mecido". El ser aquí es superior al mundo y a los hombres, pero participa de su naturaleza: "de todo toma luz, color, esencia". Tiene, pues, naturaleza de semidiós, de intermedio entre el Ser supremo y los seres concretos del mundo. Y el hombre puede comunicar con él mediante una apertura de alma y cuerpo ante la creación: "entera embriaguez embelesada / de pájaro, de flor, de ola, de llama: / la locura conciente" (p. 1279).

La expresión más lograda y poética de este ser, sin embargo, se nos da en el famoso poema 42, "Criatura afortunada". Por debajo de la imagen aparente del pájaro, la "criatura afortunada" es el ser de la belleza y de la vida: "tu destino es volver, volver, volver / [...] por una eternidad de eternidades". A diferencia del pájaro concreto, esta criatura afortunada es *perenne,* y *comunica de manera humana* con los hombres: "Nos das la mano, en un momento / de afinidad posible, de amor súbito, / de concesión radiante." Y su carácter de divinidad se aclara aún más al final del poema, cuando el poeta la interpela con expresiones semejantes a las de *Animal de fondo:*

> *¡Pero tú no te tienes que olvidar,*
> *tú eres presencia casual perpetua,*
> *eres la criatura afortunada,*
> *el májico ser solo, el ser insombre,*
> *el adorado por el calor y gracia,*
> *el libre, el embriagante robador,*
> *que, en ronda azul y oro, plata y verde,*
> *riendo vas, silbando por el aire,*
> *por el agua cantando vas, riendo!*
> (Pp. 1248-1249.)[42]

Pensamos que, en última instancia, lo que ha alejado a la crítica de ver en este poema al dios juanramoniano, es el carácter de *semidiós* que reviste aquí el ser, contra todos los hábitos mentales modernos. Sin embargo, en *La estación total,* la divinidad va a tener reiteradamente este carácter, como apreciaremos en seguida en el poema más representativo del tema en el libro, "Hado español de la belleza". Y precisamente con el neologismo "hado" (formado sobre el femenino "hada", y lejos del sentido de 'destino' habitual en la palabra) el mismo poeta insiste en ese carácter mágico y sobrenatural, pero no supremo, de su dios. Y luego, en el poema, explicita la idea:

> *(No sé si eres el único*
> *o la réplica májica del único;*
> *pero, uno entre dioses descielados tú,*
> *solo entre carnes de ascensión,*
> *sin leyes que te afeen la mirada*

El poeta ante su dios duda: ¿es el Dios o el dios, "la réplica"? (pensamos en las escalas neoplatónicas de seres y en otras filosofías emanatistas,

---

42 La "presencia casual perpetua" podría aún explicarse como el *arquetipo del pájaro,* reproducido indefinidamente cada año en ejemplares múltiples y concretos. Pero, ¿cómo explicar "el májico ser solo, el ser insombre" [es decir, sin sombra, inmortal], "el adorado por el calor y gracia", etc.? Creemos que la interpretación de esta "criatura afortunada" como *manifestación de la divinidad juanramoniana* bajo las apariencias de un pájaro, resulta más coherente. En confirmación de esto encontramos, en *Animal de fondo,* los siguientes versos: "Me despediste, *dios, mi pájaro del alba,* / [...] en la bruma del pálido verdor de primavera; / y estás ahora aquí conmigo, recordándonos, / *con tus alas cerradas,* / tan contento de haberme matinado / *de tu canto de amor al sol primero."* ("De compaña y de hora", núm. 28, p. 1.337.) Y en los poemas de "En el otro costado" (1936-1943) encontramos el poema "Dios visitante", en el que leemos, "En las palmas canta *un dios* / *con pico de hombre".* [...] *"El pájaro tiene cara* / *y sabemos que nos oye.* / Le da la luna, / le da la sombra en su nombre. // [...] Oye bien / cómo *nos dice "Yo soy." (T.A.P.,* p. 866.) (La cursiva es nuestra.)

como la judía de Ibn Gabirol o la arábiga de Avicena y Averroes)[43]. Tal vez en este momento lo que importa verdaderamente al poeta es la certidumbre de que es *diferente* de los dioses de las religiones establecidas ("sin leyes que te afeen la mirada"), saber que es eterno y no mortal porque no está sujeto a la carne ("solo entre carnes de ascensión"), y saber que es uno de esos seres mágicos que traen al mundo noticias del más allá: como el ser materno, o como la gracia "mensajera de la estación total": "uno entre dioses descielados tú".

Sobre este punto del carácter de "dios intermediario" o "semidiós" conviene recordar que más adelante, en la gran obra mística del poeta, *Animal de fondo,* el dios allí presente tampoco tiene carácter absoluto e independiente del poeta, como hubiera tenido el Unico. En palabras de Leo R. Cole: "The epithets 'deseado' and 'deseante' [...] signify something incomplete, [...] a god who satisfies a need but who is a 'becoming', a god who desires to exist, to be realised, rather than a God who has always existed even before the coming of man to the planet earth. [...] This god is essentially the deification of those elements in man which man himself considers to be of a spiritual order"[44].

¿Por qué entonces afirmamos claramente el concepto de "dios" en este poema, y no lo situamos en el mismo nivel que la "criatura afortunada" y las demás apariciones de seres ultraterrenos? Creemos que hay un criterio distintivo de la última manifestación del dios (o, si se quiere, del dios definitivo): *la actividad incesante.* Ya no se limita el dios a moverse ante los ojos maravillados del poeta, sino que actúa en el mundo y produce belleza (y esta actividad le acerca, pues, al "demiurgo" o al "Verbo" o a la concepción fichtiana de Dios como actividad pura):

> *Te veo sonreír; acariciar, limpiar,*
> *equilibrar los astros desviados*
> *con embeleso cálido de amor;*
> *impulsarlos con firme suavidad*
> *a sostener la maravilla esacta*
> *de este cuartel del incesante mundo.*
> ....

---

[43] La filosofía árabe tendría para el poeta la ventaja, sobre la neoplatónica, de declarar a la materia *pura plasticidad eterna,* con lo cual la corporalidad, el cuerpo —el caballo de batalla del poeta—, queda salvado. El estudio de los elementos *arábigos* y también de los *judíos* (filosofía y Kábala) —en la Obra de Juan Ramón está aún por hacer, pero en su día tal vez explique en parte el "idealismo", el "platonismo" e incluso el "egocentrismo" del poeta—. Sin olvidar otras filosofías coadyuvantes, como la hindú, o la panteísta de Krause (estudiada por Saz-Orozco en Juan Ramón) o la del "superhombre" de Nietzsche, que tanto admiró el poeta.

[44] *The religious instinct of Juan Ramón Jiménez,* p. 137.

> *Te veo infatigable variando*
> *con maestría inmensamente hermosa*
> *decoraciones infinitas*
> *en el desierto oeste de la mar;*
> *te veo abrir, mudar tesoros,*
> *sin mirar que haya ojo que te mire.*
>
> (Pp. 1154-1155.)

Antes de concluir este epígrafe conviene recordar el poema "Poeta y palabra", que contiene otra faceta de la divinidad juanramoniana: la identificación del dios consigo mismo. A diferencia del "hado español de la belleza", distinto del poeta aunque comunique y tenga semejanzas con él, este dios *es* el mismo poeta, en identidad absoluta:

> *Y él es el dios absorto en el principio,*
> *completo y sin haber hablado nada;*
> *el embriagado dios del suceder,*
> *inagotable en su nombrar preciso;*
> *el dios unánime en el fin,*
> *feliz de repetirlo cada día todo.*
>
> (P. 1172.)

Esta doble personalidad: la que podemos llamar de "hado inmanente" y la del "dios poeta", se van a reunir en el libro siguiente, *Animal de fondo*, como agonistas en "lucha de amor". Doble personalidad, o deificación narcisista del yo. En palabras del propio Juan Ramón:

> ... ¿por qué no ha de inventar un poeta, que puede hacerlo, un mundo o parte de él? Es lo que acerca al mito divino, que es el Narciso verdadero, como dije tantas veces; crear a imajen y semejanza. Todo dios es narcisista. El misterio católico de la Trinidad ¿qué es sino narcisismo? El Padre se contempla en el Hijo, la creación, como en un espejo, y el Espíritu Santo es el amor entre los dos[45]

Y, para terminar este tema enlazando con el tema anterior, conviene citar los versos iniciales del mismo poema, "Poeta y palabra".

---

[45] Cf. Carlos del Saz-Orozco, ob. cit., p. 126. Y en "Narciso; no maricón" (*Estética...*, p. 214) insiste: "Toda concepción de Dios es fatalmente narcisista. [...] Y todo verdadero poeta que es verdadero creador [...] es un dios y una trinidad, es fatalmente narciso." (Texto de 1946.) Estas palabras explican la persistencia *sui generis* del misterio cristiano de la Trinidad en la obra juanramoniana después de haber perdido el poeta su antigua fe: ve en este misterio una objetivación mítica de su propia actitud ante su dios.

> *Cuando el aire, suprema compañía,*
> *ocupa el sitio de los que se fueron,*
> *disipa sus olores, sus jestos, sus sonidos*
> *y vuelve único a llenar*
> *el orden natural de su silencio...* [46]

El "dios-poeta" reaflora, pues, en Juan Ramón cuando el tiempo ha pasado abundantemente borrando el recuerdo corporal de la madre muerta (metonímicamente representada en ese plural "los que se fueron"). Ante la muerte irreparable el poeta sólo puede oponer "la palabra que llega del redondo todo", divinizándole. El doble carácter de *La estación total* como aventura que se cierra (la muerte de su madre) y aventura que se abre (búsqueda de la divinidad) nos reafirma en nuestra tesis central: la Obra juanramoniana como campo de sucesivas aventuras interiores, cada una de las cuales al resolverse deja paso a la siguiente.

"Rumor de paraíso sin historia"

Tiempo vencido: muerte vencida. Juan Ramón entra en una etapa nueva de aceptación de la existencia.

> *No es seco*
> *el otoño,*
> *el cumplido otoño.*
> *Si es sangre que cae,*
> *es siembra de oro.*
> (27.2: "Aurora, mayo, vida", p. 1216.)

¿Cómo ha llegado el poeta a esta aceptación? ¿A través de esfuerzos mentales ímprobos, o a través de medicamentos elevadores del ánimo? Nos falta este punto en la biografía juanramoniana; pero sea como sea, notamos en *La estación total* una prolongación de la línea de *Belleza:* un afianzamiento gozoso en la vida. Una primera etapa nos la daría el poema "Ordenes", al que pertenecen los versos que acabamos de citar, y estos otros:

> *Nuestro ritmo tiene*
> *la única llave*
> *del gran jardín.*

---

[46] Otros poemas de *La estación total* que pueden estar también inspirados por el amor a la madre muerta serían el 50, "Ultimo embeleso", y la serie 51, "Octava dinastía": 1, "Rosa redonda"; 2, "Estrella errática", y 3, "Astro en tu oeste".

Abre el paraíso
y nada más cierra
que su seguir.
(27.1: "El ritmo", p. 1215.)

La muerte no es una ruptura con la vida, sino una continuación poten-
cializada de ella. Nuestro ritmo de vida (nacimiento, crecimiento, deca-
dencia y muerte) abre el paraíso, el "gran jardín" —última modulación del
símbolo del jardín en nuestro poeta—. Cómo es este lugar, Juan Ramón
nos lo explica en los tres poemas comprendidos bajo el título de
"Paraíso": "Lo que sigue", "La otra forma" y "El otoñado". Lo que sigue
es el paraíso, donde "Entramos y salimos sonriendo, / llenos los ojos de
totalidad, / de la tarde a la eternidad." Porque "La eternidad es sólo / lo
que sigue, lo igual, y comunica / por armonía y luz con lo terreno." Y el
poeta exulta: "qué bello al ir a ser es haber sido".

En la eternidad ("la estación"), nuestra forma se queda estrecha y ac-
cedemos a otra, a la del "ser que siempre hemos querido ser". Porque

Ya no sirve esta voz ni esta mirada.
No nos basta esta forma. Hay que salir
y ser en otro ser el otro ser.
Perpetuar nuestra esplosión gozosa.
(P. 1139.)

El paraíso es, pues, un *lugar de paso,* un molde para otra vida futura
y mejor: un paraíso panteísta[47]. Y en ello, en los fundamentos de ese
paraíso panteísta, se basa el tercer poema —uno de los preferidos de Juan
Ramón—: "El otoñado". La filosofía judía de Ibn Gabirol, la misma que
informaba el poema "Sé bien que soy tronco / del árbol de lo eterno" en
Eternidades, corre también por él[48]. En el monismo emanatista descen-
dente que profesa el filósofo malagueño, los seres corpóreos ocupan el
cuarto lugar: Dios - el Espíritu cósmico - los espíritus puros - y los seres
corpóreos, mezcla de materia y forma cósmica con materia y forma cor-

---

[47] La simpatía de Juan Ramón por este tipo de creencias reencarnativas se explicita en uno de sus
aforismos, "Los jíbaros creen que, después de esta vida, volveremos a vivir exaltadamente en otra
parte; y que en ello estará nuestro premio y nuestro castigo. Lo que hayamos hecho bien, volveremos
a hacerlo bien, con una máxima sublimidad de alegría; lo que hayamos hecho mal, volveremos a hacerlo mal en medio de la más espantable de las tristezas. / Es una noble y bella creencia". (*La colina
de los chopos, Libros de prosa,* p. 987.)

[48] Ignoramos si Juan Ramón leyó a Ibn Gabirol o no: Nos limitamos a señalar la concordancia de
pensamiento.

porales. De modo que cada sustancia individual está compuesta por una pluralidad de materias y formas. Y así toda sustancia individual está sumergida en el trasfondo divino y participa del espíritu cósmico. El hombre es, pues, microcosmos, suma de todos sus elementos, y *su cuerpo* es síntesis del mundo corporal, participación de la materia cósmica:

> *Estoy completo de naturaleza,*
> *en plena tarde de áurea madurez,*
> *alto viento en lo verde traspasado.*
> *Rico fruto recóndito, contengo*
> *lo grande elemental en mí (la tierra,*
> *el fuego, el agua, el aire) el infinito.*

> *Chorreo luz: doro el lugar oscuro,*
> *trasmino olor: la sombra huele a dios,*
> *emano són: lo amplio es honda música,*
> *filtro sabor: la mole bebe mi alma,*
> *deleito el tacto de la soledad.*

> *Soy tesoro supremo, desasido,*
> *con densa redondez de limpio iris,*
> *del seno de la acción. Y lo soy todo.*
> *Lo todo que es el colmo de la nada,*
> *el todo que se basta y que es servido*
> *de lo que todavía es ambición.*
>
> (P. 1140.)

El Lugar, el "paraíso" —lugar de paso, dinamismo esencial, como acabamos de ver— es también el tema de otra serie poemática, titulada significativamente "Paso": 1, "Cima reina"; 2, "Samoén"; 3, "Estado"; y 4, "Ciudad del cielo". Grandiosidad y armonioso movimiento los informan. El amor aparece como complementariedad de esencias, a la manera platónica ("El pino se consuela / con la agua; la rosa / con el verdón; el hombre / con la mujer"):

> *Nada sabe a qué éter*
> *contrario va o aspira.*
> *Nada, nadie quisiera*
> *sino amor (más que olvido).*
>
> (P. 1144.)

La "Ciudad del Cielo" está "arriba, / sobre un detrás de luz de hora que viene", y su belleza es semejante y superior a la de la tierra, cuyos arquetipos contiene:

Álamos agrupados
en la fuente de agua elemental,
determinan confiado paraíso,
total murmullo verdeoscuro,
alrededor de la inmortal ausencia.
(P. 1145.)

El lugar eterno es "La plenitud", donde cosas y seres viven de manera perfecta: "(Y el agua una se ve más. / El color es más él, más sólo él, / el olor solo tiene un ámbito mayor, / el color todo se oye más.)" Por eso la muerte está vencida por la eternidad de renaceres; el tiempo está vencido por el lugar; la angustia está vencida por la alegría:

¡Armonía sin fin, gran armonía
de lo que se despide sin cuidado,
en luz de oro para luego verde,
que ha de ver tantas veces todavía,
ante el carmín de la ilusión,
la interna plenitud desnuda!
(Pp. 1146-1147.)

El poeta oye latir al Paraíso, que es "descanso natural del ansia", panteísta "entrada casual a un molde inmenso". Se parece al Edén de la inocencia primera del mundo. Es paraíso, sí, pero "sin historia":

EL OASIS

Verde brillor sobre el oscuro verde.
Nido profundo de hojas y rumor,
donde el pájaro late, el agua vive,
y el hombre y la mujer callan, tapados
(el áureo centro abierto en torno
de la desnudez única)
por el azul redondo de luz sola
en donde está la eternidad.
(P. 1160.)

Lugar de belleza, lugar de estático movimiento, lugar que reside en el poeta: estas tres características del paraíso vistas en los ciclos anteriores, reaparecen con extremada síntesis de rasgos —casi cuadros cubistas— en el ciclo 34, "En un centro": 1, "Pico"; 2, "Movimiento"; y 3, "El ser uno". Y también en el grupo "La escursión": 1, "Mi casa", y 2, "El ansioso"[49].

---

[49] Este poema nos parece inspirado por el romance del Conde Arnaldos. Todo el sentido de misterio, de viaje, de tierra añorada que contiene el romance, debió de coincidir curiosamente con el estado

Todos los poemas que describen el Lugar, todos sin excepción, envuelven el gozo en belleza suprema:

> El cerco universal se va apretando,
> y ya en toda la hora azul no hay más
> que la nube, que el árbol, que la ola,
> síntesis de la gloria cenital.
> El fin está en el centro. Y se ha sentado
> aquí, su sitio fiel, la eternidad.
>
> Para esto hemos venido. (Cae todo
> lo otro, que era luz provisional.)
> Y todos los destinos aquí salen,
> aquí entran, aquí suben, aquí están.
> Tiene el alma un descanso de caminos
> que han llegado a su único final.
> ("Su sitio fiel", p. 1170.)

"Aquí", dice el poeta, en eternidad anticipada (como en libros anteriores se había instalado en la muerte anticipada, para intentar resolverla). Y siente que todos los lugares confluyen en él. Los lugares donde vivió, los lugares que marcaron su recuerdo, viajan hacia la eternidad que está en el centro del poeta: viajan hacia su "Sitio perpetuo". Primero viene el lugar de la Residencia de Estudiantes, "la colina de los chopos", como lo llamó en su libro de prosa (1913-1928), y al que el poeta espera cantando, deseando su llegada "para plenitud, para paz, para gloria":

> Aquel purpúreo monte, que tenía
> la formación más viva hacia el ocaso,
> desviado secreto de espesura,
> vuelve hacia mí, se istala
> ante mi amor, lo mismo
> que un ser, una inmortal mujer dorada.

Luego serán los paisajes de las dos casas que habitó siendo niño en Moguer:

> Este mar plano frente a la pared
> blanca al sur neto de la noche ébana,
> con la luna acercada en inminencia
> de alegre eternidad.

---

anímico de Juan Ramón: "Quiero llegar a mi fin / en galeras de la tierra, / cargadas de rosas granas / y con golondrinas negras, / por un aire mar picado / de nubes de primavera, / cuando en las costas de ocaso / se desnudan las estrellas." (P. 1223.)

Es decir, la casa de la Calle de la Ribera, donde vivían sus padres cuando nació Juan Ramón y a cuyo mirador gustaba asomarse el niño para vislumbrar el mar próximo: su primer paisaje, pues. En palabras de F. Garfias: "Calle de la Ribera, amplia y luminosa. Se veía, abajo, la marina infinita devorada por las grandes mareas de Santiago."[50] Y, al final, el lugar de su segunda casa:

> Mi galería al único levante,
> cielo amarillo y blanco trasluciente
> sobre el pozo primero, entre la adelfa.

O sea, la casa de la Calle Nueva: "La nueva casa era mayor, más blanca aún. Tenía un pozo de mármol y un largo balcón corrido al que daban las habitaciones del poeta."[51]

Sus paisajes queridos, los que más han influido en su vida de hombre y de poeta, entrecruzan su hermosura para renovarle el mundo:

> Viajan los lugares, a las horas
> propicias. Entrecruzan sin estorbo,
> en concesión magnánima de espacio,
> sus formas de infinita especie bella,
> cada uno a su fe. (Y hacen un mundo
> nuevo perpetuamente...)
> ....
> Así encontramos
> de súbito, hondas patrias imprevistas,
> paraísos profundos de hermosura.
> ("Sitio perpetuo", pp. 1136-1137.)

La *personificación de los lugares* contribuye grandemente a la originalidad (y al hermetismo) de este conocido poema. Y, sin embargo, va perfectamente en la línea juanramoniana de *asimilación de todo lo externo*, interiorización máxima y dinámica del contorno. El gozo es total: "La armonía recóndita / de nuestro estar coincide con la vida." El acorde entre interioridad y circunstancias —lugares vitales, en este caso— está hecho.

Éxtasis de vida

Observamos, sin embargo, en este poema culminante, "Sitio perpetuo", cómo el acento está puesto sobre los lugares vitales, terrenos, del

---

[50] F. Garfias, *Juan Ramón Jiménez*, Madrid, Taurus, 1958, p. 18.
[51] F. Garfias, *ibíd.*, p. 23.

poeta, y en cambio la eternidad está sólo implícita, avalada por el yo inmortal. Como si la idea de "paraíso" empezara a desprenderse de su sentido firme de más allá para concentrarse en el vivir del poeta, en la problematicidad de su yo, siguiendo la línea de *Belleza*.

Toda una serie de poemas, en efecto, responden a este reajuste ideológico. Así, el poema 32.3, "Huir azul" (del ciclo de título revelador: "Reino penúltimo"): la corriente de un arroyo que refleja el cielo le parece alegoría de su vivir, y exclama:

> *Cielo en la tierra, esto era todo.*
> *¡Ser en su gloria, sin subir!*
> *¡Aquí lo azul, y entre lo verde!*
> *¡No faltar, no salir de aquí!*
>
> (P. 1227.)

Porque sólo es segura la existencia actual: "Este es el fin y fue el principio". Y en el poema 32.3, "Redondez" —eco del cual se encontrará en Dámaso Alonso más tarde—: "Acariciar el hombro, / acariciar la ola, / acariciar la nube, / acariciar la roca. // La mano con la luz / sobre el alma con forma. / Melodía del tacto, / eternidad redonda."[52]

Éxtasis de vida. Goce de la realidad. Juan Ramón, contradiciendo sus más arraigadas tendencias idealistas, se vuelve hacia la alegría del vivir en este mundo. Y surge ese otro poema, "Mirlo fiel", réplica de la "Criatura afortunada", *cuyo encanto de divinidad invierte:*

> *Las alturas nos vuelcan sus últimos tesoros,*
> *preferimos la tierra donde estamos,*
>
> ....
>
> *Y el mirlo canta, huye por lo verde,*
> *y sube, sale por lo verde, y silba,*
> *recanta por lo verde venteante,*
>
> ....
>
> *entra, vibra silbando, ríe, habla,*
> *canta... Y ensancha con su canto*
> *la hora parada de la estación viva,*
> *y nos hace la vida suficiente.*
> *¡Eternidad, hora ensanchada,*
> *paraíso de lustror único, abierto*
> *a nosotros mayores, pensativos,*
> *por un ser diminuto que se ensancha!*
>
> (Pp. 1261-1262.)

---

[52] *L.P.*, p. 1.228. Otros poemas que exaltan la vida, son el 31, "Ritmo de ola"; el 15.1, "Estoy viviendo"; el 20.1, "La felicidad"; y el 20.3, "Sentido y elemento".

(Comparando este poema con "Criatura afortunada" notamos cómo, al ir el poeta contra las tendencias de su espíritu, se rebaja el entusiasmo, la comunicatividad poética de este "Mirlo fiel".)

Y en el poema "Flor que vuelve" —uno de los más hermosos de este conjunto— sigue Juan Ramón limitando sus aspiraciones, empeñado en hallar la gloria en este mundo: Así, la flor en la primavera "retorna" igual "a decirnos, oliendo inmensamente, / que lo breve nos basta". La flor vuelve para afirmar la vida: "lo breve contra el cielo de los dioses, / lo breve enmedio del oscuro no". La flor posee "el olor / más rico de la carne". Su vida es efímera pero gloriosa: "¡Florecer y vivir, istante / de central chispa detenida, / abierta en una forma tentadora." Y su muerte es sublime, amante: "El viento rojo la convence / y se la lleva, rapto delicioso, / con un vivo caer que es un morir / de dulzor, de ternura, de frescor; / caer de flor en su total belleza, / volar, pasar, morir de flor y amor / en el día mayor de su hermosura, / sin dar pena en su irse ardiente al mundo, / ablandando la tierra sol y sombra, / perdiéndose en los ojos de la luz!" (P. 1169.)[53]

(El instinto poético de Juan Ramón le juega una pasada en estos últimos versos: "sin dar pena en su irse ardiente *al* mundo", no *"del* mundo". El morir es un nacer. Afirmando la efimeridad del vivir, la está negando. La vida no vale tanto por ser lo que es, como por ser *germen de otras vidas,* parece decir implícitamente. Y observamos un giro completo en el poema —quizás inconsciente—, y comprendemos que es, una vez más, el panteísmo reencarnativo la base de la belleza en estos versos.)[54]

De hecho, esta euforia vitalista da la impresión de ser una etapa compensatoria de la pasada crisis del poeta, pero insostenible a la larga por falta de correspondencia con su verdadero espíritu[55]. Por eso hacia el final de *La estación total* volvemos a encontrar poemas en que Juan Ramón regresa a sus posiciones habituales de *búsqueda del misterio,* con la negación de la realidad que esta búsqueda del misterio implica:

---

[53] Obsérvese la conexión de los dos primeros versos con los del poema 9.2, "Con fatal lamento". La simbología ("rapto" de un ser femenino por un elemento masculino y "rojo") es idéntica. Aquí el "viento rojo" "convence" a la flor para el amante morir que es un renacer; allí el "caballo rojo" (el pensamiento del poeta), salvaba de la muerte, nuevo Orfeo, a "la mujer más blanca" (el eterno femenino subyacente en su madre).

[54] A menos que interpretemos el verso en cuestión como dotado de hipérbaton anfibológico, "sin dar pena *al mundo* en su ardiente irse". Otros poemas reencarnativos y panteístas: el 19, "Renaceré yo"; el 20.2, "Tu desnudez"; y el 32.2, "Es mi alma".

[55] La euforia vitalista afecta también a otra serie de poemas, los del "yo": el ciclo de 5 poemas, núm. 15, "El vencedor oculto"; el ciclo de 4 poemas, núm. 17, "El creador sin escape"; el 18.3, 18.5 y 18.7 del ciclo "Voces de mi copla"; el 34.3, "El ser uno"; el 45.1, "Juan Fiel"; y el 52, "En flor 50". Y al ciclo de los varios "yos": el 23, "Yo en la arena".

> *Tesoro de mi conciencia*
> *¿dónde estás, cómo encontrarte?*
> *....................*
>
> *Cada noche, el "¡si será*
> *mi sueño el hondo diamante!"*
>
> *Pero el secreto aquí siempre*
> *y ¡alerta! sin revelarse.*
>
> (P. 1238.)

¿Existe el paraíso? ¿Las cosas, el hombre, tienen otra vida? Su nueva orientación hacia el mundo no se lo permite creer; pero por otra parte el "paraíso en esta vida" es una ilusión que se le esfuma con mayor rapidez aún. ¿Hacia dónde volverse?

Hacia el sueño. (El sueño, una de las vetas más ricas de la poesía juanramoniana, aún no bien explorada.) En el sueño, durante el sueño, cosas y personas tocan la eternidad; por eso el despertar, el volver a ajustarse en la forma terrena, es doloroso, y es engaño de los sentidos. Éste es el significado de los dos "Pactos" (1, "Pacto primero", y 2, "Otro como el otro" —es decir, variante del poema anterior—) en que Juan Ramón pretende hallar solución, provisional tregua, al problema del Lugar.

> *El Guadarrama sale de la noche,*
> *de azul mejor, de más gran rosa,*
> *bañado de desnudos infinitos,*
> *con luz y norma*
> *de incalculable eternidad.*
>
> *No es nuestro todavía ni otra vez;*
> *aún por sus aires hondos está fuera*
> *de nuestra relación;*
> *aún no ha llegado, en la usual escala,*
> *a plantarse en el suelo;*
> *aún es de materiales de otro grado.*
>
> *Cuando se una y se afiance*
> *a la insubible superficie*
> *de nuestra acostumbrada realidad*
> *y sus caminos y sus aguas*
> *encuentren su fusión rota en lo oscuro,*
> *este húmedo teatro*
> *de fachadas atónitas de aurora,*
> *tapas de carne horizontal,*
> *será Madrid de España y ese harapo*
> *rojo, lacio, amarillo,*

fin de una caja, cubos ahora huecos,
para hombres y mujeres,
será bandera y española... Al fin, nosotros
coincidiremos con nosotros.

Y empezará otro día
vagamente obligado a su función,
en este inadecuado trasunto del vivir.
(Pp. 1267-1268.)

No son estas notas malhumoradas, por fortuna, las que cierran el libro[56]. Ni siquiera los últimos poemas que escribió: en el segundo pacto, "Otro como el otro", leemos: "ni vivo aquí, en ¿Velázquez, / 96, 2.º, ángulo, oeste?" y sabemos por G. Palau que éste fue el domicilio del poeta *de 1926 a 1929.* Estos poemas son, pues, anteriores o simultáneos a los del ciclo de la muerte de su madre (1928-1934).

Juan Guerrero aporta testimonio concordante. El 31 de marzo de 1931 escribe: "pasé gran rato copiando los *Pactos* [...] y dice Juan Ramón que ya no los recordaba". Y el 7 de abril del mismo año anota que Juan Ramón está trabajando en un libro titulado provisionalmente "Reino antepenúltimo", donde están los poemas de otro proyecto anterior, "Trasunto español": "Hado español de la belleza", los "Pactos", "Embeleso", "Octava dinastía", etc.

Los *Cuadernos,* por su parte, dan más fechas: "La perdida", 1934; "La otra forma", 1933; "Sitio perpetuo", 1932; "Criatura afortunada", 1932; "Mirlo fiel", 1933; "Lo que sigue", 1933; "El otoñado", 1935; "En flor 50", 1932; "Mensajera de la estación total", 1935; "Cima Reina", 1930; "Rosa de sombra", 1930; "Paraíso", 1933; "Viento de amor", 1933; "El viento mejor", 1934; "El álamo penúltimo", 1933; "La otra forma", 1933; "Ser en flor", 1934; etc.

Todos estos datos significan que, de hecho, los cuatro temas principales del libro (muerte de la madre - encuentro con las divinidades - búsqueda del paraíso y afianzamiento temporal en el goce de vivir) se encuentran *entrecruzados* en cuanto a fechas de composición, y esta anarquía compositiva revela que la problematicidad del vivir y del más allá sigue sin completa resolución, asediada por la emotividad del poeta. Sin embargo, el orden de temas que hemos dado, orden de importancia

---

[56] Tras los "Pactos" se encuentran poemas motivados aún por la muerte de su madre (51, "Octava dinastía"), por la plenitud de vida y por la esperanza de retorno a la vida tras la muerte (52, "En flor 50" y 54, "El viento mejor") y por el vislumbre de un ser sobrenatural (53, "La Gracia" y 55, "Mensajera de la estación total").

decreciente, creemos que se acerca al posible orden genético del libro. Los puntales de este orden podríamos resumirlos así: Tras *Poesía* y *Belleza,* que exploran respectivamente el más allá y la plenitud del vivir, el poeta continúa oscilando entre un polo y otro hasta que la muerte de su madre lo fija en la exploración exaltada del más allá; y por otra parte la necesidad de reanudar el contacto con la madre muerta lo conduce hasta diferentes momentos de éxtasis, con su madre o con seres divinos formados sobre la imagen materna.

Después de estos poemas va a comenzar, con el exilio en 1936, un largo período de relativo silencio en la poesía juanramoniana, hasta llegar a la nueva sacudida vital del poeta, en 1948: el viaje a la Argentina, el reencuentro con su lengua, y en ese volver a sus orígenes, el reencuentro con su dios, ahora tema central de su Obra.

Casi canto de cisne, pues, *La estación total* supone, a nuestro juicio, el libro culminante entre los de la segunda época. Libro sacudido por vivencias profundas y verdaderas: el dolor —la muerte de la madre—, el gozo —la intuición de la divinidad, el reiterado atisbo del Lugar eterno—, el reajuste con la vida a través de sus valores y su carga de esperanza. Libro auténtico y de rara belleza. Libro que, si no le sirvió personalmente al poeta para consolidar de modo definitivo sus creencias (debido al carácter emotivo y no racional de su búsqueda), al menos le sirvió para superar en pacto provisional sus miedos más profundos —su propia muerte y la pérdida de su madre— y sentar las bases de belleza para el advenimiento de su dios. Y precisamente el carácter emotivo y no racional de la búsqueda juanramoniana es lo que posibilita, en beneficio de nosotros, lectores, la gran altura estética de *La estación total.*

VII

JUSTIFICACIÓN DE VIDA: *ANIMAL DE FONDO* (1949)

Mucho y bien se ha escrito ya sobre el dios juanramoniano "deseado y deseante" de sus últimos días, y a estos escritos remitimos al lector[1]. Nuestro propósito al abordar este tema es solamente ver la implicación del dios-conciencia en el proceso evolutivo general del poeta. ¿Qué supone este descubrimiento del dios, esta entrega recíproca de Juan Ramón y su dios, dentro de la problemática vivencial juanramoniana?

Creemos, en primer lugar, que este dios es un paso adelante en su proceso reflexivo, la fusión de las dos ideas de Dios que afloraban en *La estación total:* el "Hado español de la belleza", externo al poeta, con carácter de dios menor o semidiós, creador de belleza; y el dios-yo de "Poeta y palabra", padre e hijo sucesivamente, cuya creación consiste en el nombrar (evolución a su vez de esa vieja idea juanramoniana de que Jesucristo era su hermano, una especie de *alter ego* suyo).

De esta fusión (incompleta) de dos conceptos próximos pero diferentes de la divinidad, nace, creemos, la oscilación contradictoria que percibimos dentro del dios deseado y deseante: deseado por subordinar al poeta, y deseante por estar subordinado a él. Veamos algunos ejemplos del dios *deseado,* que supera los límites del poeta:

> *Tú, esencia, eres conciencia; mi conciencia / y la de otros, la de todos, / con forma suma de conciencia.*
>
> (P. 1290.)

> *Todos mis moldes, llenos / estuvieron de ti; pero tú, ahora, / no tienes molde, estás sin molde; eres la gracia / que no admite sostén, / que no admite corona, / que corona y sostiene siendo ingrave.*
>
> (P. 1290.)

---

[1] Cf. Concha Zardoya, "El dios deseado y deseante de Juan Ramón Jiménez", en *Poesía española del siglo XX,* II, Madrid, Gredos, 1974, pp. 8-31; Carlos del Saz-Orozco, *Desarrollo del concepto de Dios en el pensamiento religioso de Juan Ramón Jiménez,* ob. cit. pp. 105-210 sobre todo; Leo R. Cole, *The religious instinct in the poetry of Juan Ramón Jiménez,* ob. cit.; R. Gullón, "El dios poético de Juan Ramón Jiménez", *Cuadernos Hispanoamericanos,* Madrid, marzo-abril 1950, pp. 343-349; W. T. Pattison, "Mystic of Nature", *Hispania,* 1950, 33, núm. 1, pp. 18-22; C. Santos, "Proceso evolutivo de interiorización lírica en Juan Ramón Jiménez (Desde los paisajes exteriores hasta la interioridad del alma)", *Humanidades* [Univ. Pontificia de Comillas], IX, 17, 1957, pp. 79-103; A. Sánchez Barbudo, *La segunda época de Juan Ramón Jiménez,* ob. cit., pp. 148-210; etc.

Dios, ya soy la envoltura de mi centro. / de ti dentro.
(P. 1300.)[2]

Y yo estoy dentro de ella, / dentro de tu conciencia jeneral estoy / y soy tu secreto, tu diamante, / tu tesoro mayor, tu ente entrañable. // Y soy tus entrañas.

(P. 1354.)

Y algunos ejemplos de dios *deseante,* circunscrito a los límites del poeta o parte de él:

[eres] conciencia mía de lo hermoso
(P. 1289.)

y tu esencia está en mí, como mi forma
(P. 1290.)

porque eres espejo de mí mismo
(P. 1296.)

Y yo poseedor, enmedio, ya, / de tu conciencia, dios
(P. 1307.)

tú te asomas, dios deseante, sonriendo / con el levante matinero, a verme despertar

(P. 1310.)

Si los dos conceptos de divinidad se han fundido en este libro, ha sido gracias a un elemento que ha empezado a aflorar, después de *La estación total,* en las meditaciones juanramonianas: el concepto de *conciencia.*

En las "Canciones de la Florida" ("En el otro costado", *T.A.P.,* p. 847) todavía aparece el dios bajo la forma de pájaro, por tanto en relación directa con el mirlo fiel y la criatura afortunada de *La estación total.* Es en el poema "Dios visitante":

En las palmas canta un dios
con pico de hombre.
....

---
[2] Sobre la simbología del círculo y del centro, vid. Paul R. Olson, *Cicle of Paradox. Time and essence in the poetry of Juan Ramón Jiménez,* Baltimore, The John Hopkins Press, 1967. Vid. especialmente el capítulo IV, y la página juanramoniana inédita, de 1950, citada por Saz-Orozco, p. 113: "Yo puedo concebir a dios como el universo total infinito, cuyos componentes no son sino partes de su infinito ser, que no por ser infinito es escéntrico. Dios es centro sucesivo siempre de los que lo integramos, ya que todos nosotros vivimos dentro de él."

> *El pájaro tiene cara*
> *y sabemos que nos oye.*
> *Le da la luna,*
> *le da la sombra en su nombre.*
>
> ....
>
> *Oye bien*
> *cómo nos dice "Yo soy".*

O bien, bajo una nueva forma animal (anunciada por el "perro divino" de *Piedra y cielo,* símbolo del cuerpo del poeta), en el poema "Este perro":

> *El dios azul nos azula*
> *aquí las cosas de abajo.*
>
> ....
>
> *anda por las calles solas*
> *un dios azul perro manso.*
>
> ....
>
> *Este perro con quien ando,*
> *¿no es alto donde lo vi*
> *como el dios azul más alto?*
> (*T.A.P.*, p. 904.)

Pero es en el poema "Espacio", de estos mismos años[3], donde la idea de conciencia aflora, como "yo inmortal" del poeta:

> *Conciencia... [...]: Cuando tú quedes libre de este cuerpo, cuando te es-*
> *parzas en lo otro (¿qué es lo otro?) ¿te acordarás de mí con amor hondo;*
> *ese amor hondo que yo creo que tú, mi tú y mi cuerpo se han tenido tan lle-*
> *namente, con [...] un convivir tan fiel como el de un doble astro cuando nace*
> *de dos para ser uno? [...] Difícilmente un cuerpo habría amado así a su*
> *alma, como mi cuerpo a ti, conciencia de mi alma; porque tú fuiste para él*
> *suma ideal y él se hizo por ti, contigo, lo que es. [...]Mi cuerpo no se encela*
> *de ti, conciencia; mas quisiera que al irte fueras todo él y que dieras a él, al*
> *darte tú a quien sea, lo suyo todo, este amar que te ha dado tan único.*
>
> (*T.A.P.*, pp. 897-898.)

_____

[3] Algunos poemas de "Una colina meridiana" presentan también reiteradamente el tema de la "conciencia", y esto nos inclina a pensar que deben de ser de la misma época que "Espacio" a pesar de la vaguedad cronológica del poemario (1924-1950). Se trata de "Primavera 63" (¿1944?) y "Con tu luz". En ambos el poeta se siente superior a los seres de la naturaleza —un sauce y un almendro en el primer poema, y el sol en el segundo— por poseer conciencia mientras ellos no la tienen. Es más, precisamente es la falta de conciencia del sol lo que le impide ser un dios, "Tú, sol, no eres un dios, / eres tú menos dios que yo soy dios y hombre, / porque no sabes tú qué eres, qué es dios, ni qué soy yo / y yo sé qué y quién tú eres y no eres." (P. 951.)

En este momento de su evolución, piensa el poeta que su yo inmortal, su conciencia, al abandonar su cuerpo muerto pasará a integrarse en una divinidad[4].

> Dime tú [conciencia] todavía: ¿No te apena dejarme? ¿Y por qué te has de ir de mí, conciencia? ¿No te gustó mi vida? Yo te busqué tu esencia. ¿Qué sustancia le pueden dar los dioses a tu esencia, que no pudiera darte yo? Ya te lo dije al comenzar: "Los dioses no tuvieron más sustancia que la que tengo yo." ¿Y te has de ir de mí tú, tú a integrarte en un dios, en otro dios que éste que somos mientras tú estás en mí, como de dios?
>
> (Ibíd., p. 898.)

(Notemos de paso cómo persiste en esta época del poeta la idea de divinidad múltiple: "los dioses" aquí; el dios-pájaro, el dios-perro en los otros poemas.)

La conciencia del poeta, pues, es divina en potencia. De esta idea, viva en Juan Ramón hacia el 1941-42 en su época de La Florida, pasará pocos años después, en 1948-49, a la siguiente: Dios sólo puede ser su propia conciencia.

El encuentro con su dios —el hallazgo de esta idea y la alegría acompañante— tiene lugar en su "tercero mar", en el tercer viaje marítimo del poeta a la Argentina y Uruguay para dar una serie de conferencias. Significativamente, el "encuentro" no tiene lugar a la ida —desde su relativa soledad estadounidense— sino en el viaje de vuelta, después del recibimiento apoteósico que el pueblo argentino brinda al poeta, después de haberse inmergido otra vez en la lengua hablada castellana, y sobre todo, en nuestra opinión, después de haberse sentido revalorizado, sumamente revalorizado, a causa de su palabra.

Esta revalorización del hombre Juan Ramón a través de su trabajo poético de toda una vida, nos parece el elemento *emotivo* desencadenante de la idea de dios = conciencia suya de lo hermoso. (Recordemos que Juan Ramón no es un pensador, a pesar de lo mucho que él nos habla de su "frente pensativa", sino un sentidor: el humor es siempre condicionante de sus ideas[5].) Y es la euforia del verse tan valorizado por tanta gente la que

---

[4] No está demasiado lejos, por tanto, del panteísmo neoplatonizante de la segunda época, del poema "Sé bien que soy tronco / del árbol de lo eterno", o de "El otoñado".

[5] "¡Con qué segura frente / se piensa lo sentido!", decía unamunianamente Juan Ramón en *Estío*, refiriéndose al amor. Y en un texto del poeta que apareció en *Indice*, Madrid, núm. 128, sept. 1959, leemos: "Cuando llegamos al puerto de Buenos Aires y oí gritar mi nombre [...], me sentí español, español renacido, revivido, salido de la tierra del desterrado, desenterrado... [...] Todo era por mi len-

le hace sentir su vida justificada a nivel social. (Y, de paso, la que produce una imagen positiva de la humanidad en *Animal de fondo:* la gente ya no es dañina aquí, sino comprensiva.) Pero quizá la aprobación social no basta al idealista poeta, que necesita además sentir su vida justificada ante sí mismo y ante la eternidad: justificaciones que el descubrimiento de su dios va a traerle.

(Habíamos visto en capítulos precedentes que la idea de Dios aparece en la obra juanramoniana cuando el poeta se encuentra en internos callejones sin salida: en el callejón del erotismo-culpabilidad; en el callejón de la próxima muerte de su madre; y ahora en el callejón de tener casi perdida su palabra poética y vivir entre gentes de lengua extraña que prácticamente le desconocen[6].)

Antes de exponer el tema de la justificación de su vida a través de su dios en *Animal de fondo,* permítasenos volver atrás en la obra juanramoniana para coger el hilo de uno de los más ricos filones del poeta, poco o nada explorado como tal por la crítica: *la culpabilidad.* Porque el poeta de la altivez, el de la torre de marfil, el que provoca la agresividad de sus críticos, es, de manera más auténtica, el poeta del arrepentimiento, el obsesionado por la culpabilidad (y quién sabe si su famosa altivez fue sólo la máscara protectora de un sentimiento profundo de inferioridad). Y por eso pudo escribir en un momento sincero: "Mi vida es un constante arrepentimiento de no haber hecho cosas que no quise hacer cuando pude." (*Libros de Prosa,* p. 487.)

En capítulos precedentes hemos ido viendo algunos aspectos de este polifacético sentimiento de culpabilidad del poeta: el terrible y duradero "arrepentimiento de la carne"; la extraña culpabilidad amorosa de *Rimas;*

---

gua, por la lengua en que había escrito lo que ellos habían leído. [...] Aquella misma noche yo hablaba [...] el mismo español de mi madre... Y por esta lengua de mi madre, la sonrisa mutua, el abrazo, la efusión... [...] y por ese volver a lenguarme he encontrado a Dios en la conciencia de lo bello, lo que hubiera sido imposible no oyendo hablar en mi español." (*La corriente infinita,* p. 307.)

6 Cuenta G. Paláu de Nemes que los vecinos del poeta, en Riverdale —donde vivía en esta época— se sorprendían al saber que aquel señor que vivía junto a ellos era escritor.

Queremos aclarar que la "casi" pérdida de la palabra poética afecta a la labor *creativa,* pero no a la recolectiva; precisamente en estos años se publican algunos libros cumbres del poeta, escritos antes, en Madrid, pero organizados como libros ahora: *Españoles de tres mundos* (1926-1934) y *La estación total* (1923-1936), publicados por Losada, Buenos Aires, en 1942 y 1946 respectivamente. Y, además, tenemos que destacar su esfuerzo conceptualizador: "Mis cursos y conferencias de los años 40, 41 y 42 en las Universidades de Miami y Duke me han ido trayendo un libro, *El Modernismo"* —decía en la citada carta a Díez-Canedo—. Libro que terminó de madurar el año 1953, al dar un curso sobre este tema en la Universidad de Río Piedras (Puerto Rico), y que sólo póstumamente vería la forma de libro, gracias al cuidado de Ricardo Gullón y Eugenio Fernández Méndez (México, Aguilar, 1962). Las conferencias están recogidas y publicadas bajo el título de *El trabajo gustoso,* México, Aguilar, 1961.

la culpabilidad por no haber correspondido adecuadamente a los seres que le han querido (su madre, su amigo Gregorio Martínez Sierra); y la que sentirá tras la muerte de su esposa: su mayor distracción entonces será ir a la Sala Zenobia-Juan Ramón de la Biblioteca de la Universidad puertorriqueña para ver las cartas de su mujer y oír su voz: "Mirándolos [estos recuerdos] se enternecía. *Lágrimas* —declaraba— *de remordimiento.* Quizá tuvo conciencia de haberse refugiado en la enfermedad dejando a su mujer mil responsabilidades, y de haberlas aumentado con su neurosis", dice R. Gullón[7].

Y además de esta culpabilidad en torno a sus actos como hombre[8], la derivada de su carácter de *creador:* los arrepentimientos incesantes de su Obra continuamente retocada, y el sentirse diferente de los demás hombres. "La tristeza que tanto se ha visto en mi obra poética nunca se ha relacionado con su motivo más verdadero: es la angustia del adolescente, el joven, el hombre maduro que se siente desligado, solo, aparte en su vocación bella", escribía en 1930[9]. Y aunque esta frase sea discutible[10], el fondo de la cuestión es cierto: Juan Ramón estaba separado, por necesidad interna de identificación consigo mismo, y porque no era capaz de competir con los demás en el terreno de ellos: el trabajo cotidiano *en* el mundo y *con* los hombres. Porque además de este alejamiento de los otros hom-

---

[7] *El último Juan Ramón Jiménez,* ob. cit., p. 178. (La cursiva es nuestra.)

[8] Esa aguda conciencia que Juan Ramón tuvo siempre de la culpabilidad de sus actos le lleva a identificarse repetidamente con Goethe (genial en su obra y mísero en su vida, según lo veía el poeta moguereño). Esto explica el extraño título "El pueblo. Un entierro *y Goethe"* del poema 38 de *Belleza,* donde se imagina muerto junto a su mujer en el cementerio de Moguer. La prosa, como de costumbre, nos explicita la autoidentificación de Juan Ramón con el genio alemán, en "Pequeñeces de Goethe". Cuenta aquí Juan Ramón cómo el joven Schubert escribió lieders para su admirado Goethe y se los envió, sin recibir ni las gracias siquiera del genio, el cual no se había dignado mirarlos. Tras la muerte de Schiller, en cambio, "una cantante amiga de Goethe sorprendió al olímpico egoísta tocando y cantando las canciones que Schubert le había enviado. *Entonces Goethe, como era su costumbre más delatora, después de sus ingratitudes (con su madre, estraordinaria, con el superior Schiller, con el noble Herder, con su pobre mujer) lloró amargamente." (Estética y ética estética,* p. 121. Subrayado nuestro.) ¿No era también el llanto la pasiva forma de arrepentimiento juanramoniano —casi diríamos la manera de tranquilizarse a sí mismo *a posteriori*— y no son precisamente esas mismas personas —madre, esposa y amigos próximos— los seres hacia los que se siente más culpable?

[9] "Héroes españoles", *Estética y ética estética,* ob. cit., pp. 55-56.

[10] El creador no extrae exactamente "tristeza" de este aislamiento, sino más bien un sentimiento apaciguante de realizar una necesidad de su espíritu. El creador no está aislado, pero *se aísla* para sentir mejor sus límites y dentro de ellos realizar algo mejor que los demás. La soledad es, pues, necesaria para esa identificación consigo mismo. Y por soledad entendemos *distancia interior* que le aparte de los demás hombres no-creadores y también de los otros creadores. El creador es un gran individualista: Sólo le importa su propia creación, no la de los demás (o, si se quiere, la de los demás solamente en cuanto incide en la suya). En consecuencia, hipertrofia su propia obra. En frase del mismo Juan Ramón: "¡Cómo me cansan todos los libros ajenos!" (*Libros de Prosa,* p. 977).

bres, que podríamos llamar "normal" en un creador, en Juan Ramón se añade la imposibilidad interna de desempeñar un trabajo como todo el mundo: trabajo manual, profesión, etc. Motivando esto está su innata rebeldía, su imposibilidad de ajustarse a normas (rasgo que Saz-Orozco ha estudiado en conexión con su sentimiento religioso) sea cual sea el terreno en que las normas se producen; ya hemos visto cómo las primeras manifestaciones de su "enfermedad" le permiten escapar a la carrera de Derecho que su padre deseaba para él; cómo la familia le sostendrá económicamente siempre; y cómo más tarde Zenobia asumirá las funciones de esposo para que él pueda consagrarse enteramente a su creatividad.

Toda esa confluencia de factores y de gentes que han protegido la creación del poeta, han permitido a éste ser el "sacerdote de la poesía", el hombre consagrado a su Obra, el del "trabajo gustoso", el caso más extraño de dedicación exclusiva a la Poesía en la literatura española —rasgo que le ha valido la admiración hasta de sus detractores más furibundos.

Ahora bien: aunque el hombre tiende a vivir de modo diferente que los demás, si lo logra, la diferencia le produce inseguridad y angustia. Y un hombre como Juan Ramón, que llegó a vivir sin trabajar[11], que escapó a la norma masculina —constrictiva y justificante— del trabajo, tuvo que sentir en grado sumo la angustia de su vivir diverso. Los primeros signos de esta angustia reflejados en la Obra los tenemos hacia los años 1908-1911, es decir, cuando el poeta contaba entre veintisiete y treinta y un años y debía de ver a su alrededor cómo los jóvenes de su edad iban encarrilando sus vidas por los cauces normales. A esto se añade la conciencia de la ruina del patrimonio familiar, comenzada tras la muerte de su padre en 1900 y acelerada en estos años. Por eso en "Arte menor" (1909) exclama en una cancioncilla, tal vez pensando en su novia Blanca:

Y en un aforismo de "La alameda verde" (1906-1912) escribe: "Soy como un pájaro enjaulado. Mi destino es mirar el cielo azul, comer y cantar. El porvenir no debe preocuparme. La cosa es bien sencilla: el día en

> Cantándole amores, duermo
> como un niño, mi pesar.
> Arruinado y enfermo...
> ¡No tengo derecho a amar!

---

[11] Desempeñó sólo algunos trabajos esporádicos en editoriales en torno a los años 1912-1920: como director de publicaciones de la Residencia de Estudiantes; en la editorial Renacimiento como encargado de ediciones antes de su matrimonio; etcétera.

que no tenga qué comer, me moriré de hambre." (*Libros de Prosa*, 1, p. 486.)

El enfoque directo y sincero alterna con el oblicuo: el ataque a los demás hombres que trabajan: los "Alejandrinos de cobre" del libro "Esto" (1908-1911) son seguramente lo más virulento y desmelenado de su obra en verso. Dejando aparte las figuras femeninas, también representativas de sus enemistades internas —"Católica", "Banquera"[12]— la agresividad del poeta se dirige hacia las tres figuras más amenazantes para él en este período: el cura (es el momento de su mayor aproximación al catolicismo)[13], el escritor y el médico. (La relación de dependencia tan extrema que Juan Ramón tuvo siempre con los médicos, tiene su lógica contrapartida en estos poemas sarcásticos, que le permiten elevarse por encima de ellos.)

El "Médico titular" está visto así: "¡Esta caricatura de sí mismo! [...] ¡Ciencia de alambre mohoso, [...] A caballo, ¡Dios suyo!, sobre un catre de cobre, / parece que se abre en canal, como el... Rey", etc. Y el neurópata, a su vez, aparece como "Neuropatillo", con "perfil ignorante" donde "la barba de la carne le idiotea hacia tras / lo que la barba en pelo le enmema hacia delante—. // Y es de verle, lorito, cuando algún pobre cliente / le suplica: 'Doctor, ¿y será bueno esto?', / tomar un aire escéptico, contestar displicente: / 'Eso dicen', reír, y cobrar por el jesto". (*L.I.P.*, 1, p. 195.)[14]

La relación entre esta agresividad y el sentimiento de autodesvalorización se manifiesta mejor aún, de manera más clara, en otro poema de esta misma época, posiblemente arrancado a los "Alejandrinos de cobre" e incluido como colofón del libro *Elegías* (en su tercera parte, "Elegías lamentables", 1910):

---

[12] La familia de Juan Ramón sostuvo contra el Banco de España un largo pleito en torno a los bienes paternos. El pleito lo ganó el Banco de España en 1915.

[13] El cura era el que podía juzgarle sus "pecados carnales", y por tanto figura hostil. Naturalmente, la hostilidad se reviste, en otros escritos juanramonianos posteriores, de argumentos racionales: el cura es el que pervierte y deforma la hermosa doctrina de Cristo. Pero, significativamente, lo que del cura más ataca Juan Ramón en estos poemas es precisamente lo que su propia conciencia le reprocha, lo que le culpabiliza: la carne. Así, el "Capellán" está definido de este modo, "Acento de Jaén; sombrero de Villasante; / vueltas de ormesí, enteritis y querida. / [...] —pasa la madre [de las monjas de Santa Ana], 'muslo de dama', y hace el potro— y se remanga por el riego la sotana." Y lo mismo algo más tarde, en el *Diario de un poeta reciencasado*, "Coro de canónigos". A partir de *Eternidades*, en que rompe definitivamente con la religión católica, ya no hay peligro de confesión, y el sarcasmo hacia los curas cesa.

[14] El poema "Boticario" nos parece una especie de variante en tono menor del "Neuropatillo", con el que guarda bastante relación.

Hombres en flor —corbatas variadas, primores
de domingo—: mi alma ¿qué es ante vuestro traje?
Jueces de paz, peritos agrícolas, doctores:
perdonad a este humilde ruiseñor del paisaje.

Yo no quisiera nunca molestaros, cantando...
Ved: este ramo blanco de rosas del ensueño
puede hacer una música melancólica, cuando
sonreís con los labios; pero yo no os desdeño.

¿Qué es mi voz ante vuestra decorada levita?
¿Vale, acaso, la pena una triste sonata
de achicar las orejas, o una estrella marchita
que volara, qué es para vuestra corbata?

¡Y tú, ruiseñor mío, endulza tu tristeza,
enciérrate en tu selva, florécete y olvida;
sé igual que un muerto, y dile, llorando, a la belleza
que has sido como un huérfano en medio de la vida!
(*P.L.P.*, p. 898.)

Esta es la época en que Juan Ramón siente con mayor amargura su vocación de poeta. En *La soledad sonora* (1908), parangonándose una vez más con el ruiseñor, le pregunta: "¿Eres, como yo, triste, solitario y cobarde, / hermano del silencio y la melancolía?" (*ibíd.*, p. 909). Y en "El corazón en la mano" (1911-1912) leemos versos como: "Cansancio de mí mismo, de cantarme a mí mismo; / de no entrar en la vida" (*L.I.P.*, 2, p. 122); "¡Son bobadas... bobadas! ¡Es la palabra triste / que para mi ideal tienen siempre los... otros!" (*ibíd.*, 120). O bien éstos, de terrible ironía, de agresividad vuelta hacia sí:

Y esta es la vida, ¿eh? Comer a la mañana;
por la tarde, esperar; después, andando, espero
—como un reloj frío, inexorable y mudo—
que me suceda algo para ponerlo en verso.
(*Ibíd.*, 114.)

(¿Cómo sorprendernos de que más tarde pase al polo opuesto, al endiosamiento de sus años madrileños, para negar mediante la afirmación contraria el sentimiento de inutilidad?)

Tras su vuelta a Madrid, el matrimonio (1916) con la acomodada —y, sobre todo, trabajadora en grado sumo— Zenobia, le resuelve la encrucijada económica. Tras desempeñar algún pequeño trabajo editorial, decide dedicarse íntegramente a su Obra. Por eso a lo largo de la segunda época la Obra cobra una importancia tan grande en las reflexiones del poeta y en la temática de los mismos poemas: es su trabajo, su proyección vital *única*. Y, simultáneamente, la conciencia de no hacer más que eso, le obliga a supervalorar y hacer que los demás supervaloren la Obra: Elabora el concepto de "trabajo gustoso" o norma vocativa realizada en la alegría; busca desmesuradamente la soledad y el silencio; después de 1923 empieza a dar su Obra con cuentagotas —los *Cuadernos*[15]—, etc. El "sacerdote de la Poesía", que tanta admiración y antipatía suscitará entre sus contemporáneos, ha nacido.

> Muchos que me encuentran me preguntan: ¿Qué hace usted? No sé qué contestar. Si les digo: ochenta libros, se ríen y creen que es esajeración andaluza. Si les hablo vagamente, creen que no trabajo. Y, por otro lado, no sé cómo esplicarles tantas cosas juntas.[16]

Pero ese excesivo empeño en hablar de la Obra, ese tema obsesivo del trabajo gustoso, nos parece un esfuerzo casi desesperado por acallar algo no expreso que le atormentaba por dentro. (Exactamente igual que había hecho en los "jardines" de *Estío* y en otros muchos momentos difíciles: intentar negar algo doloroso mediante la afirmación de lo contrario.) Creemos, contra todas las apariencias felices del poeta dedicado al gozo de su Obra, que le atormentaba el no ganar el dinero como todos los hombres, y que era consciente de las dificultades económicas que Zenobia tenía que afrontar sola, pero necesitaba no darse por enterado, y de hecho todos le creyeron ajeno a semejantes viles cuestiones:

> [...] con una confianza que agradezco en extremo, —escribe Juan Guerrero el 17 de febrero de 1933— Zenobia me cuenta la intimidad financiera de su casa, que ahora se encuentra disminuida a causa de que la tienda no le produce nada y hace algún tiempo dejó casi toda participación en ella; lo poco que le producen los pisos amueblados lo destina íntegramente a los estudios

---

[15] "Unidad", ocho cuadernos de doce páginas cada uno (1925). "Obra en marcha", un cuaderno (1928). "Sucesión", ocho cuadernos de cuatro páginas cada uno (1932). "Presente", veinte cuadernos, diez de obra anterior y diez de actual (1934). Y "Hojas", veinte páginas (1935).

[16] *Estética y ética estética*, ob. cit., p. 24. Y en la p. 50, burlándose en su "Autorretrato" (de "Obra en marcha") de su problema, dice: "que he conseguido [...] cuanto me he propuesto, menos oro mercantil, y que esa es mi única desgracia, porque ¡lo que haría yo con dinerito!; que tengo, en suma, una buena estrella sin coffrefort."

de su sobrino Juanito Ramón, y su renta heredada de su madre y una tía suya americana ha quedado reducida a la mitad [...] — "Toda mi vida mi propósito ha sido que Juan Ramón no tuviera ninguna preocupación económica, y no las ha tenido —me dice—; pero ahora, de vez en cuando, le hablo de estas cosas porque creo que esto le puede servir de estímulo para dar sus libros"—. La renta que él tiene de su obra, incluyendo, desde luego, las traducciones de Tagore, no se puede calcular en más de unas seis mil pesetas anuales[17], y aun cuando hoy, al dar nuevos libros ya se sabe que no han de dar ingreso, si esto le sirve para animarlo no me parece que esté mal enterarle de estos problemas.[18]

Pero con toda probabilidad Juan Ramón sabía ya, y se debatía en su cárcel interna de inactividad y culpa: No nos parece casual el que sean precisamente estos años los que ven el incremento del tema del "trabajo gustoso" hasta su plasmación en conferencia. Y, al dejar España, en los largos años de exilio, el tema alcanza su desarrollo máximo. ¿Por qué?

Aunque los biógrafos del poeta son muy discretos en este punto, tenemos la impresión de que los años americanos fueron difíciles económicamente para la pareja[19]. Instalados al fin en Puerto Rico en marzo de 1951, Zenobia anota el 23 de noviembre en su *Diario* "la tranquilidad de poder ir pagando deudas"[20] con el sueldo que reciben de la Universidad.

Y es precisamente en estos años americanos, en 1948, cuando el dios aparece. Como respuesta a una angustia largamente incubada: la de haber sido diferente, por su palabra poética, de los demás hombres, y haber vivido diferentemente: sin más justificación de vida que su palabra.

"Yo nada tengo que purgar"

Ya desde el primer poema de *Animal de fondo* aparece la justificación de vida: "Yo nada tengo que purgar. / Toda mi impedimenta / no es sino

---

[17] Sólo el alquiler del piso les costaba siete mil pesetas anuales. Añádase servidumbre, coche, alimentación, vestir... (Vid. J. Guerrero, ob. cit., p. 271).

[18] J. Guerrero, *Juan Ramón de viva voz*, ob. cit. p. 300.

[19] Una de las razones que motivó el exilio fue precisamente la económica. En 1936, antes de estallar la guerra, "A Juan Ramón no podían pagarle ya las liquidaciones de sus libros, y la renta que su esposa recibía desde Estados Unidos no podía llegarle" (G. Palau, p. 287). Naturalmente, la guerra no mejora la situación, y el 22 de agosto del 36 dejan España. Deste entonces hasta 1948 en que Zenobia y Juan Ramón pasaron a ser miembros permanentes del profesorado de la Universidad de Maryland, sus únicos ingresos (además de las rentas de Zenobia) fueron las conferencias que Juan Ramón dio en Puerto Rico (1936), Cuba (1937) Coral Gables (University of Miami Hispanic American Studies, 1940 y 1942) y Universidad de Vassar (1948); y los cursos de verano en la Universidad de Duke (1942). Por su parte, los gastos normales de la familia (alquiler o compra de casa, servidumbre, etc.) se vieron muy aumentados por las repetidas hospitalizaciones de Juan Ramón.

[20] R. Gullón, *El último Juan Ramón Jiménez*, ob. cit., p. 73.

fundación para este hoy / en que, al fin, te deseo." Todo el pasado, hasta sus sombras y lastres, queda asumido en el presente pleno, como escalón necesario para llegar al hoy. El espíritu del poeta exulta en su mundo de palabras: "en el mundo que yo por ti y para ti he creado" (pp. 1289-1290).

Pero es seguramente el poema segundo, "El nombre conseguido de los nombres", el que desarrolla en toda su riqueza el tema de la justificación del pasado. Toda la vida del poeta se justifica porque el dios ha venido a dar sentido a los nombres que Juan Ramón había acumulado. De manera indirecta pero certera, el poeta ha provocado la llegada del dios; éste obedece a su voluntad y a su esfuerzo:

> Si yo, por ti, he creado un mundo para ti,
> dios, tú tenías seguro que venir a él,
> y tú has venido a él, a mí seguro,
> porque mi mundo todo era mi esperanza.
>
> ....
>
> Ahora puedo yo detener ya mi movimiento,
> como la llama se detiene en ascua roja
> con resplandor de aire inflamado azul,
> en el ascua de mi perpetuo estar y ser;
> ahora yo soy ya mi mar paralizado,
> el mar que yo decía, mas no duro,
> paralizado en olas de conciencia en luz
> y vivas hacia arriba todas, hacia arriba,
> Todos los nombres que yo puse
> al universo que por ti me recreaba yo,
> se me están convirtiendo en uno y en un
> dios[21].
> El dios que es siempre al fin,
> el dios creado y recreado y recreado[22]
> por gracia y sin esfuerzo.
> El Dios. El nombre conseguido de los nombres.

---

[21] Obsérvese la expresión "se me están convirtiendo" los nombres en un dios. La aparición del dios es incoativa, pues, no experiencia puntual y firme. Y lo mismo sucede, entre otros ejemplos citables, en el último poema, "Estás cayendo siempre hacia mi imán", del que extraemos algunos versos (prosificados): "Tú eres el sucesivo, lo sucesivo eres; lo que siempre vendrá, el que siempre vendrá; que eres el ansia abstracta, la que nunca se fina [...] // Sí; en masa de verdad reveladora, de sucesión perpetua pasas, en masa de color, de luz, de ritmo; en densidad de amor estás pasando, estás viniendo, estás presente siempre", etc. (p. 1356).

[22] El mecanismo reiterativo (obsesivo) que ya hemos visto en diferentes momentos de la creación juanramoniana —cuando tiene que vencer un obstáculo importante— reaparece hasta en la misma "creación" de su dios. El dios no es algo real y diferente del poeta, sino criatura suya, dependiente de su voluntad y esfuerzo. Y además su aparición es "inacabada", como hemos visto: Todo esto concuerda con el general idealismo filosófico —y el voluntarismo consiguiente— de toda la poesía juanramoniana; sólo es real lo que está dentro de sí, no las apariencias externas. Bien es verdad que este idea-

Es, pues, el trabajo vocativo el que le trae a su dios ("En amoroso llenar"); y dios va entrando "en lo mejor que tengo, mi espresión" (p. 1322). O, como dice de manera más desarrollada en las Notas de *Animal de fondo:* "Estos poemas los escribí yo *mientras pensaba,* ya en las penúltimas de mi vida [...], *en lo que había yo hecho en este mundo para encontrar un dios posible* por la poesía. Y pensé entonces que el camino hacia un dios era el mismo que cualquier camino vocativo, el mío de escritor poético, en este caso; que todo mi avance poético en la poesía era avance hacia Dios, *porque estaba creando un mundo del cual había de ser el fin un dios."* (P. 1343.)[23] Por tanto: "Hoy pienso que yo no he trabajado en vano en dios, que he trabajado en dios tanto cuanto he trabajado en poesía" (p. 1344).

Alcanzar a Dios mediante el trabajo ¿no es la mejor manera de dar sentido a este trabajo? (Porque la angustia de todo escritor, "para qué y para quién escribo yo", debía de atormentar particularmente al Poeta por antonomasia, al que no había hecho otra cosa en su vida, al que había tenido que convertir la Obra en un fin en sí misma.) Sin embargo, la llegada de Dios resuelve sus angustias más secretas y reprimidas: "tú intercalabas, deseado, / [...] *esta seguridad que ahora me ocupa".*

> *Y ahora, cambiando el sueño en acto*
> *¡qué dinamismo me levanta*
> y me obliga a creer que esto que hago
> es lo que puedo, debo, quiero hacer;
> *este trabajo tan gustoso de contarte,*
> *de contarme de todas las maneras.*
> ("La forma que me queda", p. 1310.)[24]

Pero no es únicamente la justificación de su trabajo poético la que hallamos en *Animal de fondo,* aunque sea la más importante. El "yo nada tengo que purgar" no se refiere sólo al trabajo vocativo diferente, ni pre-

---

lismo tuvo que fallarle innumerables veces al poeta. Y la más desgarradora, la de la muerte de Zenobia: «'Don Juan, Zenobia ha muerto'. Entonces el poeta, estremecido, se levanta y grita: '¿Muerta?'; y, con paso tambaleante, se llega a la cama [...] y murmura un 'No' que se repite en un crescendo hasta exhalar un grito estremecedor: 'No, no, no es verdad. Zenobia tú no estás muerta. No, tú eres inmortal' [...] El poeta trató de negarse, con todas sus fuerzas, a la trágica evidencia. El médico quiso explicarle que el corazón amado había cesado de latir. Juan Ramón permanecía hundido en su silla [...] Durante casi una hora no permitió que sacaran del cuarto el cadáver de su esposa. Cada vez que intentaban cubrir el rostro, él repetía como un autómata: 'Ella no está muerta'». Cf. R. Gullón, *El último Juan Ramón Jiménez,* ob. cit., pp. 160-161.

23 La cursiva es nuestra.
24 La redonda es nuestra.

tende sólo oponerse con esas palabras a la ascesis cristiana: es la justificación de su vida pasada *en todos los niveles*. Así, el erotismo, que tanta culpabilidad ha vehiculado en la obra juanramoniana, queda, mediante el dios de amor, justificado:

> *Entre aquellos jeranios, bajo aquel limón,*
> *junto a aquel pozo, con aquella niña,*
> *tu luz estaba allí, dios deseante."*
> ("Tal como estabas", p. 1331.)

> *En este pozo diario estabas tú conmigo,*
> *conmigo niña, joven, mayor, y yo me ahogaba*
> *sin saberte, me ahogaba sin pensar en ti.*
> ....
> *Y tú eras en el pozo májico el destino*
> *de todos los destinos de la sensualidad hermosa*
> *que sabe que el gozar en plenitud*
> *de conciencia amadora,*
> *es la virtud mayor que nos trasciende."*
> ("Soy animal de fondo", p. 1340.)[25]

Justificación, pues, de toda su historia amorosa pasada. Y justificación de su fatigada madurez: Dios le devuelve "el nombre que yo tuve antes de ser / *oculto en este ser que me cansaba* / porque no era este ser que hoy he fijado" (p. 1332). Dios le devuelve la esperanza, el deseo de seguir viviendo: "En mi tercero mar estabas tú / [...] *tras el gris terminal de todas las salidas"* (p. 1295).) El dios justificante le lleva incluso *"a ser el yo que anhelo"* (p. 1305), a la transformación esencial[26].

Dios justifica todas sus andanzas por los diferentes lugares y países: "Si yo he salido tanto al mundo, / ha sido sólo y siempre / para encontrarte, deseado dios, / entre tanta cabeza y tanto pecho / de tanto hombre. // [...] Y yo poseedor, enmedio, ya, / de tu conciencia, dios, por esperarte / desde mi infancia destinada, / sin descanso ni tedio."

---

[25] A lo largo de *Animal de fondo* insiste Juan Ramón en que su dios es dios de amor, y esto podría llevarnos a pensar que por fin había ya superado el asco y la culpabilidad que los aspectos corporales del amor le inspiraban en su primera época. Sin embargo, poco anterior a este libro es el poema "Espacio", donde precisamente la repugnancia por el acto amoroso y al mismo tiempo la obsesión erótica —ver elementos sexuales en todo— son temas importantísimos: "Las flores nos rodean de voluptuosidad, olor, color y forma sensual; nos rodeamos de ellas, que son sexos de colores, de formas, de olores diferentes; enviamos un sexo en una flor [...] a un amor virjen, a un amor probado; sexo rojo a un glorioso; sexos blancos a una novicia; sexos violetas a la yacente. [...] Amor, amor, amor (lo cantó Yeats), 'amor es el lugar del escremento'. ¿Asco de nuestro ser, nuestro principio y nuestro fin; asco de aquello que más nos vive y más nos muere?" etc. (*T.A.P.*, p. 871).

[26] La cursiva es nuestra.

Y los elementos más grandiosos del universo confirman la seguridad esencial del poeta. Todas las nubes son "la afirmación alzada de este hondo / fondo de aire en que yo vivo" (p. 1298). Y el mar ancla su sentido en el poeta, único capaz de darle expresión: "Para que yo te oiga, [mar], mi conciencia / en dios me abre tu ser todo para mí" (p. 1319). La gracia de poseer a dios, y en él a la naturaleza, Juan Ramón se la ha ganado a pulso a lo largo de su vida, por ser "el que más supo, / con un convencimiento definido, / de elejir y querer" (p. 1351).

> ¡Qué trueque de hombre en mí, dios deseante,
> de ser dudón en la leyenda
> del dios de tantos decidores,
> a ser creyente firme
> en la historia que yo mismo he creado
> desde toda mi vida para ti!
>
> (P. 1321.)

El único dios posible para Juan Ramón, el único que él podría aceptar, es decir, una criatura suya, un semidiós conseguido a través de la poesía, justifica la Obra entera y la vida entera del poeta en *Animal de fondo*. Su presencia inspira a Juan Ramón el libro más jubiloso, una de las cumbres expresivas de su Obra.

Desgraciadamente, al tratarse de un dios inmanente al poeta, al ser una creación de su espíritu y, como tal, sujeta al constante vaivén del humor juanramoniano, la certidumbre se esfuma pronto. Según A. Sánchez Barbudo: "De su experiencia mística en el mar, Juan Ramón guardaba pues, en 1949, al parecer, un apasionado recuerdo, pero sólo un recuerdo. La sensación aquélla que sintiera en el mar, de plenitud, de paz, debió de evaporarse pronto."[27]

Ignoramos hasta qué punto seguiría sintiendo su vida justificada por su dios, pero lo que nos consta por las biografías del poeta es que la duda entre la existencia misma o no existencia de Dios llegó hasta sus últimos días, y así de un mismo período de tiempo (1956, cuando Zenobia muere y le conceden el Premio Nobel) tenemos testimonios tan contradictorios como su grito desesperado al sacar el cadáver de su mujer de la habita-

---

27 *La segunda época de Juan Ramón Jiménez*, ob cit., p. 210. Y en las páginas siguientes analiza Sánchez Barbudo la desaparición del "dios deseado y deseante" en la obra posterior del poeta. También C. del Saz-Orozco, ob. cit., p. 110, cita un texto inédito de 1949 en el que Dios es un concepto panteístico-idealista cuya existencia misma es problemática: "Si hay un Dios, una conciencia suprema que sea...", etc.

ción: *"Dios no existe. ¡Zenobia, Zenobia... Zenobia!"*[28]. Y este otro: "cuando alguien, a raíz de la concesión del Nobel, se le acercó para preguntarle cuál era su poeta preferido, él [...] contestó sin titubeos: —Dios"[29].

Enigma sin resolución —como la muerte y el más allá—, el hallazgo de su divinidad no le sirve al poeta para responder definitivamente a sus problemas vitales. Pero el misterioso dios juanramoniano pasa por la Obra dejando como estela uno de los libros más originales, y poéticamente admirable, de la literatura española.

---

[28] Testimonio de Adriana Ramos Mimosa, en R. Gullón, *El último Juan Ramón Jiménez*, p. 161. Subrayado nuestro.

[29] F. Garfias, *Juan Ramón Jiménez*, ob. cit., p. 204.

TERCERA PARTE

LA AVENTURA DE SER POETA

La Obra juanramoniana es, en síntesis, la historia y el resultado de una personalidad anómala, con tensa voluntad de autorrealización en un mundo interior —tras rehusar sistemáticamente la integración en el mundo de todos—. Y esta realización del poeta en su mundo interno consiste en interiorizar, en reducir a unidad en el yo sintiente, todo lo externo y hasta lo metafísico: el paisaje, la eternidad, Dios. Pero, además, como la Obra está construida con *palabras,* la escritura de Juan Ramón comprende una serie de hallazgos formales que han hecho avanzar la poesía española contemporánea desde el envaramiento y la sequedad imaginativa de fines del XIX hasta la elasticidad actual.

A pesar de ser este aspecto el más estudiado en nuestro poeta, también nosotros insistiremos en él, por considerar que es seguramente éste el plano en que el triunfo de Juan Ramón es más completo y suyo sólo. A lo largo de toda su vida, Juan Ramón sostuvo una lucha sin descanso por la expresión, tanteando continuamente, cambiando de camino dentro de su gama de posibilidades, insatisfecho siempre y haciendo, sin proponérselo, aportes definitivos para la poesía española: Actitud que contrasta vivamente con la autocomplacencia del ciclo de poemas sobre el tema de la Obra[1].

---

[1] En este mismo sentido define Howard T. Young a Juan Ramón: "Moody, petulant, and restlessly experimenting with different poetical forms". (*Juan Ramón Jiménez,* Columbia University Press, 1967, p. 4.) El tema de la Obra, la "mujer desnuda", la "mensajera de la estación total", ocupa un puesto privilegiado a lo largo de la segunda época. A pesar del gran volumen de poemas que acapara, no lo hemos estudiado con detenimiento porque esa actitud solipsista de poeta que contempla complacidamente su poetizar nos parece simplemente una manifestación más de *la gran necesidad de autojustificación* que llena toda la segunda época. En los años madrileños, tras su matrimonio, esta necesidad de justificación se manifiesta de manera paradójica, bajo la apariencia del endiosamiento, y a esta época pertenecen la mayor parte de poemas sobre la Obra. En cambio, cuando el destierro y el aislamiento estadounidense privan al poeta del reconocimiento circundante, el endiosamiento desaparece, la depresión se manifiesta, y el tema de la Obra se esfuma hasta *Animal de fondo,* en que reaparece con su significado verdadero.

La lucha por el verso

Leyendo a Juan Ramón, tenemos que creer en el destino vocativo. Según su propia narración de los hechos, el destino se le impone. Primero en sus años de colegio, cuando escribía décimas a la Virgen y romances a la manera de Góngora, y luego, en su año de pintor en Sevilla, cuando Bécquer le deslumbra y se entrega de lleno a la Poesía.

Lo primero que conservamos de Juan Ramón —Ninfeas— no va, sin embargo, en la línea de estos autores, sino en la modernista. Es *la versificación modernista de cláusulas* la primera y principal en el libro. Versificación de cláusulas ternarias —dactílicas, en la terminología de Navarro Tomás[2]— casi siempre:

> *En la calma solemne*
> *de la Noche apacible, de la Noche serena;*
> *en la calma solemne turbada tan solo*
> *por la risa de plata de las yerdes estrellas...*
> (*P.L.P.*, 1467.)

O bien, menos frecuentemente, de cláusulas tetrasílabas:

> *De mi sangre se nutrieron las estrofas de estos cantos:*
> *son las flores de mi alma, que cayeron a los ósculos*
> *de una brisa sonriente, saturada de perfumes,*
> *o al embate furibundo de huracanes procelosos...*
> (P. 1465.)[3]

---

[2] *Métrica española*, New York, Las Américas Publishing Company, 1966.
[3] La cláusula pentasílaba aparece en el poema "Mis demonios" (dedicado a Rubén Darío), aunque combinada secundariamente con otras, tal vez por la dificultad de este tipo rítmico: "En los antros abrasadores / de mi espíritu atormentado por el anhelo", etc.

La segunda forma métrica importante en *Ninfeas* es el soneto, con 10 poemas. Pero no es el soneto clásico (que Rubén mismo utilizó en el "Atrio" de *Ninfeas*), sino el modernista: sonetos de doce, trece, dieciséis, dieciocho sílabas y, sobre todo, de catorce. Y, más revelador aún, sonetos construidos con ritmo de cláusulas:

> *En el lago de sangre de mi alma doliente,*
> *del jardín melancólico de mi alma llorante...;*
> *en el lago de sangre de un Amor suspirante,*
> *en que un cisne tristísimo lanza treno muriente...*
>
> (P. 1467.)

Si los poemas con versificación modernista de cláusulas son en su mayoría asonantes, Juan Ramón en los sonetos se esfuerza por la consonancia. El resultado, como vemos por los versos que acabamos de citar, es muy precario, y el esfuerzo muy grande: la consonancia —lo ha subrayado Alonso Schöckel[5]— es propia de los poetas cerebrales, mientras la asonancia es propia de los emotivos, como Juan Ramón. Pero el poeta en cierne se ha empeñado ya en ser poeta, y a lo largo de toda su primera época va a considerar que para serlo hace falta saber versificar —si bien no exclusivamente— en consonante. (En la segunda época caerá en el extremo opuesto, utilizando casi exclusivamente el verso libre; hasta sus últimos años, en que vuelve a la canción, al romance, e incluso al soneto.) La historia de la consonancia, simultáneamente codiciada y aborrecida por el poeta[6], es patética y merece un estudio detallado.

Ante el escollo de la rebelde consonancia, el joven Juan Ramón corta primero por lo sano: en los libros siguientes renuncia prácticamente a ella disminuyendo el número de los sonetos, la forma obligatoria: En *Almas de*

---

[4] El alejandrino dactílico (el mismo metro que la "Sonatina" de Rubén) es el esquema rítmico utilizado preferentemente por Juan Ramón en los sonetos de *Ninfeas*.

[5] En *Estética y estilística del ritmo poético*, Barcelona, Juan Flors editor, 1959.

[6] Escribía Juan Ramón en sus "Ideas líricas" (1907-1908): "Otro asunto es el del asonante: ¿Recordáis la frase de Shakespeare? 'La voz velada es señal de corazón lleno; la sonora, de corazón vacío' ¿Qué importancia puede tener la rima en ciertos casos? [...] Se debe escribir en asonante aquellos estados delicados de espíritu que invaden fondos deleitosos de vaguedad y fragancia inefables... Bécquer desdeñó la rima perfecta [...] Hay libros que se sueñan mates, velados, ahogados a media voz" (*Libros de Prosa*, p. 282). Estas líneas de caluroso elogio por la asonancia, ¿no son en realidad una apología de ella, un intento de elevarla a la dignidad natural de la consonancia?

violetas, por recoger lo más popular de su producción y dar cabida a nuevas formas como la copla popular y el romance, el número de sonetos desciende a tres[7]; y en *Rimas,* sobre un total de setenta y dos poemas, tenemos ya sólo cuatro sonetos (de tipo modernista aún, en alejandrinos), pero empiezan a disociarse la consonancia y el soneto mediante la aparición de otras estrofas consonantadas, todas de tipo modernista[8]: el serventesio en decasílabos dactílicos (poemas 26 y 54), el serventesio alejandrino (poema 62), el serventesio endecasílabo predominantemente trocaico (poema 47) y el cuarteto tridecasílabo dactílico (poema 59).

En *Arias tristes* ya no hay sonetos, y apenas poemas en consonante: sobre setenta y seis, sólo cinco. De estos cinco, octosílabos todos —ajustándose así a la norma del resto del libro, el romance en cuartetas—, tres son cuartetas propiamente dichas *(abab)* y dos, redondillas *(abba),* y ambos tipos son polirrítmicos. *Arias tristes,* por tanto, se sitúa métricamente fuera ya de la influencia modernista más evidente, terminando con la versificación de cláusulas y utilizando estrofas de tradición española, usadas, sí, por el Modernismo pero no confinadas a él. Respecto a la difícil rima consonante[9], Juan Ramón empieza a adoptar una segunda táctica que fructificará en su obra: las "rimas de palabras aparejadas", es decir, la reaparición de una pareja de palabras rimantes *en varias estrofas* de un poema, y *en las mismas posiciones estróficas*[10]. Este recurso va a permi-

---

[7] De estos tres, sólo uno está en alejandrinos, a la manera modernista. Los otros dos, "Paisaje" y "Nubes" están en endecasílabos, respondiendo al tipo clásico (usado también por algunos modernistas como Rubén y Rueda).

[8] Cuando se dice que en *Rimas* Juan Ramón se ha liberado ya del modernismo gracias a Bécquer, la afirmación nos parece sólo parcialmente cierta: se ha liberado de algunos "motivos" modernistas —la parte más declamatoria de *Ninfeas*—, y algo también de la métrica modernista gracias al romance. Pero los títulos mismos de muchos poemas nos sitúan aún este libro en el Modernismo ("Vidriera", "Exótica", "Vaga", "Inefable", etc.), y la tendencia a la versificación de cláusulas es aún muy pronunciada. En realidad, la versificación modernista llega en Juan Ramón hasta el umbral de los *Sonetos Espirituales* (1914) y su verso libre se construirá sobre el esquema de la silva modernista. Los aspectos más parnasianos del Modernismo, en cambio, terminan antes, en *Arias tristes,* sustituidos por los simbolistas (construcción del poema según esquemas musicales o de color, etc.).

[9] Esta dificultad se sigue percibiendo en el uso de comodines métricos: parejas de palabras que riman entre sí, y cuya aparición binaria es frecuentísima: "flores-amores", "hojas-rojas", "seno-bueno", "ojos-rojos", etc.

[10] Es difícil precisar si Juan Ramón llega a esta técnica inspirándose en la poesía trovadoresca (en estrofas como la sextina o las canciones de leixa-prende), o bien por haber tomado conciencia de sus comodines métricos inconscientes. A pesar de que el influjo de la poesía trovadoresca es mucho más fuerte de lo que puede creerse en Juan Ramón, nos inclinamos a pensar que el poeta llega a esta técnica por sí mismo: En *Arias tristes* —e incluso en *Jardines lejanos*— hay rimas de palabras motivadas por la impericia del versificador (poema VIII de "Arias otoñales" y IX de "Jardines místicos", por ejemplo), mientras el procedimiento pasa sólo lentamente a ser usado de modo consciente y artístico. Si se tratase de imitación directa de un procedimiento literario anterior, hubiera surgido de manera rápida

tirle resolver la contradicción interna de la rima consonante: el tener que ajustarse a esquemas fónico-rítmicos (ser artificial, por tanto) y tener que ser percibida por el lector como "natural", como única palabra posible en ese contexto significativo.

Es el poema XI de la tercera parte, "Recuerdos sentimentales", el primero que usa conscientemente las rimas de palabras aparejadas: la pareja "estrellas-bellas" se repite en tres de las cinco estrofas que tiene el poema —la primera, la tercera y la quinta—, y siempre en las mismas posiciones —segundo y cuarto verso— si bien con orden invertido para evitar la sonoridad excesiva. (Ya empieza, pues, Juan Ramón a rehuir las repeticiones plenas, la simetría perfecta en el verso.) Descubiertas las posibilidades musicales del procedimiento, Juan Ramón va a usarlo con amplitud en *Jardines lejanos* y en *Baladas de primavera* entre los libros de su primera época: es decir, en los libros más brillantes, más musicales y eufóricos. No lo usará en los libros de la tristeza (*Poemas mágicos y dolientes, Laberinto, Melancolía,* etc.) y en cambio reaparecerá con nueva vida en los libros de rapto melódico o vital de la segunda época madrileña: *Estío, Canción,* y, parcialmente, *Piedra y cielo.* Desde *Baladas de primavera,* sin embargo, el procedimiento cambia ligeramente de función, coincidiendo con la mayor destreza del poeta en el uso del consonante: las rimas de palabras aparejadas intensifican su función de comodín métrico consonante al inclinarse hacia la asonancia y adoptarla cada vez más fuertemente.

La ambigüedad de Juan Ramón hacia la consonancia persiste a lo largo de toda la primera época, como puede apreciarse en los porcentajes de rima consonante de los diferentes libros: *Jardines lejanos,* 49 por 100; *Pastorales,* todo en asonancia a excepción de los nueve poemas de apéndice escritos para el libro *Teatro de ensueño* de Martínez Sierra; *Las hojas verdes,* 60 por 100; *Baladas de primavera,* 62 por 100; *Elegías* 100 por 100 (los tres libros enteros, noventa y nueve poemas en total, están en consonante); *La soledad sonora,* 66 por 100 (las partes primera y tercera están completamente en consonante y la segunda, íntegra en asonante); *Poemas mágicos y dolientes,* 65 por 100 (las partes segunda, cuarta y sexta en su totalidad; las otras, asonantes); *Laberinto,* 16 por 100, y *Melancolía,* 30 por 100 (en consonante las partes segunda y quinta). A través de estas cifras observamos un asedio pertinaz a la rima consonante, asedio que culmina en *Elegías* —uno de los libros más ambiciosos del poeta, es-

_____

y definitiva, sin etapas intermedias. (Sobre la influencia trovadoresca en Juan Ramón el artículo de A. M. Gallina, "Juan Ramón Jiménez, petrarchista", puede aportar datos interesantes. Desgraciadamente no lo hemos podido consultar.)

crito todo él en alejandrinos— y disminuye después sin llegar a extinguirse. Disminuye porque Juan Ramón ya se ha probado a sí mismo y a los demás sus capacidades de versificador[11], y entonces empieza a delimitar campos: ciertas partes de los libros están rimadas consonantemente y otras asonantemente. La actitud juanramoniana de "orden y disciplina" ante el verso, que acertadamente ha visto Navarro Tomás[12], tiene en la lucha por la consonancia un campo de acción privilegiado.

La cumbre del orden y de la disciplina, sin embargo, nos parecen los *Sonetos Espirituales* (1914). Recién aparecido el amor definitivo en su vida —difícil amor que va a tener que conquistar—, en posesión ya de la técnica de la consonancia, y con un renovado deseo (tras los seis años moguereños) de dejar huella en el ambiente literario de Madrid, Juan Ramón da un paso adelante que enlaza con su primera etapa de sonetista y la cambia de signo: resucita el soneto clásico garcilasiano para la poesía contemporánea. Los cincuenta y cinco sonetos que componen este libro, son una cumbre de voluntariedad que se conjuga con la tensa voluntad de conquista del poeta en estos años[13].

Fijándonos en la técnica sonetística observamos —sin que nos sorprenda mucho— que las rimas no son brillantes ni originales; son más bien apagadas, pobres, como corresponde a un poeta "emotivo". Por ejemplo, en el soneto "Nada": "elevada-empurpurada-alborada-nada"; "pensamiento-sangriento-viento-sustento"; "cayera-primavera"; "modo-todo"; y "frío-mío". Imaginamos pues el esfuerzo y el tesón que subyacen en estos sonetos. Lo curioso del caso es que hemos tenido que fijarnos, detenernos en las rimas, para notar esto: la "naturalidad" que Juan Ramón imprime a la rima consonante es su mérito mayor, y se corresponde con la naturalidad en el uso de las rimas de palabras aparejadas o la naturalidad de ese artificiosísimo libro que es *Baladas de primavera*. En sus momentos de mayor artificio o artesanía verbal, Juan Ramón es capaz de deslizar los más complicados procedimientos por la mente del lector sin que éste sea consciente de ellos, cautivada su atención por el semantismo del poema.

Pero el esfuerzo del soneto era quizás excesivo. Por otra parte, la mayor benevolencia que Zenobia pasa a testimoniar al poeta, y quién sabe si también el éxito fulgurante de *Platero y yo* en su primera edición (1914),

---

[11] Significativamente, en los *Libros Inéditos de Poesía* predomina en cambio la asonancia de manera abrumadora.

[12] "Juan Ramón Jiménez y la lírica tradicional", en *Los poetas en sus versos*, ob. cit., p. 261.

[13] Tal vez haya influido en la utilización *exclusiva* del soneto en este libro el *Rosario de sonetos líricos* de Unamuno (1912), aunque detrás del libro de Unamuno está Quevedo y detrás del de Juan Ramón, Garcilaso.

aflojan la tensión verbal y favorecen la manifestación de la espontaneidad juanramoniana —con la consecuencia lógica del retorno de la asonancia—. *Estío,* en efecto, es un libro por donde ya la asonancia campea libremente.

Y la buena suerte de Juan Ramón sigue: Zenobia por fin accede a casarse con él (1916); las ediciones de sus libros proliferan, *Platero* está en demanda continua, y la Hispanic Society of America le pide al poeta un volumen de *Poesías Escojidas.* Juan Ramón gana confianza en sí mismo mediante el reconocimiento ajeno, y puede dar rienda suelta a sus tendencias rítmicas más originales y espontáneas: ahora, "oficialmente", inventa su verso libre[14].

Esta cuestión del verso libre, aunque aludida en páginas anteriores, merece una explicación más detallada, por ser la forma más importante de toda la segunda época. El verso libre de Juan Ramón nace de la silva modernista, es decir, se configura sobre los esquemas métricos de la silva: endecasílabos y heptasílabos preferentemente, secundados por otros metros impares: eneasílabos, pentasílabos y tridecasílabos. La única gran diferencia entre el verso libre juanramoniano y su silva, es la rima: arromanzada la segunda (a la manera modernista, una vez más) y sin rima el primero. Pero el poeta nunca fue consciente de este parentesco, e incluso —como vemos por sus conferencias— pensaba en ambas formas como diferentes y antitéticas[15].

La silva aparece ya en *Ninfeas,* en el poema "Recuerdos", por puro reflejo imitativo —pensamos— de la versificación modernista. Desplazada por la copla, el romance, el soneto, las redondillas y cuartetas primero, y por el alejandrino después, la silva no reaparece en la obra publicada por Juan Ramón hasta *Poemas mágicos y dolientes* (1909-1911). En *Laberinto* todavía está sumergida en alejandrinos; y desaparece de la obra, en favor del alejandrino *(Melancolía)* y del soneto *(Sonetos Espirituales)* hasta que reaparece tímidamente en los "jardines" de *Estío.* Esto en las obras publicadas. En las inéditas, en cambio, la silva demuestra una vitalidad enorme, que supera incluso la del alejandrino. Creemos que este dato es muy im-

---

[14] Por las *Conversaciones con Juan Ramón Jiménez* de R. Gullón sabemos que en 1953 el poeta pensaba que el verso libre se lo había traído el vaivén del mar en su primer viaje trasatlántico (1916). Sin embargo, como veremos en breve, el verso libre está presente en la Obra —aunque de modo inconsciente— desde 1911.

[15] "Canción, romance y verso libre (y prosa jeneral) son las tres formas en que yo libertaría hoy gustosamente toda la poesía española o, al menos, la mía [...] ¡Qué no daría yo [...] porque todo el río, unos 3.000 poemas huidores, manando en alejandrino franchute y en silva italianera, no lo hubiera escrito en corriente española.". "Poesía cerrada y poesía abierta", pp. 83-115 de *El trabajo gustoso (conferencias),* México, Aguilar, 1961.

portante, porque significa que *la silva,* con su libertad rítmica, *es la forma métrica más adecuada para la espontaneidad versificativa juanramoniana.* En silvas se dirige a Dios en el libro "Bonanza"; en silvas canta su sentimiento a Zenobia en "Monumento de amor"; en silvas expone sus sentimientos más íntimos.

El verso libre, por su parte, hace su aparición primera en 1911 (y no en 1916, como pensaba el poeta y, siguiéndole, una buena parte de la crítica), en el libro inédito "Poemas impersonales". Aparece, pues, inconscientemente, pero lo hace ya con los mismos caracteres que tendrá en la segunda época. En esta aparición inconsciente se parece, una vez más, a la silva, y nos refuerza la impresión de que es éste el "ritmo interior" del poeta.

Por eso cuando, años más tarde, en el *Diario de un poeta reciencasado,* seguro de sí mismo, escribe Juan Ramón con espontaneidad y sin retoques, emplea casi exclusivamente[16] tres formas: el verso libre (silva sin rimas), la silva modernista arromanzada y el poema en prosa. Naturalmente, el verso libre y la silva, por su proximidad extrema, entran en competición (inconsciente) en el poeta, y prevalece el primero. Juan Ramón se queda, pues, con dos formas libérrimas, el verso libre y el poema en prosa, que desde ahora va a separar cuidadosamente hasta sus últimos días. De la total simetría inicial ha pasado a la aparente asimetría total del verso libre. Y esto tampoco satisface por mucho tiempo al poeta, simultáneamente atraído por una y otra tendencia: La crisis rítmica se empieza a manifestar en *Piedra y cielo,* que muestra ya, junto al verso libre, el resurgir de otra forma más simétrica: la canción. *Poesía* y *Belleza* se alinean aún bajo el verso libre, pero la canción aflora con fuerza en las "Canciones de la nueva luz" de *La estación total* (las tres partes de este libro podrían esquematizarse así: verso libre —canción— y verso libre) y sobre todo revela su enorme vitalidad en el libro *Canción,* 1936.

Los poemas del destierro, "En el otro costado", invierten las tornas: junto a la canción ("Canciones de La Florida") reaparece otra antigua y dilecta forma juanramoniana más simétrica aún, el romance ("Romances de Coral Gables"), y ambas formas, separadas o combinadas, comparten el poetizar del artista[17]. Pero la tendencia hacia la asimetría quedaba insatisfecha, y vuelve el verso libre —que más tarde puso el poeta en forma de prosa— en el poema "Espacio", y sobre todo en el libro *Animal de fondo.*

Los últimos poemas que conservamos, "Ríos que se van", ya analiza-

---

[16] Las otras formas, mucho menos usadas, son: el aforismo, el romance y la canción.

[17] Los diecinueve poemas de "Una colina meridiana" (1924-1950) se asemejan a los de "En el otro costado" en su preferencia por el romance y la canción.

dos en el capítulo 4, muestran a Juan Ramón moviéndose aún entre las formas que satisfacen sus contrapuestas tendencias rítmicas: la canción corta, el poema en prosa, y —lo que es más extraordinario— el soneto, que contrarresta la libertad extrema del poema en prosa mediante su extrema fijeza. El uso del soneto en los ultimísimos poemas de su vida nos resulta muy significativo, sabiendo ya toda la carga de esfuerzo, tesón y deseo de revalorización que acarrea en la obra anterior del poeta. Hemos visto cómo estos años fueron duros para Juan Ramón, entre depresiones, enfermedad de Zenobia, y casi esterilidad total en la creación. Tenemos, además, una versión del soneto "Concierto" que ofrece sólo un cuarteto y se titula "Soneto sin terminar"[18] (título que recuerda las "sinfonías inacabadas"): esto nos revela el mucho tiempo que le costó el escribirlo, y lo que tuvo que luchar consigo mismo para lograrlo. La vuelta de Juan Ramón al soneto es un patético símbolo de sus últimos años.

El duro oficio de poeta termina en Juan Ramón como empezó, luchando por el soneto, en una vuelta al principio. Pero su gran esfuerzo, su interés constante por los problemas de la versificación, su agudísimo sentido musical, han dado la pauta para las generaciones que le han seguido, y sus formas preferidas han sido precisamente las más cultivadas después: el verso libre (generación del 27 y siguientes hasta hoy); el romance ("Romancero gitano", "Romances del 800", etc.); la canción (poetas andaluces sobre todo, Alberti, C. Lagos, etc.); el poema en prosa (Cernuda, generaciones de posguerra); y el soneto (*Garcilaso*, Blas de Otero, etc.).

Juan Ramón no ha sido un innovador de la métrica española, pero sí un sutil y certero reformador que ha dejado en ella, como en los otros aspectos del verso, su huella de maestro.

En busca de la "inefabilidad" de Juan Ramón
(Intento de caracterización de sus estilos)

Cuando uno intenta precisar en qué consiste el encanto de la poesía juanramoniana, qué medios lingüísticos y semánticos concurren en ella, la palabra "inefable" surge ante nosotros como una tentación[19]. Puestos a buscar el porqué, pensamos que hay algunos elementos que justifican esa impresión de inefabilidad en el lector: *a)* El uso verdaderamente enorme

---

[18] En R. Gullón, *El último Juan Ramón Jiménez*, p. 87.

[19] No hemos podido consultar, desgraciadamente, el libro de Gastón Figueira, *Juan Ramón Jiménez, poeta de lo inefable*, Buenos Aires, Alfar, 1948². No se vea, pues, en nuestras palabras ninguna alusión malévola a este libro, que tiene el mérito de haber sido uno de los primeros escritos sobre el poeta.

de la palabra "alma" en la obra juanramoniana[20], así como la importancia —superior a la normal— de palabras con connotación religiosa, como "infinito", "eternidad", "inmenso", "cielo" y otras de este mismo campo semántico[21]. b) El uso de palabras o expresiones que sugieren vaguedad esfumada: "indefinible", "vago", "ilusión", "ensueño", "profuso", "fuga", "no sé qué", "nostalgia", "penumbra", "inefable", "velado", "bruma", "melancolía", "tembloroso", etc.[22]. c) Conexionada con lo anterior, está la preferencia por momentos temporales vagos, imperceptiblemente cambiantes: "madrugada", "crepúsculo", "antiguo", "otoño", "poniente", etc. El poeta, sobre todo en la primera época, huye de los contornos precisos, de la luz del mediodía, de la claridad mediterránea y andaluza. Su mundo es el de las *sugerencias,* el de los sentimientos indecisos y ambiguos, el del hermetismo, el del "paisaje del corazón"[23].

Muchos intentos se han hecho por aprehender la inefabilidad juanramoniana: las obras de E. Neddermann, S. Ulibarrí, R. Lida, G. Díaz-Plaja, C. Bo, E. Díez-Canedo, etc., cada una a su manera aportan materiales preciosos. Pero falta aún un estudio exhaustivo y no impresionista de procedimientos estilísticos a lo largo y a lo ancho de la Obra —prosa y verso— del poeta. Un crítico tan familiarizado con nuestro poeta como R. Gullón, que además ha consagrado páginas luminosas al estudio de su estilo, escribe: "No se pueden contar sus poemas, *explicarlos es traicionarle;* deben ser sentidos, intuidos, gozados, sin ajenas apoyaturas, como se siente o se goza la *inefable* belleza de la rosa"[24].

---

[20] El día que tengamos una estadística del vocabulario de autores hispanos (como ya empieza a existir en otras literaturas, por ejemplo, en la francesa, gracias a la obra de P. Guiraud) se podrá apreciar toda la importancia de las palabras-clave de nuestro poeta por comparación a la frecuencia de su uso en el habla literaria media española. Afortunadamente este segundo punto de referencia ya existe: el *Frequency Dictionary of Spanish Words,* de A. Juilland & E. Chang Rodríguez (The Hague, Mouton, 1964). Y estudios como el de Juan Alfredo Bellón Cazabán (*La poesía de Luis Cernuda. Estudio cuantitativo del léxico de 'La realidad y el deseo',* Universidad de Granada, 1973) nos hacen entrever ese momento como próximo.

[21] Uno de los más famosos ataques a Juan Ramón que circulaba por Madrid en vida del poeta era su definición como "un cursi *a lo divino".* Creemos que este "divinismo" se apoya precisamente en el empleo preferente de este tipo de palabras.

[22] Estas palabras aparecen sobre todo en las obras de la primera época. En la segunda época, la vaguedad no desaparece, pero está conducida diferentemente: por medio de metáforas originalísimas, incongruentes a primera vista, por ejemplo: "Chorreo luz: doro el lugar oscuro, / trasmino olor: la sombra huele a dios, / emano són: lo amplio es honda música, / filtro sabor: la mole bebe mi alma, / deleito el tacto de la soledad."

[23] En la famosa "Carta a Luis Cernuda" de 1943, Juan Ramón ve justo: "la lírica latina, neoclasicismo grecorromano total, no es [...] lo mío; que siempre he preferido, en una forma u otra, la lírica de los nortes." (En *La corriente infinita,* p. 175.) Sin embargo, también experimentó con las atmósferas y elementos clásicos entre los años 1910 y 1914.

[24] *Estudios sobre Juan Ramón Jiménez,* p. 134.

Inefabilidad: peligro de estimación subjetiva, cambiante y no comunicable. Descripción de procedimientos estilísticos: peligro de violentar la Obra, peligro de encuadrarla rígidamente mientras el "encanto" se nos escapa. Conscientes de estos dos escollos, vamos a analizar algunos poemas representativos de sus principales direcciones estilísticas. Porque precisamente una de las mayores dificultades que encuentra el crítico al tratar del "estilo" de Juan Ramón es que *no hay un estilo sino muchos,* y "el" estilo juanramoniano escapa a una definición unívoca. Vamos a ver, pues, simplificando la pluralidad de estilos y dejando aparte algunos poco poéticos[25], unas muestras de poesía directa ("ingenua" y "reflexiva"), "romántica" (e "idealizadora"), "esteticista" ("musical", "colorista", "erótica" y "decadente"), "desnuda", "hermética" y de "canción".

LA POESIA INGENUA

Característica de su primera voz poética; adjetivo no aplicable al modernismo superpuesto de *Ninfeas,* sino al intimismo directo de parte de *Almas de violetas* y de *Rimas.* A la voz del adolescente que cuenta y canta con el corazón en la pluma sus primeras emociones. A la poesía en romance. A la poesía que el propio Juan Ramón describía en estos versos: "Vino, primero, pura, / vestida de inocencia, / y la amé como un niño". Veamos una muestra: el poema inmortalizado en la Tercera Antolojía con el título de "Adolescencia", y cuya versión en el libro *Rimas* (poema 39), dice así:

> *En el balcón, un momento,*
> *nos quedamos los dos solos;*
> *desde la dulce mañana*
> *de aquel día, éramos novios.*
>
> *El paisaje soñoliento*
> *dormía sus vagos tonos*
> *bajo el cielo gris y rosa*
> *del crepúsculo de otoño.*
>
> *Le dije que iba a besarla;*
> *la pobre bajó los ojos*
> *y me ofreció sus mejillas*
> *como quien pierde un tesoro.*

---

[25] Nos referimos a la poesía narrativa-prosaica de "Historias para niños sin corazón", por ejemplo; a la poesía agresiva de los "Alejandrinos de cobre" o "Poesía del revés"; y a la poesía de circunstancias de "Versos a, por, para" o de "Ornato".

Las hojas muertas caían
en el jardín silencioso,
y en el aire fresco erraba
un perfume de heliotropo.

No se atrevía a mirarme;
le dije que éramos novios,
y las lágrimas rodaron
de sus ojos melancólicos.

El poema es *narrativo,* acumulándose la anécdota en las estrofas primera, tercera y quinta, mientras la segunda y la cuarta ofrecen un contrapunto paisajístico que enlentece la acción, acompañándola. Esta técnica de intercalar un paisaje simbólico entre dos estrofas narrativas, y casi siempre con el metro del romance, es constante en los libros más "vividos" del poeta, como *Estío* y *Canción,* por ejemplo. Que Juan Ramón empleaba conscientemente esta técnica, nos lo muestra uno de sus aforismos: "En poesía es bello mezclar con las imájenes ideolójicas paisajes naturales o, en otro caso, paisajes espirituales. Pero que haya siempre algo que dé un ambiente de color a la poesía. Que la poesía no sea adusta; sería entonces una cosa áspera, algo así como un hombre sin amor de mujer." ("Notas", 1907-1917, *Libros de Prosa,* pp. 750-751.)

El empleo es, sin embargo, anterior a su conceptualización, como sucede siempre en el poeta. (Dice Díez-Canedo, con frase inteligente, que en Juan Ramón la práctica se adelanta siempre a la teoría.)

Pero volvamos a nuestro poema de *Rimas.* Las estrofas segunda y cuarta, en realidad, aparte de enlentecer el poema, de actuar como puntos suspensivos entre las estrofas narrativas, apenas tienen función. Están como puestas entre paréntesis. Y de hecho la atención del lector se duerme un poco en ellas: son versos que se retienen mal. (Hemos visto este poema citado en varios estudios sin estas estrofas, mientras la primera y la tercera siempre están presentes.) Y es que vehiculan poca información: solamente la época del año en que sucede la acción, el otoño, y esta información choca un poco con el contenido "jovencísimo" de las estrofas importantes. Puestos a tener paisaje, esperaríamos naturaleza abrileña, pre-primavera, para que la concordancia fuera perfecta (Juan Ramón, en cambio, nos da la estación *real* de sus recuerdos, y para él el otoño no es obstáculo, porque lo armoniza con el alma melancólica de la niña y con el sentimiento de pérdida irreparable que la domina).

Las estrofas importantes, pues, son la primera, tercera y quinta. La primera nos da, condensadamente, toda la información previa necesaria, en un crescendo emotivo. La tercera es la estrofa del clímax, la que tiene más acción, el núcleo esencial del poema. La quinta, en decrescendo emotivo, prolonga la acción y la diluye en sentimentalismo.

¿Dónde radica el "encanto" de este encantador poema? No en el refinamiento del lenguaje, que es casi neutro; no en las figuras de estilo, que apenas existen (sólo dos epítetos algo gastados, "dulce mañana" y "ojos melancólicos", y una comparación de enorme fuerza descriptiva en el contexto, "como quien pierde un tesoro"); no en la galanía del verso, sencillo romance dividido en cuartetas. Creemos, pues, que el encanto no está en la forma de la expresión ni en la forma del contenido: es un encanto semántico. El poema nos atrae porque nos produce ternura, porque despierta en cada uno de nosotros a nuestro antiguo niño con sus primerizos sentimientos; porque podemos identificarnos con los protagonistas; porque simultáneamente estamos dentro de ellos y fuera de ellos, desde nuestro yo adulto, sonriendo de su inexperiencia, de la ingenua torpeza con que se conducen. Y al mismo tiempo sentimos esa "inadecuación" de gestos y palabras de los protagonistas como perfectamente adecuada, como expresión directa de esa fuerza contradictoria, destructiva —de la individualidad— y unitiva, que es el amor.

El encanto de este poema está en la ingenuidad —profundamente sabia— del contenido. Y la sencillez extrema de la expresión (vocabulario, métrica, etc.) es la única forma posible para dejar pasar el encanto semántico.

* * *

Esta sencillez extrema de voz no es lo más frecuente en Juan Ramón. Y no porque después de sus primeros libros desaparezca la conexión de su Obra con la vida —ya hemos visto en las partes anteriores de este estudio hasta qué punto la poesía de Juan Ramón es la resolución estética de su vivir—, sino porque desde *Arias tristes* se desliga esta poesía de la narración escueta. El poeta, a medida que va centrándose en su propio camino, va adentrándose en la sustancia lírica por excelencia, que es la emoción, y alejándose de la sustancia épico-narrativa, de la narración objetivadora de acciones. Haciendo esto, Juan Ramón se instala en su mejor decir, pues el temple de su espíritu es muy diferente del de un escritor de teatro o novela: eminentemente subjetivo; atento a su yo y desatento a la otredad; desinteresado por todo lo que sea vida social —materia prima del novelista— o circunstancias históricas, políticas y económicas; interesado por los aspectos estáticos de la realidad —ambientes, paisajes— y ajeno a los aspectos dinámicos —interrelaciones humanas, modificaciones que el hombre imprime en el medio ambiente y viceversa—; observador apasionado de microparcelas de su experiencia —colores, luces, ideas aisladas suyas, recuerdos puntuales tamizados por su subjetividad—, sujeta siempre su extraordinaria sensibilidad al humor inmediato; etc. Estos rasgos y otros que pueden escapársenos ahora, hacen de Juan Ramón un excelente cantor lírico de sus emociones, mientras la objetivación en personajes de sus vivencias (novela o teatro) le falla: No llegó a escribir nunca obras de estos géneros, a pesar de sus confesados deseos, en sus últimos tiempos, de escribir novelas. Sus *Libros de Prosa* están esencialmente compuestos de recuerdos, pensamientos y descripciones líricas. Muy raramente, el cuento hace su aparición ("La corneja", "El Zaratán"), siempre con su yo como protagonista u observador de primera fila, y en ningún caso logra altura estética suficiente. Las dos formas esenciales de su prosa son, pues, el poema en prosa y el aforismo; sobre todo el primero, la forma más lírica de prosa, molde para sus dos grandes libros no versales: *Españoles de tres mundos* y *Platero y yo*. Dejando aparte *Españoles de tres mundos,* sucesión de "caricaturas líricas" —es decir, retratos de una serie de personajes altamente estilizados por la subjetividad del poeta—, la discusión podría plantearse en torno a *Platero,* que es la obra con más apariencias narrativas. Pero el carácter no narrativo y sí lírico de *Platero* se revela en la inexistencia de una acción y una trama continuadas (son pequeños cuadros descriptivos inconexos, unidos unos a otros sólo por los protagonistas semi-identificados, "Platero" y "yo", y por una localización única, Moguer); en cuanto al carácter lírico de *Platero,* ¿qué quedaría de esta obra si la despojáramos de su lenguaje poético?

Volviendo al verso, la desaparición de la poesía "ingenua", de narración escueta, no significa la desaparición total de la poesía directa: en esta forma va a seguir dándonos Juan Ramón sus *reflexiones* a lo largo de toda su Obra. Por ejemplo, el poema 70 de *Piedra y cielo:*

> *Mariposa de luz,*
> *la belleza se va cuando yo llego*
> *a su rosa.*
>
>   *Corro, ciego, tras ella...*
> *la medio cojo aquí y allá...*
>
>   *¡Sólo queda en mi mano*
> *la forma de su huída!*
>   (*L.P.,* p. 777.)

Montado todo él sobre una metáfora apositiva, "belleza = mariposa de luz", el poema adquiere forma de *alegoría* al ir desarrollando una tras otra las implicaciones de la metáfora inicial en el plano manifiesto ("mariposa de luz") y en el plano implícito ("la belleza"). La expresión es lineal, narrativa aunque breve: de aquí que hablemos de poesía directa. Sin embargo, el esteticismo de presentarnos narrativamente el plano metafórico, confiere a este poema un carácter de no ingenuidad, de control artístico, y también una originalidad expresiva que revaloriza el tema.

Aunque la mayor parte de los poemas reflexivos se montan sobre una comparación, metáfora o alegoría, hay algunos que carecen de término o plano figurado, y en ellos aflora mejor el lenguaje directo de esta dirección poética. Por ejemplo, el ya citado poema 31 de *Estío:* "¿Cómo una voz de afuera / llega a ser nuestra voz / y hace decir sus cosas / a nuestro corazón?" La oscuridad de este poema radica, como vimos en el capítulo III, en estar desligado de su contexto natural, la canción de corro "La viudita", pero no en el vocabulario o las imágenes.

Cuando la actitud reflexiva incide, en cambio, sobre una problemática compleja, la expresión se configura no sobre el patrón elíptico ni sobre el alegórico, sino sobre el paralelístico, probablemente por extensión de una alegoría, extensión a su vez de una metáfora identificadora. Por ejemplo, el hermoso poema "Del fondo de la vida" ("Una colina meridiana", *T.A.P.,* pp. 925-926):

> En el pedral, un sol sobre un espino, mío.
> Y mirándolo, ¿yo?
>   Oasis de sequera vejetal
> del mineral, en medio de los otros (naturales
> y artificiales, todas las especies)
> de una especie diversa, y de otra especie
> que tú, mujer, y que yo, hombre;
> y que va a vivir menos,
> mucho menos que tú, mujer, si no lo miro.
>
>   Déjame que lo mire yo, este espino (y lo oiga)
> de gritante sol fúljido, fuego sofocante
> silencioso,
> que ha sacado del fondo de la tierra
> ese ser natural (tronco, hoja, espina)
> de seca condición aguda;
> sin más anhelo ni cuidado
> que su color, su olor, su forma; y su sustancia,
> y su esencia (que es su vida y su conciencia).
> Una espresión distinta, que en el sol
> grita en silencio lo que yo oigo, oigo.

Déjame que lo mire y considere.
Porque yo he sacado, diverso
también, del fondo de la tierra,
mi forma, mi color, mi olor; y mi sustancia,
y mi esencia (que es mi vida y mi conciencia)
carne y hueso (con ojos indudables)
sin más cuidado ni ansia
que una palabra iluminada,
que una palabra fuljidente,
que una palabra fogueante,
una espresión distinta, que en el sol está gritando
silenciosa;
que quizás algo o alguien oiga, oiga.

Y, hombre frente a espino, aquí estoy, con el sol
(que no sé de qué especie puedo ser,
si un sol desierto me traspasa)
un sol, un igual sol, sobre dos sueños.
Déjanos a los dos que nos miremos.

La grandiosidad de este poema radica, pensamos, en el planteamiento de profundos problemas metafísicos —qué somos, para qué vivimos, existe o no un Dios que dé sentido a nuestras vidas—, y su cálida belleza, en la comunidad y comunicatividad de esencias entre todos los seres con vida. Hay, sí, valores formales: metáforas espléndidas nacidas del apasionamiento con que Juan Ramón aborda estos temas; y un marcado paralelismo que imprime simetría, orden, calma reflexiva por encima de la emoción anímica. Pero estos valores formales pertenecen a un segundo plano de interés, tanto en el autor, que seguramente no los ha buscado, como en el lector, que queda engarzado en los valores de primer plano: en los valores semánticos (humanos y metafísicos).

El barroquismo conceptista que se acentúa al final de la segunda época del poeta y desemboca en su poesía "hermética" rebaja en este poema su carácter directo; pero las características generales de la poesía reflexiva (el desarrollarse en un ámbito lógico o verosímil, el tener un desarrollo temporal, y, sobre todo, el predominio de los valores semánticos sobre los estéticos o de otro orden) siguen presentes aquí. La poesía reflexiva, pues, en todas sus modalidades, se alinea junto con la primera voz, ingenua y narrativa, de Juan Ramón, constituyendo la zona de cordura superior, la que mayor peligro de prosaísmo corre, pero también la más accesible al lector no iniciado.

LA POESÍA ROMÁNTICA

La exaltación del sentimiento es uno de los rasgos esenciales del Romanticismo (de todos los romanticismos). El mejor romanticismo español (Gustavo A. Bécquer, Rosalía de Castro) fue siempre corriente favorita de Juan Ramón, como sabemos por sus conferencias y escritos críticos[26], y marcó especialmente la primera época del poeta. El influjo está basado, como siempre sucede, en la *afinidad*. Juan Ramón hubiera sido romántico de todas formas, aunque el Romanticismo no hubiese existido antes. Una de las preocupaciones esenciales de sus aforismos —los de la primera época sobre todo— es la aprehensión del concepto de "sentimentalismo" para comprender y justificar por qué él era un "poeta sentimental". Después de la llegada del amor definitivo a su vida, las reflexiones sobre la sentimentalidad, los poemas empapados de lágrimas, y casi hasta los poemas simplemente amorosos, desaparecen de la Obra. R. Gullón, puesto a buscar la diferencia esencial entre la primera y la segunda época juanramoniana, halla que "la eliminación del sentimentalismo, la restricción emocional, da a las palabras un tono muy diferente"[27].

Vamos a analizar, pues, un poema lleno de sentimentalismo. Se trata de "Viento negro, luna blanca", aparecido en la *T.A.P.* como perteneciente a *Jardines lejanos* ("Jardines místicos"), pero no publicado anteriormente en esta obra. Podemos sospechar, entonces, que es "reviviscencia" posterior de algún original de la época de *Jardines lejanos*[28]. Pero, a diferencia de otros poemas "revividos", por ejemplo, el libro "Primeras Poesías (Anunciación y Rimas de sombra)", en que al poeta se le va la mano y nos da prácticamente otro libro de segunda época, aquí el espíritu del período original de composición y los procedimientos de estilo están conservados. El poema gana simplemente en condensación. Por eso lo hemos escogido como representativo: porque en sí mismo reúne tanto sentimentalismo como en todos los "Jardines místicos" juntos. El texto dice así:

---

[26] Vid., sobre todo, "A mi juicio" (1935), en *Estética y ética estética*, ob. cit., pp. 59-60, donde postula que la obligación de todo poeta español es, puesto que "los elementos fundamentales del romanticismo son permanentes, eternos", dar a España una obra poética romántica equiparable "a la de un Goethe, un Shelley, un Baudelaire. [...] Salvar en el siglo XX o en cualquier siglo [...] el romanticismo español del siglo XIX."

[27] *El último Juan Ramón Jiménez*, ob. cit., p. 12.

[28] En los *L.I.P.* no se encuentra recogido este original. Pensamos que tal vez la redacción primera de "Viento negro, luna blanca" fuera el poema VII de *Pastorales:* "No es así, no es de este mundo / vuestro son" (*P.L.P.*, pp. 543-544), también recogido con variantes menores en la *T.A.P.*, pp. 86-87. Comparando ambos poemas, de un intenso romanticismo los dos, notamos la superior densidad poética y brevedad fónica de "Viento negro, luna blanca".

(Par délicatesse
J'ai perdu ma vie.
A. RIMBAUD.)

1 *Viento negro, luna blanca.*
Noche de Todos los Santos.
Frío. Las campanas todas
de la tierra están doblando.

5 *El cielo, duro. Y su fondo*
da un azul iluminado
de abajo, al romanticismo
de los secos campanarios.

Faroles, flores, coronas
10 *—¡campanas que están doblando!—*
...Viento largo, luna grande,
noche de Todos los Santos.

...Yo voy muerto por la luz
agria de las calles; llamo
15 *con todo el cuerpo a la vida;*
quiero que me quieran; hablo
a todos los que me han hecho
mudo, y hablo sollozando,
roja de amor esta sangre
20 *desdeñosa de mis labios.*

¡Y quiero ser otro, y quiero
tener corazón, y brazos
infinitos, y sonrisas
inmensas, para los llantos
25 *aquellos que dieron lágrimas*
por mi culpa!
...Pero ¿acaso
puede hablar de sus rosales
un corazón sepulcrado?

—¡Corazón, estás bien muerto!
30 *¡Mañana es tu aniversario!—*

Sentimentalismo, frío.
La ciudad está doblando.
Luna blanca, viento negro.
Noche de Todos los Santos. (*T.A.P.*, pp. 96-97.)

Si nos preguntaran, después de una rápida lectura, qué sucede en este poema, apenas podríamos decirlo: Es la noche de Todos los Santos; el poeta se pasea y monologa su sufrimiento; y poco más. El "encanto" de este poema no está, pues, en lo que pasa: la anécdota es prácticamente inexistente. El encanto está en la atmósfera, de un romanticismo absoluto.

Esta atmósfera tiene, en un análisis racional, dos componentes: el "paisaje" (versos 1-12, más los cuatro versos finales) y el "personaje". Pero la emotividad, que no cambia de signo a lo largo del poema, nos presenta sólo un bloque romántico en el cual los dos elementos se interpenetran y se hacen equivalentes. Por su parte el metro escogido, el romance, contribuye con su fluidez a esta unidad del poema[29].

El paisaje viene dado subjetivamente, mediante superposición desorganizada de elementos románticos y adversos. Hay una percepción subjetiva del entorno; hay un yo inexpreso que va percibiendo uno tras otro los elementos del paisaje: el viento, la luna, la noche, las campanas, etc. De aquí la gran sensorialidad: la vista (viento negro, luna blanca, azul iluminado); el oído (las campanas doblan); la sensación térmica (frío, viento desagradable). El yo todavía no se ha manifestado explícitamente, pero su presencia ya está filtrando el paisaje —y presentándonos el poema como un continuum.

Por otra parte, el romántico malestar que va a desarrollar la segunda parte del poema, también aparece ya en la primera: todas las percepciones son románticas y son adversas al sujeto: la noche desapacible —dada por el viento y la luna, antitéticos y fantasmales—; la "noche de Todos los Santos" (a punto de desembocar en el fatal Día de los Difuntos); el frío; la decoración mortuoria ("faroles, flores, coronas"), incluso los campanarios, "secos", desprovistos de vida ellos también. Todo está superpuesto, en hostilidad creciente, para sugerir una atmósfera lúgubre irremediablemente invasora. Atmósfera cuyo clímax está en la hipérbole pleonástica "las campanas todas de la tierra están doblando", algo simultáneo, sobrenatural, ensordecedor, casi enloquecedor: las campanas doblan solas, todas las campanas doblan al mismo tiempo, animistamente.

Y tras un silencio largo, ortográficamente indicado mediante puntos

---

[29] Este romance tiende a dividirse en cuartetas, como el de Rimas (por ejemplo, en los versos correspondientes al paisaje), pero tan pronto como aparece el personaje, la división en cuartetas se interrumpe para dar paso a divisiones semánticas, y el sentido impone conjuntos de 8 + 8 + 2 versos, e incluso rompe en dos el verso 26. (Nótese, sin embargo, el exquisito sentido rítmico del poeta, que armoniza la división en cuartetas con la otra mediante una relación aritmética simple de múltiplos y quebrados: $8 = 4 + 4$; $2 = 4/2$.) Y de la ruptura (armónica) de la regularidad derivan efectos importantes de velocidad o movimiento para el poema: al tempo "maestoso" de las cuartetas sucede un tempo "appassionato" en los dos conjuntos de 8 versos y un tempo "largo", bien separado de su contorno por dos silencios, en los versos 29-30.

suspensivos iniciales, se repiten en anáfora versal ligeramente modificada los dos versos que abrían el poema, cerrándose así en círculo esta primera visión del lúgubre ambiente.

Como segundo movimiento de sinfonía, ahora aparece, esfumadamente traído por los puntos suspensivos iniciales, el romántico "yo". Es un "yo" misteriosamente "muerto". Su carácter espectral se refuerza con ese ir "*por la luz* agria de las calles"; no van simplemente por las calles, sino por la luz de ellas[30], como deslizándose, inmaterial. Pero tampoco la luz le es amiga: es "agria". El "yo" espectral sufre intensamente ("llamo con todo el cuerpo a la vida", "hablo sollozando"), quiere vida y amor ("quiero que me quieran"). La extremada agitación de su ánimo se traduce en los continuos encabalgamientos, abruptos a menudo. De manera inesperada, se pone a hablar, sollozando, "de amor a los que me han hecho mudo", y al hacerlo abre toda una serie de interrogantes y fantasías en el lector: ¿Le acompañan las almas de sus atormentadores de la antigua vida? ¿Cómo pudieron enmudecerle?..., etc. Nada nos aclara el enigma: sólo nos queda una dolorosa sensación de injusticia de la que ha sido víctima el "yo". Pero los versos que siguen nos dejan aún más confusos: el espectro tiene labios carnales vivos ("roja de amor esta sangre... de mis labios") y la víctima se nos muestra arrogante ("sangre desdeñosa"). ¿A qué carta atenernos?

Los versos siguientes invierten totalmente la posición de víctima del "yo", que aparece ahora como verdugo en la vida anterior, deambulante alma en pena que desea volver a la vida para redimirse. La culpabilidad estalla, "quiero ser otro"; el "tempo" alcanza su punto máximo de aceleración; el polisíndeton y la anáfora ("*y* quiero ser otro, *y* quiero...") nos muestran al yo obsesionado, atormentado. Y en cuanto el "tempo" se enlentece un poco al abordar el sufrimiento ajeno, el deseo —"quiero"— deja paso a la realidad fatídica: es imposible, el corazón está ya "sepulcrado", ya es tarde para amar[31]. El "yo" se desdobla en conciencia (viva) y senti-

---

[30] Este procedimiento estilístico de sustantivación de un adjetivo lógico ("calles *iluminadas*") fue muy utilizado por el Simbolismo francés. En la Obra juanramoniana —vid. *Españoles de tres mundos*— es muy frecuente.

[31] Fijémonos en las expresiones "brazos *infinitos*" y "sonrisas *inmensas*" que el poeta desea tener para desagraviar a los que le amaron. Lo desmesurado de sus deseos ("infinitos", "inmensas") le está condenando al fracaso, románticamente, por adelantado. Importa también subrayar que, dentro de la larga serie de poemas juanramonianos que expresan la culpabilidad —casi siempre por un "pecado de inhumanidad"— este poema es el que más se acerca al romántico arquetipo de los "guilt-haunted wanderers", los vagabundos acosados por una culpa: Caín, el Judío errante, el "Viejo Marinero" de Coleridge, etc. (Vid. Maud Bodkin, *Archetypal Patterns in Poetry. Psychological Studies on Imagination.*, London-Oxford-New York, Oxford University Press, 1974, pp. 53-60.)

miento (muerto), mientras la conciencia o razón amonesta: "¡Corazón, estás bien muerto! / ¡Mañana es tu aniversario!"

Y llegamos al tercer movimiento de la sinfonía, al recolector. El recuerdo de la Noche de Difuntos, que aparece ahora por segunda vez en el poema, acarrea todo el contexto ambiental del principio: el frío, las campanas que tocan a muerto, y —con repetición anafórica íntegra—, los dos versos primeros. Así pone en juego Juan Ramón uno de sus procedimientos compositivos favoritos: la *circularidad,* el finalizar el poema como lo empezó. Pero no exactamente igual. Junto con la tendencia al orden, a la simetría, representada por la composición circular, aparece la huida de la simetría perfecta, tendencia tan juanramoniana como la anterior, en ese quiasmo de elementos "Luna blanca. Viento negro"; en ese variar condensando los versos 3 y 4 en uno solo "La ciudad está doblando"; en el invertir la posición versal de la palabra "frío"; y en el introducir un nuevo elemento, que sintetiza todo el cuerpo del poema y sirve de unión entre él y el final: "Sentimentalismo".

Todo es armónico, pues, en el plano de la expresión: la armonía de la simetría con el esfumado ligero de la asimetría, la musicalidad del romance, fuerte y fugitiva a la vez, con sus asonancias discretas; y, sobre todo, en el plano del contenido, la gran armonía de elementos románticos. Nada desentona, todo es de un romanticismo esencial: la ambientación (luna, viento, Noche de Difuntos, doblar de campanas, frío) y el personaje (yo, muerto, simultáneamente víctima y culpable, condenado a errar buscando una redención imposible...). Pensamos en Bécquer ("El Miserere" sobre todo), en el "Don Alvaro o la fuerza del sino", incluso en el ambiente romántico y trasnochador del Madrid de comienzos de siglo. El personaje es vago, contradictorio, desesperado, espectro con cuerpo, obseso por el deseo irrealizable de amar y de vivir: romántico, en una palabra.

* * *

Rama particular de la poesía romántica, la poesía "idealizadora" parte también de la realidad subjetiva: de unos estados de ánimo complejos e intensos, objetivados en imágenes y palabras. Poesía que nace de una fuerte emoción, enfocada una y otra vez a lo largo del poema desde distintos ángulos complementarios hasta su expresión completa. Con frecuencia cristaliza en formas narrativas, como el romance, porque el deseo comunicativo intenta aprehender unas apariencias de hecho narrable; sin embargo, la *linealidad* característica de la narración es imposible en la expresión de las emociones. (Recuérdese la circularidad del romance "Viento negro, luna blanca", frente a la perfecta linealidad del también romance "En el balcón, un instante / nos quedamos los dos solos".) La emoción pide lo imposible: la expresión estática, la descripción atemporal. Al no estar "racionalizada" la emoción, filtrada por la razón y conformada en esquemas lógicos —lo anterior y lo posterior, la causa y el efecto, lo temporal y lo espacial, etc.—, la emoción intensa no puede comunicársenos linealmente. Su único medio de comunicación es la fragmentariedad, las pinceladas sucesivas equivalentes, la lucha por lo puntual y estático, frente al dinamismo y la temporalidad de la palabra humana. Poesía, pues, rebelde a los moldes expresivos: necesariamente estilizada.

Si algún rasgo específico tienen los poemas idealizadores frente a la categoría romántica englobante, es la unidireccionalidad de los sentimientos: todos, sean positivos o negativos, van en la misma línea y producen en el poema un tono sentimental uniforme. Si los sentimientos son adversos, la poesía idealizadora produce sátiras, estilizaciones caricaturescas, como la titulada "Anadena de Bocarratón" (*T.A.P.*, p. 897); si los sentimientos son positivos, poemas como el que vamos a comentar. Pero nunca sentimientos encontrados y contradictorios, como los de "Viento negro, luna blanca". Para nuestro comentario hemos escogido un poema de idealización positiva, primero por ser los más frecuentes dentro de esta dirección, y segundo, por considerar que la altura estética de los positivos es mayor que la de los negativos. Este poema pertenece a *Estío,* parte 1.ª: "Verdor":

MAYO

1   *Iba, blanca y tierna, entre*
los brotes rubios y verdes...

Adonde daba su frente,
oriente era. Lo fuerte,
5   *a su mudo pesar leve,*
se caía, vano y débil.
Estaba encima y ausente
de todo, y todo, envolviéndole
el corazón trasparente,
10 *la hacía una y perene,*
como la vida a la muerte.

—Como a la vida. Su nieve
era inmortal y celeste.
Nevada del suelo al cénit.—

> 15   Pasó, sin irse. Indeleble
>   y absorto, quedó el presente
>   mirando su huída, siempre...
>   (L.P., p. 93.)

Como en el poema romántico anteriormente analizado, tenemos dificultad para decir de qué se trata aquí después de una primera lectura. Percibimos una atmósfera de primavera y una figura femenina, irreal. Una imagen pictórica nos viene con insistencia: el cuadro de La Primavera, de Botticelli, y concretamente la figura de Flora. Finura de trazo, delicadeza, ambigua expresión. Un movimiento de vuelo breve y esfumado, movimiento reiterado una vez y otra en el poema, contribuye a la impresión fugaz y mágica de la figura femenina.

Parece que Juan Ramón está poetizando abstraído, inmerso en una emoción suave e intensa que le aísla de la realidad. Las palabras dan la impresión de escapársele como de un manantial semioculto. ¿Habla con nosotros? No sabríamos decirlo: sí y no. Hay elementos en el poema que nos inclinan hacia el sí: El metro octosílabo uniforme, metro narrativo, de romance; el tipo de octosílabo predominante, "mixto a" en la terminología de Navarro Tomás, apto para el "movimiento del diálogo y del relato"; y también el tiempo imperfecto de indicativo, que recorre todo el poema hasta llegar a la paraestrofa final: "iba", "daba", "se caía", "estaba", "la hacía", "era". Pero otros elementos nos inclinan hacia el no: La igualdad de rima en todos los versos, que produce esa impresión de vuelta al principio, de vuelo breve, esfumado en su final, y recomenzado siempre; el esfumado final de cada movimiento versal, creado por la reiteración de la misma vocal media; el estatismo de los verbos, en mayoría intransitivos y reflexivos, negando así las apariencias narrativas; y sobre todo la elipsis de sujeto —la ambigüedad esencial de esa figura femenina protagonista ¿persona, personificación de concepto, símbolo?— y las frecuentes paradojas y metáforas irracionales. En análisis final, hallamos más elementos no narrativos que narrativos, y pensamos que en realidad Juan Ramón se habla a sí mismo, intenta describir, autoexplicarse la fuente de su estado emocional; y nosotros lectores permanecemos en un segundo plano de su conciencia, casi al nivel de cosa amiga acompañante de su espíritu. Como en los poemas del verdadero Romanticismo, la función expresiva impera sobre la apelativa y sobre la significativa; como en ellos, el público es el pasivo consumidor de sus obras, en el mejor de los casos: no cuenta a la hora de escribir; como en los poetas del verdadero Romanticismo, la Lírica es la Poesía: la didáctica versificada, la poesía retórica, la poesía narrativa, todas aquellas formas que se dirigen a un público o que intentan comunicarle mensajes racionales o incitaciones, son formas espúreas. El único fin de la Poesía es la manifestación del yo más profundo, la exploración de la función imaginativa y de las zonas liminales y subliminales de la conciencia: el sueño, los presagios, el mundo intrapsíquico[32].

Siguiendo el hilo del poema, encontramos primero una figura innominada pero femenina, "blanca y tierna", en movimiento lento ("Iba"), en un ambiente primaveral, "entre los brotes rubios y verdes...". Hay correspondencia perfecta entre la emoción sugerida por la figura "tierna", y la sugerida por el paisaje, "brotes", y la convergencia nos hace imaginar la figura como personificación —"alma", diría Juan Ramón— de ese paisaje primaveral. Esa delicadeza, esa debilidad de la vida naciente, oculta una fuerza avasalladora, mágicamente invencible: "Lo fuerte / a su mudo pasar leve, / se caía, vano y débil." Y la omnipotencia sobrenatural de esa figura culmina, antilinealmente, en los versos 3-4: "Adonde daba su frente, / oriente era." ¿Cabe mayor poder que dominar el día y la noche, producir con su presencia y su pensamiento ("su frente") la salida del sol? La idealización alcanza aquí extremos de grandiosidad. Y esa desmesura es precisamente lo que nos pone en guardia contra la interpretación que sugerían los versos 1-2: la figura como "alma de la primavera" (en palabras de Antonio Machado). No se trata de una *alegoría* de la primavera y del renacer de la naturaleza —como podríamos pensar guiándonos por el título del poema— sino de una "proyección" del poeta sobre una mujer. Muy cerca del lenguaje popular ("eres mi *norte* y mi guía"), el poeta encuentra en ella el origen de toda vida —es la primavera— y de toda luz —crea el oriente.

Los versos 7-14 continúan describiéndola como una diosa: por encima "y ausente / de todo". Ella no está ligada a la Naturaleza, pero la Naturaleza se le somete como amiga: "y todo, envolviéndole / el corazón trasparente, / la hacía una y perene". Con esta palabra, "perene", se reitera el carácter de inmortal que ella posee, al tiempo que se introduce un factor rebajante: es la naturaleza la que *la hace* —luego no *es*— "una y perene". Siguiendo por esta vía, la palabra "perene" le trae, por asociación de ideas, una comparación que establece el puente con preocupaciones muy de segunda época: "como la vida a la muerte". Pero al llegar aquí, Juan Ramón se da cuenta del descenso en la idealización: está comparando a la Naturaleza con la vida y a "ella" con la muerte. Y la muerte es un ser alto, pero

---

[32] Sobre este tema puede verse el magnífico libro de Albert Béguin, *L'âme romantiqué et le rêve*, París, Corti, 1960.

no absolutamente positivo como "ella". Entonces rectifica en tres versos entre guiones (12-14) y acentúa la blancura, la bondad total de ella, cualidades ya apuntadas previamente en "blanca y tierna" y "corazón trasparente": "—Como a la vida. Su nieve / era inmortal y celeste. / Nevada del suelo al cénit—." La rectificación borra parcialmente la comparación anterior de "ella" con la muerte; pero los ecos restantes siguen filtrándose en las palabras que prolongan el poema, y las metáforas compuestas "Su nieve era inmortal y celeste" y "Nevada del suelo al cénit", engrandecedoras en grado sumo, nos evocan simultáneamente lo sobrehumano de "ella" y cierto carácter marmóreo, estatuario, perfecto pero sin vida. Notamos al poeta luchando con las palabras para fijar la imagen idealizada de "ella", y la traición de las palabras, que transmiten el fondo inconfesado de la emoción positiva: el miedo a lo sobrehumano y gélido de ella, por debajo de la enorme admiración.

Los versos siguientes, sin embargo, consiguen suprimir esas desagradables sugerencias escultóricas mediante la nueva animación de la figura, que enlaza con el movimiento inicial del poema, el verbo "ir", aquí reiterado en paradoja: "Pasó, sin irse." Ella pasa pero su huella queda en el poeta, el cual una vez más objetiva en personificaciones ("quedó *el presente* mirando") y en cosificaciones ("mirando *su huida*") la huella que esta mujer ha dejado en él. La intemporalidad, o mejor dicho, la ruptura y trastueque de lo temporal —transcripción fiel de la vivencia del poeta enamorado, simultáneamente sujeto a lo anecdótico temporal y a la destemporalización amorosa— domina estos tres versos y motiva las paradojas: "Pasó, *sin irse. Indeleble / y absorto,* quedó *el presente / mirando* su huída, *siempre...*"

Poesía arraigada en la emoción, en el fuerte impacto que Zenobia produjo en el poeta, "Mayo" alude doblemente al *momento temporal* en que se localiza el poema —por ser *Estío* un "diario"— y a la imagen sintética de la amada: fuente de toda luz, vida y blancura del mundo.

LA POESÍA ESTETICISTA

En toda la Obra juanramoniana encontramos una búsqueda intensa de belleza; pero el período entre 1902 y 1914 es seguramente el más radical en esta búsqueda, el más rico en novedades. (Y a él se refería posiblemente el poeta en sus célebres versos: "Luego se fue vistiendo / de no sé qué ropajes / y la fue odiando sin saberlo. // Llegó a ser una reina / fastuosa de tesoros", etc.)

Desde *Arias tristes* hasta *Sonetos Espirituales*, la influencia modernista primera decrece en Juan Ramón y aumenta la del Simbolismo francés (una de las fuentes, por otra parte, del Modernismo). Siguiendo, a sabiendas o inconscientemente, el precepto verlainiano "de la musique avant toute chose", nuestro poeta estructura sus poemas musicalmente: el tema es una simple apoyatura para desencadenar sugerencias armónicas y sentimentales. *Arias tristes, Jardines lejanos* y *Pastorales* siguen este camino, ejemplificado parcialmente en el poema que analizábamos hace poco: "Viento negro, luna blanca". Pero vamos a ver ahora con más detalle uno de estos poemas anclados en una impresión auditiva: "Canción de invierno", del libro inédito "La frente pensativa":

CANCION DE INVIERNO

> 1　　*Cantan. Cantan.*
> *¿Dónde cantan los pájaros que cantan?*
>
> 　　*Ha llovido. Aún las ramas*
> *están sin hojas nuevas. Cantan. Cantan*
> 5　*los pájaros. ¿En dónde cantan*
> *los pájaros que cantan?*
>
> 　　*No tengo pájaros en jaulas.*
> *No hay niños que los vendan. Cantan.*
> *El valle está muy lejos. Nada...*
>
> 10　　*Yo no sé dónde cantan*
> *los pájaros —cantan, cantan—,*
> *los pájaros que cantan.*
> 　　　　(*L.I.P.*, 2, p. 216, y *T.A.P.*, p. 335.)

Todo este poema está construido en torno a un estímulo auditivo: el trinar de unos pájaros invisibles. Y la composición de vocabulario nos lo indica con claridad: la palabra "cantan" aparece trece veces a lo largo de este breve poema; la palabra "pájaros", seis veces, y la palabra "dónde", tres. En esquema:

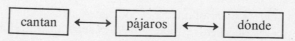

Gráficamente —y también genéticamente, pensamos— la sensibilidad del poeta recibe un fuerte impacto auditivo, de positivo signo estético: oye unos cánticos especiales, hermosos; los identifica como trinos, cantos de pájaros; y se pregunta por su procedencia, "dónde" están esos pájaros cantores. El orden de la percepción concuerda, pues, con la importancia numérica de las palabras. Aristotélicamente, lo primero es la impresión sensorial y lo segundo el ejercicio de la capacidad lógica, la cual procede por operaciones sucesivas de progresiva abstracción. El orden de aparición en el poema es similar: En el primer verso, la impresión auditiva, dada en forma impersonal y repetidamente (palilogía): "Cantan. Cantan". Y luego en el segundo verso, ya en forma personal, la reflexión lógica: "¿Dónde cantan los pájaros que cantan?" (Queda elíptico, para la intensificación estética del poema, el paso intermedio: la identificación del cántico con el "trino" o cantar propio de pájaros.) Sin embargo, todos estos datos aparecen con claridad sólo en el análisis. Lo que nos ofrece la lectura ingenua del poema es la magia incantatoria de una reiteración verbal, la imagen auditiva obsesionante de un cántico en el que nos sentimos sumergidos sin poder pensar en otra cosa. (Y una vez más el análisis confirma y explica la intuición de la lectura, pues el porcentaje de aparición de la palabra "cantan" supera ampliamente incluso la suma de los otros dos elementos compositivos.)

Otro gran factor que contribuye a la magia musical de este poema, junto con la reiteración de esas tres palabras, es *su distribución en el poema*, irregular a primera vista. Pero avanzando en el análisis descubrimos un orden en ese caos, aunque un orden no simétrico: orden musical y no de arte plástica.

En primer lugar, la distribución de las rimas. De los doce versos que integran el poema, nueve terminan con la palabra "cantan" y los otros tres repiten la misma rima asonante "—*áa*": "ramas", "jaulas" y "nada"[33]. Todos los versos son, pues, monorrimos, lo cual contribuye a la no linealidad del poema, a su vuelta atrás continua, a la creación de esa obsesión de musicalidad. La posición versal privilegiada, la posición de la rima, está masivamente acaparada por la palabra central del poema, y esta posición intensifica los efectos que la frecuencia de la palabra "cantan" produce: Es como su caja de resonancia, esta posición.

La palabra "pájaros", segunda en importancia, tiende a situarse en la segunda posición privilegiada del verso: la posición inicial. Los versos 5-6 y 11-12 —es decir, cuatro de las seis apariciones de esta palabra— comien-

---

[33] Nótese cómo estas palabras pertenecen también al reducido campo semántico del poema; por tanto, lejos de distraer, refuerzan el mensaje. Compositivamente, actúan como armónicos de la palabra-rima "cantan": evitan su reiteración absoluta en todos los versos, evocando los otros dos elementos tectónicos: "ramas" ('pájaros'), "jaulas" ('pájaros') y "nada" ('no sé dónde').

zan por "los pájaros". Sus otras dos apariciones, en los versos 2 y 7, son en cambio interiores. Compensándolo, dos palabras asociadas semánticamente con "pájaros" logran situarse en posición final de verso: "ramas" y "jaulas".

Finalmente, la tercera palabra estructuradora del poema, "dónde", sólo consigue una vez la posición final de verso, y nunca la inicial. Pero sus "variantes" semánticas ocupan en un caso la posición final ("Nada...") y en otros dos la inicial: "*No* tengo pájaros"..., "*No* hay niños que los vendan". La distribución de las tres palabras-clave es, pues, profundamente sabia. Su apariencia caprichosa puede derivar del juego de alternancias entre aparición de la palabra marcada, no aparición, y aparición de variantes semánticas. Así, Juan Ramón —inconscientemente, creemos— estructura el poema con un orden musical, fugitivo, difícilmente capturable, pero cuyos efectos (insistencia obsesiva, clima mágico producido por el canto) se nos imponen.

Y si del análisis de las palabras pasamos al análisis de la composición global, volvemos a encontrar los mismos resultados a otro nivel. La *estrofa*, primeramente: silva de base impar —pero con dos excepciones— dividida en cuatro paraestrofas que giran en torno al musical número 3: dos - cuatro - tres - y tres versos totalizan los doce del poema (que en una distribución "simétrica" se hubieran repartido en cuatro estrofas de tres versos). El esquema numérico de las sílabas del poema es: 4 - 11 // 7 - 11 - 9 - 7 // 9 - 9 - 9 // 7 - 8 - 7. Significativamente, los versos "excepcionales", es decir, los pares, corresponden a contenidos altamente representativos del poema: "Cantan. Cantan." y "los pájaros —cantan, cantan—,". Con lo cual se neutralizan recíprocamente el excesivo peso semántico y la deficiencia fónica, equilibrándose en una armonía antisimétrica. Y el mismo fenómeno, pero invertido, lo hallamos de nuevo en la paraestrofa tercera, la más regular desde el punto de vista fónico (nueve - nueve - y nueve sílabas), pero la más irregular desde el punto de vista semántico, donde las "variantes" se concentran y las palabras-clave aparecen mínimamente: una vez "cantan", una vez "pájaros", y ninguna vez "dónde". Armonía de contrapunto, en medio de la estructura libérrima y armónica de la silva modernista.

Finalmente, hay otro importante factor responsable de la armonía musical en este poema: el estribillo (tema principal), desarrollado a lo largo del poema en forma de fuga. En los versos 1 - 2 hace su aparición primera y arquetípica: "Cantan. Cantan. / ¿Dónde cantan los pájaros que cantan?" En los versos 4 - 5 - y 6, —casi inmediatamente— reaparece, semejante a la vez anterior pero ya modificado por la reiteración de una palabra-clave, "los pájaros", y sobre todo por la diferente distribución del tema entre los versos: " ... Cantan. Cantan / los pájaros. ¿En dónde cantan / los pájaros que cantan?". Viene luego una especie de paréntesis contrapuntístico, la paraestrofa tercera, muy regular métricamente pero muy diferente de las otras en el plano significativo: Enlaza con los versos 3 y parte del 4, "Ha llovido. Aún las ramas / están sin hojas nuevas.", desarrollando el tema segundo, de signo lógico, de la "ausencia de pájaros en invierno". La paraestrofa tercera prolonga ese tema agotando todas las posibilidades de encontrar canto de pájaros en invierno: "No tengo pájaros en jaulas. / No hay niños que los vendan. Cantan. / El valle está muy lejos. Nada...". Y tras esta paraestrofa, viene la última, que vuelve al tema principal, acústico, al tema dado por el (métricamente) estribillo: "Yo no sé *dónde cantan* / los pájaros —*cantan, cantan—, / los pájaros que cantan.*" Para mayor claridad, hemos subrayado los elementos de la primera aparición del tema principal. Observamos en seguida que el orden de los elementos es ya diferente: el "Cantan. Cantan" inicial del poema, aquí aparece subordinado, en guión parentético, a los elementos de signo lógico englobadores: lo secundario, lo reactivo, lo lógico, ha pasado a ser principal. Por otra parte, esta tercera aparición del tema principal recoge la modificación de la segunda aparición: ..."cantan / *los pájaros*". Y, además, modifica su primer verso para responder al segundo elemento del estribillo o tema principal en su primera aparición, *cerrando así el poema y su interrogante misteriosa:* "¿Dónde cantan los pájaros que cantan? / / [...] / / *Yo no sé* dónde cantan / los pájaros..."

En otras palabras, llamando *A* al primer elemento del estribillo y *B* al segundo; llamando *A', B', B"*, etc. a las modificaciones de los respectivos elementos, y *b* al "los pájaros" que se introduce en la segunda aparición, tendríamos el siguiente esquema:

Apariciones:	Primera	Segunda	Tercera
	A	*A'*	*B"*
	B	*bB'*	*bA'*
		B'	*B'*

Reiteración y modificación se alían para crear —a cuantos niveles analicemos este poema— estructuras musicales. Con la música, sugerencias múltiples, y tras la música, una atmósfera de misterio.

* * *

Este poema que acabamos de analizar es seguramente una cumbre dentro de la "inefabilidad" juanramoniana. Poema construido sobre una impresión auditiva, es buena muestra de la rama "musical" de poemas esteticistas; pero dentro aún de esta corriente podemos encontrar otras ramificaciones importantes: la "colorista", la "erótica" y la "decadente".

Dentro de la dirección colorista o cromática, vamos a analizar un poema digno de esa maravilla musical que acabamos de comentar: Corresponde al año 1906-1907. Juan Ramón, ya muy mejorado de su enfermedad psíquica, deja Madrid en 1905 para vivir en el seno de la familia. Al volver a Moguer, a la luminosidad y los colores andaluces, dejando atrás los conciertos madrileños —que tanto añorará en esta época, como sabemos por sus cartas—, el color se convierte en principal elemento estructurador de una serie de poemas. (Y haciendo esto tampoco se sale del Simbolismo, sino que adopta otra de sus líneas directivas.) *Baladas de primavera,* 1907, es seguramente el libro cumbre dentro de esta corriente colorista. Libro alegre, construido[34], algo desdeñado por el poeta ("Estas baladas son un poco exteriores; tienen más música de boca que de alma; el corazón, en el campo, se pone rojo".), las *Baladas* miran discretamente a Francia[35] y a la poesía trovadoresca, en su búsqueda consciente de belleza formal. De este espléndido libro vamos a comentar la "Balada de almoraduj"[36]:

> *1   Yo iba cantando... La luna blanca y triste*
> *iba poniendo medrosa la colina...*
> *Entonces tú, molinera, apareciste*
> *blanca de luna, de flores y de harina.*

---

[34] Ni a este libro ni a otros de la época ("Baladas para después", "Odas libres", etc.) pueden aplicarse las palabras del poeta en su citada carta a Cernuda: "En cuanto a la construcción, la 'estructuración' (¡qué palabreja de la jeneración injeniera!) yo no hago el frasco, ni la esencia en el frasco; yo hago la esencia. [...] Soy, fui y seré platónico. La espresión alada, graciosa, divina, y nada más, nada menos. Que otros sean los albañiles o los panaderos plásticos del idioma español. Si, como creo, el verbo ha de ser, en el fin tanto como en el principio, es porque es inefable." (*La corriente infinita,* p. 178.) Que la "construcción" de estos libros no la haya realizado Juan Ramón en frío, sino movido por un impulso musical y colorístico, nos parece cosa muy probable. Pero esto no significa ausencia de "construcción".

[35] La dedicatoria del libro nos muestra sus predilecciones de entonces: "A Andrés González-Blanco, en provincia, *como Jules Laforgue."* (La cursiva es nuestra.)

[36] Recogida y "revivida" en *Canción,* pp. 87-88. Hemos dudado mucho entre incluir la versión primera o la última. En favor de la segunda están los siguientes cambios, que nos parecen mejorar —aún— el poema: *1)* En el verso 4: "blanca de luna, de *nardos* y de harina"; *2)* En el 8: "entre el *almoraduj* de la colina"; *3)* En el 21: "*Alboreaba...* La luna *rosa* y triste". Y sobre todo, *4)* la variación del último estribillo, que armoniza con la "luna rosa": "estabas rosa de luna, almoraduj". Las restantes modificaciones nos parecen poéticamente indiferentes, y alguna, poco afortunada. La versión primera, en cambio, ofrece una simetría mayor y es algo más espontánea.

5   *Almoraduj del monte, tú*
estabas blanco de luna, almoraduj.

—*"Blanca, ¿qué buscas?"— "Estoy cogiendo luna*
entre las rosas de olor de la colina.
Yo quiero ser más blanca que ninguna,
10 *mas qué Rocío, que Estrella y que Francina."*

Almoraduj del monte, tú
estabas blanco de luna, almoraduj.

—*"Tú eres más blanca que el más blanco lucero,*
más que Rocío, que Estrella y que Francina,
15 *tus manos blancas alumbran el sendero*
blanco que va bajando la colina.

Almoraduj del monte, tú
estabas blanco de luna, almoraduj.

Entonces tú, molinera, me prendiste
20 *un beso blanco de flores y de harina.*
Ya iba cantando... La luna blanca y triste
iba poniendo de aurora la colina...

Almoraduj del monte, tú
estabas blanco de luna, almoraduj.

                    (P.L.P., pp. 746-747.)

El encanto de este poema, que ha atraído ya un comentario certero[37] estriba, sí, en el candor abrileño de la anécdota (la muchacha pobre que recoge luna para volverse más blanca que las blancas amadas del poeta y obtener su amor), pero por encima del agrado de este "sueño sonriente" está la magia cromática y musical del poema: aquí los valores formales desbordan a los semánticos, aunque, muy juanramonianamente, la "naturalidad" del poema oculte el "artificio" en la lectura directa, y sólo podamos ver la construcción del poema a través del análisis.

El cromatismo es seguramente lo primero que vemos: el color blanco domina a lo largo del poema: *"luna blanca", "blanca de luna,* de flores y de *harina", "blanco de luna"* (tres veces, en el estribillo), "cogiendo *luna",* "más *blanca* que ninguna", "más *blanca* que el más *blanco lucero",* "tus manos *blancas", "*sendero *blanco", "*beso *blanco* de flores y de *harina",*

"luna blanca". Es un color blanco mágico, raras veces mate (harina, flores, sendero blanco), casi siempre *luminoso:* blanco de luna, blanco lucero —hasta los nombres propios desprenden luz: Rocío, Estrella—; blanco luminoso que culmina en la metáfora más bella del poema (metáfora mágica también):

tus manos blancas alumbran el sendero

En la versión de *Baladas de primavera* que comentamos, el color blanco viene motivado por el nombre verdadero de la muchacha, "Blanca", su novia de entonces[38], y la tendencia del poeta hacia la simetría, mayor en estos años, le hace repetir más la nota de blancura: "—Blanca, ¿qué buscas?", pregunta en el verso 7; el verso 13 insiste: "Tú eres más blanca que el más *blanco* lucero"; el verso 21 repite la blancura: "La luna *blanca* y triste"; y el estribillo final es idéntico a los anteriores: "*blanco* de luna". En cambio, la versión de *Canción,* respondiendo a un deseo mayor de asimetría, termina el poema con variación cromática: "La luna *rosa* y triste", "estabas *rosa* de luna, almoraduj".

Respecto a la musicalidad del poema, tenemos en primer lugar el uso de estribillos, característicos del género "canción" para el poeta. Además del estribillo, que ocupa los versos 5-6, 11-12, 17-18 y 23-24, tenemos versos anafóricos en abundancia: el 1 y el 21, el 2 y el 22, el 3 y el 19, el 4 y el 20, el 10 y el 14[39]. Entre unas repeticiones versales y otras, el poema adquiere un carácter altamente reiterativo, circular, des-semantizado, musical. Tenemos también el uso de una misma estrofa a lo largo del poema, el serventesio dodecasílabo. Pero, sobre todo, tenemos el procedimiento musical de las *rimas de palabras aparejadas* en los versos pares, rimas consonantes siempre. En la versión de *Baladas,* al artificio de las rimas de palabras aparejadas se une el de la perfecta *simetría en espejo* de las mismas:

---

[38] El carácter "literario" y no vivencial de este libro se revela también en esta transformación fantástica que hace de su novia, la acomodada Blanca Hernández-Pinzón (descendiente de los compañeros de Colón en el descubrimiento de América): el poeta la transforma en una humilde molinera que busca su amor.

[39]

Yo *iba cantando... La luna blanca y triste*
iba poniendo medrosa *la colina...*
Entonces tú, molinera, apareciste
blanca de luna, *de flores y de harina".*

"Entonces tú, molinera, me prendiste
un beso blanco *de flores y de harina.*
Yo *iba cantando... La luna blanca y triste*
iba poniendo de aurora *la colina..."*

'más que Rocío, que Estrella y que Francina'.   'más que Rocío, que Estrella y que Francina'.

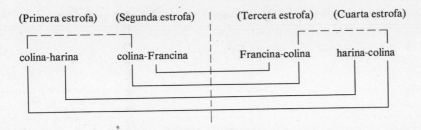

Pero el lector de la "Balada de almoraduj", naturalmente, no se da cuenta de esto al tomar contacto con el poema. No se da cuenta siquiera de que está escrito con rima consonante: milagros de la "naturalidad" juanramoniana. El lector simplemente, sin palabras, queda bajo el encanto (musical y colorístico aquí) de la "inefabilidad" de Juan Ramón.

* * *

Dentro de la poesía esteticista, y conexionada a menudo con la rama cromática, la poesía *erótica* juanramoniana se desarrolla por estos mismos años, 1907-1912. Poesía casi siempre no vivida, basada en reminiscencias literarias o de otras artes; por ejemplo, la "Balada triste de los tres besos" toma su punto de partida en unos versos de *Hamlet*; y esta estrofa, de *La soledad sonora,* procede —creemos— de la famosa "Venus" de Giorgione:

La brisa era infinita. Tú dormías, desnuda...;
tus piernas se enlazaban en cándido reposo,
y tu mano de seda, celeste, ciega, muda,
tapaba, sin tocarlo, tu sexo tenebroso.
(*P.L.P.*, p. 1022.)

Poesía fantástica o filtración muy remota de la realidad juanramoniana, que se plasma preferentemente en prosa: las "Baladas para después" (1908), estilizadas por los juegos de colores y chirriantes por la crudeza del deseo, son seguramente el libro-cumbre en esta corriente. Cerca de este libro, no publicado en vida del poeta, otro libro también —significativamente— inédito, pero ahora en verso: "Libros de amor" (1911-1912). Y luego, entre las obras editadas por el poeta, algunas partes de libros, como los grupos "Francina en el jardín" y "Perfume y nostalgia" de *Poemas mágicos y dolientes* (1909); o bien poemas diseminados a lo largo de *Elegías, La soledad sonora, Laberinto* y *Melancolía.*

Entre todo este arsenal, hemos seleccionado uno de los poemas más famosos —si bien no de los más verdes— de Juan Ramón, precisamente perteneciente al grupo "Francina en el jardín":

II

"... rit de la fraîcheur de l'eau"

VICTOR HUGO

1   *Con lilas llenas de agua*
le golpeé las espaldas.

Y toda su carne blanca
se enjoyó de gotas claras.

5   *¡Oh carne mojada y cándida*
sobre la arena perlada!

La carne estaba más pálida
entre los rosales granas;

como manzana de plata
10 *fresca de estrellas y escarcha.*

... Corría, huyendo del agua,
entre los rosales granas.

Y se reía, fantástica;
la risa se le mojaba...

15   *Con lilas llenas de agua*
corriendo, la golpeaba...
(L.P., p. 1112.)[40]

---

[40] En la *T.A.P.* también aparece este poema, en la p. 173. Las principales variantes de esta versión respecto a la que comentamos de *Poemas mágicos y dolientes* son: 1.º El verso 5, que dice "Ay, fuga mojada y cándida," en vez de "¡Oh carne mojada y cándida", y la justificación de este cambio nos parece que es el aparecer la palabra "carne" del verso quinto en tres posiciones bastante próximas: en los versos 3, 5 y 7. Sustituyendo la "carne" del verso quinto por "fuga", espacia las otras dos apariciones. En cuanto a la sustitución de "¡Oh" por "¡Ay", nos parece que se debe al deseo de eliminar, en su segunda época, las connotaciones románticas y retóricas del "¡oh!" y revalorizar el "¡ay!", muy frecuente en el folklore andaluz. 2.º La segunda modificación mayor en la *T.A.P.* (que sigue en todo a la *Segunda Antolojía Poética*), es la fusión de los versos 7-8-9 y 10 en un bloque parentético, separado del resto del poema mediante guiones. La causa de esta modificación, similar a la que introduce en otros muchos romances de la primera época, nos parece que es el deseo de romper la periodicidad absoluta en la tipografía: Dos versos más dos, más dos... etc. Durante los últimos años de su primera época y en largos períodos de la segunda, Juan Ramón siente una auténtica compulsión por romper las posibles simetrías de sus poemas, en cualquier nivel que se hallen, para establecer nuevos acordes armónicos con simetría alterada. (Podríamos comparar esta compulsión, que es en el fondo explora-

El encanto de este poema es doble: estético y erótico. El encanto estético procede de la sutil armonización de elementos hermosos en el poema; el encanto erótico, de la situación en sí: una bella joven, desnuda —cómo no—, corriendo por un jardín[41], y golpeada por el poeta con un ramo de lilas mojadas. Obsérvese que cada uno de estos elementos situacionales encierra a su vez, en el plano de los símbolos y arquetipos imaginativos, cargas eróticas importantes: la desnudez femenina; la carrera de la hembra que atrae más al macho fingiendo huir de él; el sadismo por parte del hombre y el masoquismo por parte de la mujer del "dar / recibir golpes" —si bien es un discreto sadomasoquismo el de este poema: los golpes son "con lilas llenas de agua"[42]—. Incluso el atractivo sexual del agua clara, símbolo de la mujer joven[43]. Y, sobre todo, *la inverosimilitud de la situación,* lo increíble de todos sus elementos juntos, humus imprescindible para que germine el encanto erótico.

El punto de partida para el poema nos parece que ha sido precisamente el texto de Víctor Hugo del cual cita Juan Ramón un fragmento. La sensación que la lectura le ha dejado es básicamente estática, aunque contenga algún elemento dinámico, como los verbos de movimiento "correr" y "golpear", y la alternancia de tiempos verbales (pretérito indefinido en los cuatro primeros versos, e imperfecto en los versos 7-16). El estatismo, sin embargo, domina, y su razón es el mismo punto de partida del poema, la impresión que se expresa en los dos versos primeros: "Con lilas llenas de agua / le golpeé las espaldas"[44]. Acción puntual —de ahí el uso del indefi-

---

ción de nuevos caminos estéticos, con la que llevaba a Ravel y a Listz en sus últimos años a tocar con instrumentos desafinados, buscar nuevas armonías aparejando notas discordantes, etc.). 3.º La tercera gran modificación afecta al verso primero y al cuarto de esa cuarteta parentética (versos 7 y 10). El verso 7 queda así, sublimado por los problemas trascendentes de la segunda época: "—La carne *moría,* pálida,"; y el 10 así: *"amanecida de escarcha"* (esta metáfora resulta ininteligible por el doble salto metafórico, a menos que tengamos en consideración la metáfora-puente: *"fresca de estrellas* y escarcha"). En resumen, como consideramos más espontánea y viva la versión de *Poemas mágicos y dolientes,* la hemos seleccionado para este comentario.

[41] La lectura aislada de este poema quizás no sugiere suficientemente el "jardín": sólo el sintagma "arena perlada" nos lo da, y podría hacernos pensar más bien en una *playa.* Sin embargo, el ciclo en el cual este poema está inserto se titula "Francina en el jardín", y los poemas que acompañan a éste, n.º II de los siete que componen el ciclo, se sitúan reiteradamente en un escenario de "jardín". "Arena perlada" es, entonces, la del sendero del jardín con rocío o humedad.

[42] En la versión de este poema que ofrece *Canción* se acentúa este elemento: Se titula el poema "La castigada", y los dos últimos versos dicen: "Con *varas* de lila y agua, / corriendo la golpeaba."

[43] Cf. Gaston Bachelard, *L'eau et les rêves,* Paris, Corti, 1942.

[44] El uso del plural "las espaldas" por el singular más frecuente, suena aquí un tanto a galicismo ("les épaules": los hombros), posible por la reciente lectura del texto francés. Si no es galicismo, la situación no mejora, pues el plural "las espaldas" se usa siempre en situaciones antipoéticas y arroja connotaciones de cargador de puerto sobre la persona que tiene "espaldas": "buenas espaldas", "espaldas anchas", etc.

nido—, breve en sí y poco dinámica. El resto del poema se limita a prolongar esa impresión estética mediante un conato de descripción, lo que probablemente motiva el uso del octosílabo, el metro del romance; si bien el carácter no narrativo de estos octosílabos queda patente en la rima continua "—áa" que incide sobre todos los versos, creando estatismo, movimiento frenado poco después de iniciarse. En realidad, en los versos que siguen a los dos primeros, el poeta se limita a darnos las implicaciones de esos versos nucleares.

Procede primero por adición de otros dos versos de gran belleza visual, conexionados con la imagen también visual de la espalda golpeada: "Y toda su carne *blanca* / se enjoyó de gotas *claras.*" La dos notas cromáticas, "blanca" y "claras", se superponen a la de "lilas" desprendida del verso primero, y crean ya una atmósfera pictórica, irreal, mientras la metáfora "enjoyó" subraya por su parte estos mismos valores.

Al llegar aquí el espíritu del poeta se extasía ante el espectáculo imaginado (decimos "imaginado" porque los mismos verbos en indefinido, desconectados del presente, nos indican la rememoración de esa imagen artística). Y surgen otros dos versos, con verbo elíptico, sugerentes de intemporalidad, de suspensión del tiempo ante el espectáculo de la belleza: "¡Oh carne mojada y cándida / sobre la arena perlada!". El poeta sigue dilatando la progresión versal mediante un procedimiento de "leixa-prende", repitiendo en la nueva pareja de versos algo de los anteriores —en el primer verso— y añadiendo algo nuevo —en el segundo— próximo también a alguno anterior: El "¡Oh *carne* mojada y *cándida*" reitera semánticamente el "Y toda su *carne blanca*", mientras la metáfora "perlada" del verso sexto enlaza con "enjoyó" y con "gotas claras" del verso cuarto.

La suspensión del tiempo en los versos 5-6 tiene una consecuencia importante: cuando el poeta intenta reanudar su descripción, su espíritu ha cambiado, como el de los místicos al salir del éxtasis. Afectivamente, ha comenzado a participar en esa imagen artística, distante, con la que había jugado al principio. El uso de los tiempos verbales nos lo revela: no ya el puntual y concluso indefinido, más propio de la imagen literaria muerta, sino el pretérito imperfecto, la pervivencia del pasado en el presente, la implicación del hablante en la narración. Y primero nos ofrece cuatro versos donde se acentúan la descripción, el estatismo y la belleza —de prelorquiano sabor—: "La carne estaba más pálida / entre los rosales granas; // como manzana de plata / fresca de estrellas y escarcha." De nuevo el procedimiento de avanzar retrocediendo, de ir hacia delante recogiendo elementos ya aparecidos, estableciendo una red reiterativa, unificadora y lírica: En el verso 7, "La *carne* estaba *más pálida*", vuelve a los versos 5 y 3; en cambio "entre los rosales *granas*" avanza introduciendo un nuevo elemento, "rosales" y un nuevo color, "granas"; pero este nuevo color es en realidad sólo una variante del color "lila" que veíamos al principio del poema; y el poeta se ocupa de dejar bien establecida la semejanza escogiendo el tono más violáceo dentro de los rojos» el grana, mezcla de rojo y lila. Y lo mismo sucede con los versos 9-10, los únicos que poseen estructura comparativa, los únicos que emplean la metáfora compuesta, y cumbre de elaboración artística en este texto de lenguaje directo: "como manzana de plata / fresca de estrellas y escarcha." La "manzana de plata" reitera una vez más, en clave comparativo-metafórica, la "carne blanca" de los versos 3, 5 y 7, mientras las "estrellas" enlazan con "enjoyó" y "perlada", y "escarcha" enlaza con "gotas claras", "perlada", e incluso con "estrellas".

Entramos en la cuarta zona del poema. Los puntos suspensivos iniciales sugieren que el poeta reanuda lentamente, como saliendo de un sueño, su intento de narración: "...Corría, huyendo del agua, / entre los rosales granas." Aquí el procedimiento de retroceder y avanzar vuelve a aparecer pero con el orden invertido: avanza en el primer verso y retrocede en el segundo repitiendo anafóricamente el verso 8: "entre los rosales granas." Variante compositiva para romper —inconscientemente quizá— la mecanicidad del procedimiento. Y más aún la rompen los versos 13-14, donde aparecen dos versos totalmente nuevos con el motivo de la risa de Francina, el segundo de los cuales contiene una estupenda metáfora: "Y se reía, fantástica; / la risa se le mojaba..." Aunque, si nos fijamos bien, tampoco estos versos son totalmente distintos. Este penúltimo conjunto establece una simetría en espejo con el segundo conjunto, al empezar ambos con la conjunción "Y"; e igualmente podemos ver una relación semántica entre los segundos versos de ambos conjuntos, relacionados por contener la idea de agua, de humedad. Finalmente, los puntos suspensivos que cierran el verso 14 actúan con simetría de espejo respecto a los puntos suspensivos iniciales del verso 11, constituyendo así gráficamente una parte cerrada, singular, dentro del poema.

Y llegamos a los dos versos finales, versos que cierran circularmente la composición mediante un sutil juego anafórico que guarda ciertas semejanzas con el de la "Canción de invierno" antes analizada:

versos 1-2: *Con lilas llenas de agua* (A)
le golpeé las espaldas. (b)
. . . .

verso 11:   ... Corría, huyendo del agua   *c)*
                        —— — —

versos 15-16:   *Con lilas llenas de agua*   *(A)*
                        corriendo, la golpeaba...   *(c' b')*
                        —— —— —— ....

La pareja de versos finales actúa, pues, simultáneamente como estribillo y como verso recolector correlativo. Dentro de este poema de orientación cromática, los versos finales y la técnica del leixa-prende[45] introducen elementos de técnica musical, religando así las tres manifestaciones juanramonianas de signo simbolista - esteticista: la corriente musical, la corriente cromática y la corriente erótica.

* * *

Aunque no nos parece la mejor voz juanramoniana, tenemos que tratar también, dentro de la línea esteticista, de toda una corriente de poemas que se acercan al *decadentismo:* poesía descriptiva, de elementos bellos exteriores al poeta, objetos refinados y visuales (si bien no exclusivamente artificiales y exóticos); el poeta se pinta a menudo como una doliente figura dentro del cuadro, pero la atención primaria no va dirigida hacia sí, sino hacia las cosas bellas y tristes que le rodean. El escenario general de estos poemas es la campiña, pero no la real de Moguer, sino la idealizada y filtrada a través de la literatura. El metro característico de esta corriente es el alejandrino, normalmente agrupado en estrofas de cuatro versos —ser-

---

[45] Esta técnica de leixa-prende se percibe mejor aún, aunque todavía no alcanza las formas galaicoportuguesas, en el poema 122 del libro *Canción,* probablemente de esta misma época —salvo el título, posterior—:

YA LA TÚ

Ya viene *la primavera.*
¡Lo ha dicho la estrella!
La primavera *sin mancha.*
¡Lo ha dicho la agua!
Sin mancha y viva *de gloria*
¡Lo ha dicho la rosa!
De gloria, altura y pasión.
¡Lo ha dicho tu voz!
(Canción, p. 163. Cursiva nuestra.)

ventesios casi siempre—, raramente en estrofas de tres (los "Tercetos melancólicos" de *Melancolía).* El alejandrino, metro par, junto al ritmo también par de las estrofas en serventesios, repetido a lo largo de poemas y poemas y libros enteros, produce una fuerte impresión de monotonía. Y esta monotonía versal, que se acompaña de la insistencia en los mismos temas, ha alejado a muchos lectores y críticos de esta zona de la producción juanramoniana. Por nuestra parte, creemos que estos factores reiterantes tienen una causa genética ambiental (el poeta está en la calma excesiva de su pueblo natal, falto de estímulos exteriores importantes), y otra causa genética más profunda: el poeta está obsesionado por ciertos temas y ciertos ritmos concordantes con esos temas. Tras estos ritmos y temas, al fondo de todo ello, está la autodepreciación, el hastío de sí mismo y de la propia realidad. Como compensación, sólo le queda al poeta la huida hacia un mundo aristocrático que se crea mediante la ensoñación. Mundo en el que debe persistir, recreándolo continuamente, para escapar a la hiriente realidad. Cronológicamente, coincide con los años en que el patrimonio familiar se derrumba progresivamente (1908, *Elegías,* —1914, *Sonetos Espirituales),* y la tristeza de la carne le asalta con más fuerza. Dentro de las corrientes esteticistas, coincide casi en el tiempo con la erótica, es algo posterior a la colorista, y sucede al apogeo de los libros musicales (1902-1907).

Al extenderse por un largo período de años, esta corriente acusa cambios importantes. Preferimos, en consecuencia, mostrar varios ejemplos representativos de esta evolución, en vez de comentar por extenso un solo poema. Primeramente el poema XXX de *La soledad sonora* (1908):

> *La luna llena pone sobre el mármol sombrío*
> *su blanco terciopelo de nardos y jazmines...;*
> *parece que en su rayo, como en un dulce río,*
> *vienen, muertas, las flores de todos los jardines...*
>
> *Son flores para mí. Vergeles de tristeza*
> *que, en soledad y duelo, se enredan a mi paso,*
> *que envuelven mi doliente y muda realeza*
> *en armiño de rosas y en liriales de raso...*
>
> *(P.L.P.,* p. 1030.)

Ambiente elegíaco, romántica tristeza en la figura humana, objetos refinados —naturales y artificiales— rodeándola, perfecta armonía cromática: estos rasgos se reiteran de poema en poema. Veamos a continuación otro cuya variante principal consiste en utilizar úna figura simbólica femenina en lugar de la figura del poeta, más recurrente. Pertenece a los *Cuadernos de Juan Ramón Jiménez*, p. 33, y lleva dos fechas, la de composición y la de "reviviscencia" posterior, 1911-24:

LA ELEJÍA

Fría, la fuente corre por la pradera verde,
que breves lirios de oro esmaltan de poesía.[46]
La tarde cae. Todo lo bello que se pierde,
eterniza su fuga, ardiendo en armonía.

Tú sigues, mujer mustia, la orilla en flores y muda-
mente vas a sentarte entre ruinas claras,
que decora la yedra con la guirnalda ruda
de su bronce, en que huelen nuevas rosas preclaras.

—El pájaro que viene, un momento, al paraje,
gotea mundos en la sombra de tu frente;
la brisa niña te abre, mansa y leve, el follaje;
huyen las nubes en la fugitiva corriente...—

Y el mentón en la mano, y el codo en la rodilla,
ceñudamente piensas en toda la belleza,
mientras el sol que muere exalta en su amarilla
lumbre tu veste blanca, luto de tu tristeza.

Además del importante cambio de figura humana, notamos otros dos rasgos destacables: Primero, un abigarramiento de objetos (fuente, pradera, lirios, tarde, orilla, ruinas, yedra, guirnalda, bronce, rosas, etc.). El espacio del poema se ha rellenado hasta el máximo con elementos bellos y melancólicos. Esa multitud de objetos, presentados todos en un mismo plano, sin perspectiva, nos hace pensar en los mosaicos bizantinos, en ese mundo apretado donde los objetos se yuxtaponen, no buscando comunicación con el espectador, sino como abstractas representaciones ideológicas: como símbolos.

---

[46] En la edición de Taurus, 1960, se lee este verso así: "que breves lirios de *oso* esmaltan de poesía". Interpretamos ese extraño y antipoético "oso" como errata tipográfica de "oro". La metáfora "lirio de oro" es frecuente en esta época del poeta. Por ejemplo: "su sexo, entre las flores pomposas escondido, / parece un lirio de oro, un suave y fino lirio / de oro, con irisaciones de infinito" (*P.L.P.,* p. 1.111).

Y en las últimas manifestaciones de esta corriente, los *Sonetos Espiri-tuales,* Juan Ramón se desprende por fin del tenaz alejandrino, pero acentúa la profusión y el carácter simbólico de los elementos temáticos del poema. El tono sigue siendo elegíaco (en los *Sonetos,* la razón de su llanto, parece ser la frialdad de una "mujer celeste", Zenobia). Todo ello le lleva con naturalidad hasta la coincidencia con el mundo simbólico y amoroso del pre-renacimiento español, en particular con el primer Garcilaso:

MUJER CELESTE

Trocada en blanco toda la hermosura
con que ensombreces la naturaleza,
te elevaré a la clara fortaleza,
torre de mi ilusión y mi locura.

Allí, cándida rosa, estrella pura,
me dejarás jugar con tu belleza...
Con cerrar bien los ojos, mi tristeza
reirá, pasado infiel de mi ventura.

Mi vivir duro así, será el mal sueño
del breve día; en mi nocturno largo,
será el mal sueño tu cruel olvido;

desnuda en lo ideal, seré tu dueño;
se derramará abril por mi letargo
y creeré que nunca has existido.
(L.P., p. 27.)

Aquí estamos ya lejos del decadentismo. Los objetos han perdido todo interés para el poeta; son sólo escenario simbólico para la lucha pasional de su espíritu. Los verbos han pasado de estáticos a dinámicos, y los sus-tantivos ya no cumplen una función estética sino expresiva del conflicto interior. La "reina fastuosa de tesoros" va a dejarlos caer ante la llegada del amor definitivo y de los problemas verdaderamente humanos. El poeta sale de su refugio de palabras, de su bello mundo aislante, para empezar a vivir en el mundo —aunque por poco tiempo— y pasar definitivamente a otro estilo: lo que él llamaba "poesía desnuda".

LA POESÍA DESNUDA

Tanto nos ha hablado el poeta de su "poesía desnuda", y tanto se nos ha hablado de ella, que casi nos da miedo abordar el tópico. Si lo hacemos es sólo por esta razón: porque nunca llegamos a tener una idea clara de qué era eso de la poesía desnuda, metáforas aparte. Después de cavilar bastante sobre el tema, hemos llegado a esta sencilla conclusión: Poesía desnuda es simplemente poesía centrada en los problemas humanos del poeta, sobre todo el amor, la Obra, la muerte y la otra vida; es poesía primordialmente reflexiva. Es de expresión relativamente directa, y decimos "relativamente" porque casi siempre construye Juan Ramón su poema basándose en una metáfora o comparación, o en los desarrollos de estas figuras: alegoría y paralelismo sinonímico. O bien en la elipsis del término más importante, creando un misterio que desembocará en la "poesía hermética". Aunque ya hemos tratado de estas cuestiones en anteriores páginas, citaremos aquí otros tres poemas, uno con sujeto elíptico, otro comparativo y otro alegórico. Veamos primero el comienzo del *Diario de un poeta reciencasado*, 1916:

> *¡Qué cerca ya del alma*
> *lo que está tan inmensamente lejos*
> *de las manos aún!*
>
> *Como una luz de estrella,*
> *como una voz sin nombre*
> *traída por el sueño, como el paso*
> *de algún corcel remoto*
> *que oímos, anhelantes,*
> *el oído en la tierra;*
> *como el mar en teléfono...*
>
> *Y se hace la vida*
> *por dentro, con la luz inestinguible*
> *de un día deleitoso*
> *que brilla en otra parte.*
>
> *¡Oh, qué dulce, qué dulce*
> *verdad sin realidad aún, qué dulce!*
>
> *(L.P., p. 209.)*

Si mostramos este poema a una persona inteligente pero desconocedora de la vida y Obra del poeta, nos lo devolverá diciendo algo como:

"Está bien, pero ¿qué quiere decir?". Y no será la dificultad de vocabulario o de las imágenes lo que le impide comprenderlo, sino la elipsis del sujeto semántico del poema, "lo que está tan inmensamente lejos / de las manos aún", es decir, Zenobia y su próxima boda con ella. Conociendo esta clave, el poema se nos vuelve transparente.

Menor dificultad entrañan los poemas basados en una comparación (o en una serie de comparaciones) como éste, de becqueriano sabor:

> *Cual la brisa, recuerdas*
> *al viento;*
> *al mar, como el arroyo,*
> *recuerdas;*
> *cual la vida, recuerdas*
> *al cielo;*
> *recuerdas, cual la muerte,*
> *la tierra.*
> *(Estío, L.P., p. 83.)*

Los poemas alegóricos, muy frecuentes, desarrollan una metáfora o una comparación. Valga como ejemplo éste de *Piedra y cielo,* cuyo término real se nos da en el título mientras el poema ofrece el plano figurado:

EL POEMA

> *Arranco de raíz la mata,*
> *llena aún del rocío de la aurora.*
> *¡Oh, que riego de tierra*
> *olorosa y mojada,*
> *qué lluvia —¡qué ceguera!— de luceros*
> *en mi frente, en mis ojos!*
> *(L.P., p. 696.)*

El plano real oculto tras el figurado sería éste, parafraseando el poema: "Escribo rápidamente el poema, sobre lo último que he soñado. ¡Cómo su originalidad me asombra!" (Por la transcripción pedestre del plano real comprendemos que el poeta nos haya dado sólo el alegórico...)

Poesía desnuda. Poesía que se sirve del verso libre para la transcripción de vivencias de su autor. Cuando Juan Ramón escribió su celebérrimo poema "Vino, primero, pura,/ vestida de inocencia", etc., era en *Eternidades,* 1916-17. En este poema, tan citado como mal interpretado —y a cuya difusión ha contribuido tanto el erótico "strip tease" de la damita Obra aunque decir esto resulte poco académico—, en este poema Juan Ramón considera que ha llegado al súmmum de la poesía, a la poesía "desnuda", que sería una especie de vuelta a la sencillez de palabra de sus comienzos, pero mejor. Su autocrítica hasta 1916 nos parece acertada, aunque exagere en la "iracundia de yel y sin sentido" contra su poesía esteticista. Por eso nosotros hemos hablado de esta poesía "desnuda" —directa, reflexiva— a continuación de la "ingenua". Pero sería un grave error crítico pensar que la evolución de la poesía juanramoniana se detiene en 1917 y, hasta 1956 en que el poeta deja de escribir, sigue estancada en ese punto de "desnudez". No. En los cuarenta años de escritura que todavía le quedan, la poesía juanramoniana va a evolucionar casi tanto como en los dieciséis que van desde que empezó a publicar hasta ese momento.

Si al poema de *Piedra y cielo* que acabamos de citar le quitáramos el título, resultaría perfectamente críptico para la inmensa mayoría de los lectores y hasta para buena parte de la inmensa minoría. En *Piedra y cielo* (1917-18), a un año sólo de la proclamación de la "poesía desnuda", estamos ya muy cerca del hermetismo juanramoniano, que será la dirección más importante estéticamente en su segunda época. Un paso más, y la confluencia de la elipsis de sujeto con la red de símbolos nacidos de la problemática metafísica, nos hunde en la más perfecta oscuridad y belleza: en la poesía hermética.

LA POESÍA HERMÉTICA

Era inevitable que un autor subjetivista hasta el extremo desembocara en un sistema de símbolos y motivos exclusivos suyos. Era inevitable que un autor cuyo móvil es la interiorización lírica de todo lo que le rodea, desembocara, con el tiempo, en el hermetismo. Y es normal que, puesto que la poesía hermética responde a las tendencias más ancladas de su ser, esta poesía alcance cumbres de belleza. Belleza que radicará en la alegría del ajuste, en la maravilla del sentirse realizado el poeta en su mundo interno.

Creemos que ésta es, en definitiva, la razón de ese tono sereno, gozoso a menudo, afirmativo casi siempre, que hallamos a lo largo de la segunda época, frente a la tristeza —la cultivada y la verdadera— de la primera. Las demás cosas (el amor protector de Zenobia, la admiración de sus contemporáneos, etc.) son la condición previa, la plataforma desde la cual el poeta accede al acorde consigo mismo en la soledad. Pero es este ajuste, y no aquellas cosas, lo que da el tono de plenitud a la segunda época.

Los poemas mejores de ésta son casi siempre, en consecuencia, los que expresan la sorpresa gozosa del hallazgo; y sus momentos culminantes son los del acorde máximo con su ser, los del encuentro supremo: la interiorización de la divinidad[47]. (Creemos que aquí está la explicación de la enorme belleza de *Animal de fondo* y *La estación total*.) El deslumbramiento del encuentro, el rapto alado del acorde místico, nos parecen explicar, en última instancia, el encanto de poemas como "Criatura afortunada":

1   *Cantando vas, riendo por el agua,*
    por el aire silbando vas, riendo,
    en ronda azul y oro, plata y verde,
    dichoso de pasar y repasar
5   *entre el rojo primer brotar de abril,*
    ¡forma distinta, de istantáneas
    igualdades de luz, vida, color,
    con nosotros, orillas inflamadas!

    ¡Qué alegre eres tú, ser,
10 *con qué alegría universal eterna!*
    ¡Rompes feliz el ondear del aire,
    bogas contrario el ondular del agua!
    ¿No tienes que comer ni que dormir?
    ¿Toda la primavera es tu lugar?
15 *¿Lo verde todo, lo azul todo,*
    lo floreciente todo es tuyo?
    ¡No hay temor en tu gloria;
    tu destino es volver, volver, volver,
    en ronda plata y verde, azul y oro,
20 *por una eternidad de eternidades!*

    Nos das la mano, en un momento
    de afinidad posible, de amor súbito,
    de concesión radiante;
    y, a tu contacto cálido,
25 *en loca vibración de carne y alma,*
    nos encendemos de armonía,
    nos olvidamos, nuevos, de lo mismo,
    lucimos, un istante, alegres de oro.
    ¡Parece que también vamos a ser
30 *perenes como tú,*
    que vamos a volar del mar al monte,
    que vamos a saltar del cielo al mar,

---

[47] Ya en prensa este libro, vemos anunciado como novedad editorial de la casa Gredos un libro del P. Ceferino Santos (*Símbolos y Dios en el último Juan Ramón Jiménez*), cuyo subtítulo, apasionante, habla de las *fuentes orientales* de "Dios deseado y deseante". Lamentamos mucho no haber llegado a tiempo para incluir en nuestro trabajo los resultados de la lectura de este libro. (Hemos incluido solamente el importante artículo del P. Santos sobre este mismo tema.)

que vamos a volver, volver, volver
por una eternidad de eternidades!
35 ¡Y cantamos, reímos por el aire,
por el agua reímos y silbamos!

¡Pero tú no te tienes que olvidar,
tú eres presencia casual perpetua,
eres la criatura afortunada,
40 el májico ser solo, el ser insombre,
el adorado por el calor y gracia,
el libre, el embriagante robador,
que, en ronda azul y oro, plata y verde,
riendo vas, silbando por el aire,
45 por el agua cantando vas, riendo!

(L.P., pp. 1247-1249.)

Este tipo de poesía es un paso adelante respecto a la "desnuda" de *Eternidades*. Es poesía más grandiosa, de más aliento, tendiendo ya hacia el poema largo. Pero la vivencia es aún singular —un solo estado de ánimo—, y por tanto responde todavía a la estética simbolista juanramoniana.

La embriaguez de la vivencia mística acarrea una gran riqueza de imágenes, y todas ellas expresan pasión, intensidad, ánimo exaltado: las exclamaciones, las interrogaciones, las anáforas, los paralelismos y quiasmos correlativos[48], las paradojas[49], y sobre todo las incesantes enumeraciones. El yo se disuelve parcialmente en el contacto con la "criatura afortunada" y pasa a ser un humilde y colectivo "nosotros". Y todo queda transformado, transfigurado: la metáfora recorre, exultante y engrandecedora, el poema: "nosotros, orillas inflamadas", "rojo primer brotar de abril", "toda la primavera es tu lugar", "nos encendemos de armonía", "lucimos, un istante, alegres de oro", etc.

Las metáforas, junto con las paradojas, son centrales en la poesía hermética de Juan Ramón. Son ellas la expresión directa de esa vivencia vaga, luminosa, síntesis de contrarios, que es la interiorización de lo absoluto. Por eso las metáforas —ininteligibles racionalmente, aunque emotiva-

---

[48] "Cantando vas *(A)*, riendo *(B)* por el agua *(C)*,
por el aire *(C')* silbando vas *(A')*, riendo *(B)*
....
riendo vas *(A")*, silbando *(B")* por el aire *(C')*
por el agua *(C)* cantando vas *(A)*, riendo *(B)*.

[49] "forma distinta, de istantáneas / igualdades de luz, vida, color"; "tu destino es volver, volver, volver / por una eternidad de eternidades"; "nos olvidamos, nuevos, de lo mismo"; "tú eres presencia casual perpetua", etc.

mente justas—, y las paradojas, que recogen valores estilísticos semejantes, nos parecen las responsables primeras de la vaguedad en la segunda época. Y también de su originalidad, de su luz nueva. Frente a la antítesis y a la metáfora de la primera época, próxima a la comparación y fácil de interpretar por situarse cerca del nivel racional, la paradoja y la metáfora de la segunda época son absolutamente emotivas y traducen al plano formal la cerrada red de símbolos y vivencias del poeta[50].

Un solo ejemplo, por no alargar este análisis: los versos 6-8. El mayor problema interpretativo nos lo plantea la metáfora apositiva "nosotros, orillas inflamadas". De fuerte originalidad y belleza, es lógicamente hermética. Pero conociendo ya la obra juanramoniana precedente, y el ciclo de poemas sobre "la corriente infinita" (particularmente el poema 29 de *Poesía*), estamos familiarizados con "las dos orillas / de mi alma y su imajen infinita" e identificamos rápidamente el símbolo "orillas = ser del poeta". Orillas "inflamadas", es decir, exaltadas en su pasión de absoluto, distendidas amorosamente hacia el Ser. En cuanto a la paradoja "forma *distinta, de instantáneas / igualdades* de luz, vida, color / con nosotros", su sentido está ya bastante claro: "forma", es decir, manifestación contingente de la esencia; el Ser es forma distinta (de nosotros) pero puede, por "amor súbito" o "concesión radiante", revestir "istantáneas igualdades" con nosotros; igualdades "de luz, vida, color", es decir, de las propiedades esenciales de nuestro ser. La familiaridad con la Obra del poeta, que implica el conocimiento de sus símbolos vivenciales, nos permite, pues, explicar la poesía "hermética" juanramoniana sin dificultades excesivas.

En poemas como éste, creemos, Juan Ramón da su medida máxima. Estamos aquí en los antípodas de la indecisión, de los puntos suspensivos, y del egocentrismo sentimental; estamos en el reino del misterio tangible, de la paradoja comunicante, de la eternidad iluminada.

* * *

Aunque menos hermoso y menos difundido que "Criatura afortunada", comentaremos también dentro de la corriente hermética uno de los *Romances de Coral Gables*: "El más fiel". Menos hermoso por no responder a una vivencia mística, de plenitud de ser; menos difundido, por figurar

---

[50] Decimos esto en términos generales. En algunos casos particulares —casos espigables en los dos volúmenes de *L.I.P.*—, también en la primera época, se encuentran metáforas herméticas. Pero tenemos fuertes sospechas de que la mano del Juan Ramón de la segunda época ha pasado y repasado por los *L.I.P.*, y por tanto no son tan representativos de ese período de su vida como los *P.L.P.*

solamente en la edición americana de estos *Romances* y en la *T.A.P.* como parte del libro "En el otro costado" (1936-1942). Sin embargo, vamos a analizarlo brevemente por poseer un hermetismo muy acentuado. Es, de hecho, uno de los poemas más ininteligibles de Juan Ramón. Compuesto en un período depresivo, en unos años en que la salud mental del poeta se resquebrajaba —recuérdese que tuvo que ser tratado en el Hospital de la Universidad de Miami—, estaríamos tentados de atribuir su hermetismo a la enfermedad de su autor. Pero veámoslo más de cerca:

EL MÁS FIEL

1   *Cantaron los gallos tristes*
como señal del destino;
el hombre se puso en pie,
miró sin sueño al abismo.

5   *Pero, ante la luz rojiza*
que recortó el roto pino,
uno, que era diferente,
siguió tendido lo mismo.

Habló el otro que llegó,
10   *vino el animal sumiso,*
un humo olía a mujer,
abrió la puerta el camino.

El pájaro, el trigo, el agua,
todo se erguía en lo limpio;
15   *pero no se levantaba*
uno, el que era distinto.

(¿Dónde saludaba al pájaro,
dónde oía el arroyillo,
desde dónde se miraba,
20   *como otra espiga, tendido?)*

Pero no se levantaba
uno, el que era distinto,
pero no se levantó
uno que estaba en su sitio.

25   *(Donde el que tendido está*
está de pie, como un río,
sed una hecha agua una,
solo leal espejismo.)

Pero no se levantaba
30 uno que ya estaba fijo,
uno, el que estaba ya en él,
uno, el fiel definitivo.
(*T.A.P.*, pp. 905-906.)

A primera lectura recibimos una impresión estética positiva (es un bello poema) y un desazonador enigma: ¿qué pasa aquí, qué se nos dice? Algunos elementos ambientales nos llegan: es el amanecer —el canto de los gallos inaugura el poema—; hay un entorno de Naturaleza —pino, animal, pájaro, arroyo, etc.—; pero, sobre todo, hay dos misteriosos hombres, uno que se levanta y otro que permanece reiteradamente "tendido", y es este último el que protagoniza el poema, el que acapara el mayor número de versos.

Releemos el poema. Observamos que es una narración de un hecho, y la forma métrica empleada es, naturalmente, el romance. No el romance antiguo, basado en la pareja de octosílabos, sino el romance barroco, basado en la cuarteta. En correspondencia con esta forma métrica popular, ciertos procedimientos tradicionales de los romances cuando eran aún orales se deslizan aquí: La anáfora (epanáfora): "¿Dónde... / dónde... / desde dónde...?", "uno, el que... / uno, que..."; o bien el verso anafórico con modificación de los tiempos verbales: "Pero no se levantaba / pero no se levantó".

Otros procedimientos reiterativos, sin embargo, inclinan este romance hacia el área de la canción. Procedimientos que quiebran la línea recta, progresiva, de la narración y la remansan en repeticiones del mismo hecho, en vueltas al principio: 1.º Los dos versos parcialmente anafóricos, "uno, que era diferente, / siguió tendido lo mismo" y "pero no se levantaba / uno, el que era distinto" (vv. 7-8 y 15-16) cierran las cuartetas segunda y cuarta creando dos bloques versales que reiteran exactamente el mismo hecho de fondo: un hombre se levanta mientras otro permanece tendido. 2.º A su vez, las otras cuatro cuartetas, vv. 17-32, están construidas de manera paralelística: cuarteta parentética que comienza por "Donde" (vv. 17 y 25) + cuarteta adversativa que comienza por "Pero" y se centra en el motivo del hombre tendido (vv. 21 y 29). El romance, pues, compuesto por ocho cuartetas, se estructura de forma $(2 + 2) + (2 + 2)$, y dentro de cada conjunto la relación entre las dos estrofas componentes es antitética.

La antítesis y la anáfora son, pues, las figuras estructuradoras del poema. A ellas se añade la metáfora, responsable en buena parte de la originalidad y del hermetismo. De la originalidad, metáforas como "la luz rojiza [del sol al amanecer, implícito] que *recortó* el roto pino" (construcción activa popular en lugar de: luz "que fue recortada" por el pino, o pino "que recortó" la luz). Otra metáfora original, "un humo olía *a mujer*". Y una metáfora hermética, el hombre que se levanta es "leal espejismo". Naturalmente, las comparaciones se unen a la metáfora para la creación de estos efectos: Cantaron los gallos "como señal del destino". Quebrantan las comparaciones nuestro sentido de la orientación: un hombre "está de pie, *como un río*" y el otro está *"como una espiga, tendido"*[51]. Este quebrantamiento de nuestros puntos de referencia oscurece notablemdnte el poema al principio. Y las personificaciones siguen también la línea de la metáfora: gallos "tristes", "abrió la puerta *el camino*".

Pero son los símbolos los responsables principales del hermetismo. Juan Ramón escribe para sí mismo y para la "inmensa minoría" que, supone, le comprende como si fuera parte de su ser. Sobra la referencia al plano real aclaratorio y el poema gana en originalidad y en poesía lo que pierde en intelección. Desde nuestro ángulo de "inmensa minoría", amigos del poeta que hemos seguido paso a paso su obra, pasamos a interpretar la red de símbolos comenzando por el central: los dos hombres son "los dos yos", caudalosa corriente de poemas que surca la segunda época y acarrea el tema de la otra forma de vida[52]. Anticipadamente, Juan Ramón intuye

---

[51] Junto con la sorpresa por la incongruencia de las comparaciones, el lector percibe los armónicos semánticos de ambas palabras, "espiga" y "río": espiga = 'promesa de fruto esencial', 'esbeltez'; y río = 'fluir caudaloso' (y en poesía 'vida': nuestras vidas son los ríos...).

[52] Según Ernst Cassirer "cuando la intuición del propio yo, del alma, de la persona, empieza a brillar en el lenguaje, sigue todavía íntimamente ligada al cuerpo, así como también en la intuición *mítica* el alma y el yo del hombre son pensados en un principio como una mera réplica, como "dobles" del cuerpo. Aun en su uso formal, en muchas lenguas las expresiones nominales y pronominales siguen indiferenciadas por largo tiempo, siendo declinadas mediante los mismos elementos formales y asimiladas entre sí en número, género y caso." (*Filosofía de las formas simbólicas,* México, Fondo de Cultura Económica, 1971, p. 227. Subrayado del autor.)

La primera formulación del tema de los "dos yos", tan abundante a todo lo largo de la segunda época, la encontramos en forma de soneto, estrofa (o mejor, poema estrófico) que clausura la primera época. Lleva la fecha de 1915-23, y seguramente no llegó a tiempo para formar parte de los *Sonetos Espirituales.* Vale la pena citarlo aquí por contener ya enormes concordancias con el romance "El más fiel" que nos ocupa. Van en cursiva los versos más significativos. Figura en *Cuadernos de Juan Ramón Jiménez,* op. cit., p. 28:

"Mi tedio se repite en la corriente, / lento y mudo, *como otro dios,* andando / entre los chopos de oro, que cantando / le están al cielo alto y trasparente. // —Es mi vida esta doble estampa ardiente; / mis pies contra mis pies, entrelazando / sus raíces; mi frente, separando / de mi frente su anhelo, inmensamente.— //

Todo el otoño humano, libre, torna / a la tarde postrera y encendida, / como a un suave nido palpitante, / en que desde el espejo que trastorna / mi pasión, *me contemplo en esta vida / más bella que el ensueño ¡y más distante!".*

que su muerte tendrá lugar al amanecer: "Cantaron los gallos tristes / como señal del destino". Desde el símbolo se explica la melancolía de la personificación "gallos *tristes*". Inmediatamente, al morir el "yo", surge "la otra forma", el otro yo: *"el hombre* se puso en pie". Es un ser no sujeto a cuerpo ("sin sueño"). El carácter espiritual del "solo amigo" produce ese impresionante verso: "miró sin sueño al abismo"; y las hermosas cuartetas tercera, parte de la cuarta, y séptima. La descripción de ese otro yo arranca al poeta los versos estéticamente más originales: Está de pie, "como un río" (= 'con vida potente y temporal') junto al yo muerto, "Donde el que tendido está"; es con él "sed una hecha agua una[53], solo leal espejismo". Es un ser simultáneamente dotado de cualidades humanas —*"Habló* el otro que llegó"— y de cualidades sobrenaturales —el mundo ante él renace con caracteres paradisíacos—: "El pájaro, el trigo, el agua, / todo se erguía *en lo limpio",* "vino el animal sumiso". El mundo toma incluso, personificándose, rasgos mágicos: "un humo olía a mujer, / abrió la puerta el camino"[54]. La única palabra que no encaja del todo en este cuadro del otro yo es "espejismo". Alude, sí, a su naturaleza espiritual; armoniza con "río", "agua" y con la imagen de ángulo recto sugerida continuamente por los dos yos —el tendido y el de pie—; e incluso armoniza con el mito de Narciso, tan querido del poeta y tan próximo al tema de los dos yos. Pero su sentido primero de "ilusión óptica subjetiva" nos molesta porque no termina de ajustarse a los caracteres de realidad (sobrenatural, pero realidad) que el otro yo tenía hasta aquí. Y es que precisamente topamos con el problema: al llegar a este punto, Juan Ramón duda de la realidad de esa forma futura suya. (Recuérdese que los *Romances de Coral Gables* fueron escritos después de la crisis cubana, en que el poeta, recogiendo impulsos vitalistas intermitentes, ya analizados en *Belleza* y *La estación total,* abandona la creencia reencarnativa intentando remplazarla por una "eternidad inmanente" en la tierra.)

Los versos protagonizados por el "yo muerto" son los principales responsables de esa melancolía profunda que el lector percibe en seguida al tomar contacto con el poema. Las anáforas insisten obsesivamente: "pero no se levantaba", "siguió tendido lo mismo". Las anáforas, además de colaborar con las antítesis en la estructuración del poema, subrayan la an-

---

[53] Una vez más, la paradoja (*"sed* una hecha *agua* una") surge en cuanto el poeta aborda las relaciones sobrenaturales.

[54] Nótese cómo ese mundo recién nacido se organiza simbólicamente en torno a las ideas de "casa - madre": "humo", "mujer", "abrir la puerta" (movimiento desde dentro de la casa o la madre hacia fuera). Después de este movimiento irreversible, surge la naturaleza hermosa y exterior: "el camino", "el pájaro, el trigo, el agua".

gustia y la obsesión del poeta ante su muerte. También realzan las anáforas otro de los problemas profundos de Juan Ramón, el sentirse diferente de los demás: "uno, que era diferente", "uno, el que era distinto". Como si el poeta pensase, al componer este poema en un momento depresivo, que la eternidad reencarnativa que todo el mundo poseía le estaba negada a él. Pero las mismas anáforas, un poco más adelante, nos aclaran este punto y nos iluminan con otra luz las "depresiones" juanramonianas: "uno que estaba *en su sitio"*, "uno que ya estaba fijo, / uno, el que *estaba ya en él,* uno, *el fiel definitivo"*. El poema termina con notas gloriosas.

— — — — — —

> como a un suave nido palpitante, / en que desde el espejo que trastorna / mi pasión, *me contemplo en esta vida / más bella que el ensueño ¡y más distante!"*

Se produce, pues, en este final de poema, una doble ruptura, estética e ideológica. Ideológicamente —enlazando con el "espejismo" del otro yo— pasa Juan Ramón de la posición reencarnativa a una especie de inmanencia terrenal poco madurada. Y estéticamente, de manera paralela, se rompe la línea semántica del poema (anticipación de la espléndida realidad del otro yo futuro + intensa melancolía por la muerte del yo presente), pasando bruscamente, sin transiciones justificadoras, a invertir los términos: el otro yo futuro era sólo "espejismo", ilusión, mientras la muerte del yo presente es un adentrarse en su ser verdadero, su "fiel definitivo" que sólo puede ser él mismo (?). La honda tristeza, de golpe, en brusco salto de humor, se cambia en voluntaria afirmación de sí mismo.

Las incongruencias del poema no estriban, en último análisis, en el hermetismo juanramoniano —bastante luminoso para la "inmensa minoría"— sino en algo que escapa al análisis estilístico: en el "ser diferente" del autor.

LA CANCIÓN

Es seguramente la canción el género lírico más persistente en nuestro poeta. Le llega en sus primeros años de poetizar bajo la forma de *copla* andaluza, por tradición oral y por el ejemplo literario de Augusto Ferrán. *Almas de violetas* y *Rimas* recogen ya esta canción epigramática, esta copla breve sentenciosa y punzante de Andalucía. En los libros siguientes, la musicalidad de la copla se trasvasa a la musicalidad de la composición en los libros de su segunda estancia madrileña (1901-1905). Al volver a Moguer, la musicalidad compositiva se refuerza y se revitaliza con los ritmos de *canciones populares* (no ya de "coplas" folklóricas andaluzas), y surgen las *Baladas de primavera,* más largas que las primeras, de refinado lirismo, con un ligero entramado narrativo sobre el que se montan reiteraciones múltiples (estribillos, versos anafóricos, rimas de palabra y toda clase de efectos repetitivos).

La canción prácticamente desaparece de los posteriores libros publicados hasta *Estío,* ahogada por la solemne tristeza de los alejandrinos. Sin embargo, discurre subterránea en los *Libros Inéditos de Poesía.* En *Estío* vuelve a estallar en formas más libres y variadas, traída por el huracán sentimental que sacude el espíritu del poeta. En los libros siguientes, el deslumbramiento del verso libre deja un poco en la sombra a este tercer tipo, libérrimo, de canción —tan libre, que su única regla parece ser la reiteración de algún elemento del poema—. Pero cuando el imperio del verso libre empieza a ceder[55] resurge pujante la canción en modalidad algo más abreviada y sentenciosa: las "Canciones de la nueva luz", de *La estación total.* Y se afirma definitivamente ante la conciencia del poeta en *Canción,* 1936.

De este libro hemos seleccionado la núm. 289, que suponemos escrita en torno a 1930, pues guarda relación temática con la "Canción de la nueva luz" núm. 24, "Viento de amor".

LAS PALOMAS

*Alrededor de la copa
del árbol alto,
mis sueños están volando.
Son palomas coronadas
de luces únicas,
que al volar derraman música.
¡Cómo entran, cómo salen
del árbol solo!
¡Cómo me enredan de oro!*

Los valores musicales son los que primero llegan al lector. Y en seguida, la gracia, la libertad de las palabras poéticas moviéndose como por impulso propio, sin pasar por la voluntad del poeta. Los versos de arte menor y heterométricos (8-5-8 sílabas) se ajustan perfectamente al

---

[55] En *Piedra y cielo* (1917-18) ya encontramos frecuentes canciones, aunque no lleven este título, y lo mismo sucede, esporádicamente, en *Poesía* y en *Belleza* (1917-23).

carácter musical y "espontáneo" del texto, así como el hecho de que el verso primero de cada estrofa quede libre y los otros dos rimen asonantemente entre sí. El movimiento del poema viene dado por la musicalidad de la estrofa, pero sobre todo por el vocabulario: "están volando", "alrededor", "palomas", "al volar", "derraman", "entran, salen", "enredan". El semantismo del poema, pues, se superpone a la estructura fónica para crear esa gracia alada de la canción.

También a nivel semántico hay que subrayar que el uso exclusivo de palabras "poéticas" uniformiza el tono y contribuye grandemente al encanto de esta canción. Sólo podríamos objetar prosaísmo a la palabra "enredar", pero precisamente ésta es una palabra muy usada por Juan Ramón[56], con connotación positiva siempre, pues suele significar 'envolver vagamente'. Y además en este contexto la metáfora "de oro" anula completamente el hipotético valor prosaico de la palabra en el lector.

La belleza de las imágenes también es importante en la canción. Aquí tenemos una alegoría con término real expreso (*sueños* = palomas); abundantes metáforas ("mis sueños *están volando*"; "palomas *coronadas* de luces"; "*derraman* música", "me enredan *de oro*"); figuras conexionadas con la musicalidad, como la similicadencia "*árbol alto*", la aliteración de consonantes líquidas y nasales a lo largo del poema, las anáforas que sugieren estribillos, "del árbol alto / del árbol solo", "¡Cómo entran, cómo salen / ¡Cómo me enredan", etc. Y, por debajo de todas estas figuras, el misterio, dado también por otra imagen, el símbolo, pero símbolo hermético, cuya clave tiene sólo el poeta: el "árbol" y el "oro". El árbol recibe epítetos acentuadores de su misterio: árbol *alto,* árbol *solo*. (Este símbolo lo interpretábamos en el capítulo 6 como 'la muerte, puerta de la inmortalidad', y creemos que este valor se aplica también aquí, con lo cual se aclara el otro símbolo, el "oro = eternidad": Al salir las palomas-sueños del árbol de la muerte-puerta de la inmortalidad, le envuelven en "oro", en auras de eternidad.)

La interpretación del poema desvelando su misterio nos deja al descubierto el último plano de belleza de esta canción, plano en el que Poesía y Metafísica confluyen (o, como también propone A. J. Greimas, Poesía y Sacralidad[57]).

---

[56] Otra palabra semejante sería "loca". Juan Ramón la aplica abundantemente a sus amadas (a Zenobia también). En él significa 'fantástica, alegre'.

[57] "En se plaçant du point de vue des effets de sens produits sur l'auditeur, on pourrait, par extensión, considérer comme poétique ce qui pour d'autres civilisations relève de sacré: hymnes, rituels chantés, mais aussi certains textes religieux vu philosophiques." A.J. Greimas, "Pour une théorie du discours poétique", en *Essais de sémiotique poétique*, Larousse, 1972, pp. 6-7.

Sin embargo, no creemos que ésta sea la lectura más frecuente. El lector no familiarizado con Juan Ramón se detiene en la frontera de los símbolos, intuyendo oscuramente su grandeza, encontrando quizás en ellos la "inefabilidad" juanramoniana. Y, en fin de cuentas, su impresión es igualmente estética: en una lectura normal, la canción representa en Juan Ramón la poesía de las sugerencias, la poesía del misterio hecho música.

* * *

Naturalmente, al pertenecer la canción que acabamos de analizar a la zona "hermética" de la segunda época juanramoniana, extrae la profundidad de su belleza de esas mismas fuentes, y en realidad lo específico suyo como "canción" es el encanto musical —superpuesto al encanto semántico, de signo místico, del hermetismo—. El movimiento rítmico, la gracia de las reiteraciones y correspondencias, la ligereza de las palabras —que levantan en vilo incluso los significados más densos—, la intensificación del misterio al estilizarse en sucintos esquemas armónicos, todo eso nos parece lo propio y distintivo de la canción.

La canción puede incidir sobre cualquier otro estilo poético juanramoniano; sobre la poesía ingenua, nos dará coplas con sabor andaluz, como esta soleá que tanto estimaba Juan Ramón:

> *Era el pobrecillo ciego,*
> *y cantaba sollozando*
> *la luz de unos ojos negros.*
> *(Almas de violetas, P.L.P.,* p. 1535.)

Conjugada con la poesía "desnuda", con la poesía reflexiva y directa que gira en torno a los grandes problemas del hombre, puede tomar también, aunque raras veces, las ligeras apariencias de la copla popular:

> *La tierra se quedó en sombra;*
> *granas, las nubes ardían;*
> *y yo pensaba en la muerte,*
> *que ha de partirnos un día.*
> *(Poesía, L.P.,* p. 856.)

Pero donde la canción alcanza su mayor especificidad, es asociada a las varias direcciones esteticistas. Hasta el punto de que sería quizá mejor invertir los términos y decir que la gran mayoría de poemas de corriente esteticista se nos da en forma de canción. La corriente melódica la hemos estudiado en el poema "Canción de invierno"; la corriente colorista, en otra canción, la "Balada del almoraduj"; y la corriente erótica, en otra, no titulada así en los *Poemas mágicos y dolientes,* pero incluida con el título de "La castigada" en el libro *Canción.* La canción, con sus esquemas armónicos, con su alejamiento máximo del habla coloquial (oposición "arte - artesanía / espontaneidad - descuido"), con su representación suma de lo lírico[58], es sin duda la manifestación genérica más apta para un tipo de poesía que busca la aprehensión de las formas bellas y su plasmación en palabras.

Con la poesía hermética, ya hemos visto qué alturas de belleza y misterio puede alcanzar la canción. Su forma de presentación ya no suele ser la copla, sino la canción tripartita, normalmente dotada de estribillo y reiteraciones sonoras, y con temática anclada en la naturaleza y en lo sobrenatural. En las espléndidas "Canciones de la nueva luz" de *La estación total,* estos son los rasgos dominantes. En cambio, las "Canciones de La Florida" se desvían del esquema tripartito: se alejan de la brevedad lírica, se alargan hacia formas descriptivas y narrativas. Pensamos que este cambio está en relación directa con el cambio de signo contrario que experimenta el romance juanramoniano por esta misma época en los *Romances de Coral Gables:* adquiere altura lírica y procedimientos reiterativos de canción. De modo que ambas formas neutralizan parcialmente sus caracteres y confluyen en una especie de forma intermedia, típica de los años de exilio juanramonianos. Veamos, como ejemplo de esta última evolución de la canción, dos poemas, canción uno y romance el otro. ¿Cómo distinguir una y otro?

EN LA MITAD DE LO NEGRO

1 *Pájaro, ¿desde qué centro*
   de qué más hondo universo
   me cantas mientras yo duermo?

   (Me cantas cuando me dejo,
5 *me cantas cuando me entrego,*
   me cantas cuando me cierro.)

LOS PÁJAROS DE YO SÉ DÓNDE

1 *Toda la noche,*
   los pájaros han estado
   cantándome sus colores.

   (No los colores
5 *de sus alas matutinas*
   con el fresco de los soles.

---

[58] Cf. Wolfgang Kayser, en su difundida obra *Interpretación y análisis de la obra literaria* (Madrid, Gredos, 4.ª ed. revisada, 1961), habla de tres actitudes líricas fundamentales: la "enunciación lírica", el "apóstrofe lírico" y el "lenguaje de la canción". Esta "tercera actitud fundamental es la más auténticamente lírica" (p. 446). Y Emil Staiger en su igualmente conocida obra *Conceptos Fundamentales de Poética* (Madrid, Rialp, 1966) al aprehender lo lírico incide en las características de la canción.

Tú cantas con la luz dentro
en la mitad de lo negro,
noche fiel con verde viento.

10   Vas de horizonte en misterio,
la fuente viva está en medio,
y el jazmín cuelga del cielo.

¿Cómo, por dónde tu pecho
se corresponde secreto
15 con el pecho de mi sueño?

No es posible oir más bello
eco del sueño del beso,
resuenas como en mi seno.

Y te rodea mi eco,
20 como al lirio el aire inmenso.
Tú cantas en ese vuelo.

Vuelo, son, mar, canto interno.
Y entre dos vidas me alejo,
noche fiel con viento eterno.
                (T.A.P., pp. 903-904.)

No los colores
de sus pechos vespertinos
al rescoldo de los soles.

10   No los colores
de sus picos cotidianos
que se apagan por la noche,
como se apagan
los colores conocidos
15 de las hojas y las flores.)

Otros colores,
el paraíso primero
que perdió del todo el hombre,
el paraíso
20 que las flores y los pájaros
inmensamente conocen.

Flores y pájaros
que van y vienen oliendo,
volando por todo el orbe.

25   Otros colores,
el paraíso sin cambio
que el hombre en sueños recorre.

Toda la noche,
los pájaros han estado
30 cantándome los colores.

Otros colores
que tienen en su otro mundo
y que sacan por la noche.

Unos colores
35 que he visto bien despierto,
y que están yo sé bien dónde.

Yo sé de dónde
los pájaros han venido
a cantarme por la noche.

40   Yo sé de dónde
pasando vientos y olas,
a cantarme mis colores.
                (T.A.P., pp. 836-838.)

La gran semejanza temática entre ambos (el tema del pájaro; el ser "criatura afortunada", mensajero del más allá; la amistosa interpenetración entre el pájaro y el poeta, basada en una proximidad de esencias, etc.), la semejanza de procedimientos (la división tipográfica en conjuntos de tres versos; la rima única que singla todo el poema, incidiendo sobre todos los versos —rima continua— en el primer caso y sobre el primero y tercero en cada tercerilla del segundo; el desarrollo narrativo pero con frecuentes reiteraciones, versos anafóricos, vueltas atrás, etc.), todo esto tiende a neutralizar las diferencias entre "romance" y "canción", bastante netas a lo largo de toda la Obra del poeta, creándose así unas formas híbridas que se salen de los esquemas típicos de cada modalidad y conservan sólo reminiscencias de ellos[59].

La canción, pues, no es un estilo sino una manifestación genérica; es el máximo exponente del "melos" lírico. Y al estar tratada por un extraordinario poeta lírico, alcanza cimas de belleza y gracia difícilmente superables.

Intento de síntesis y explicación

En las páginas anteriores hemos tratado de acosar la "inefabilidad" juanramoniana desde los distintos estilos que el poeta empleó —dejando aparte los más prosaicos: sátiras, escenas de costumbres versificadas, manifestaciones de narcisismo agudo, transcripciones directas de escenas eróticas, etc., todo el lastre chirriante de la Obra—. Ahora, antes de seguir adelante, se impone una disculpa y una síntesis explicativa. Disculpa por el desorden expositivo que el lector haya podido encontrar en todo este capítulo. Al utilizar denominaciones como "poesía desnuda", "hermética",

---

[59] Este deseo de fusionar manifestaciones genéricas diferentes se percibe también en la prosificación de poemas en verso libre de su última época (*Espacio* y las falsas prosas de "Dios deseado y deseante"). Sin embargo, la fusión nunca es completa. Las prosificaciones que acabamos de citar mantienen su ritmo impar, de modo que no es tarea muy difícil rehacer el esquema primitivo. Y lo mismo sucede con esta "canción" y este "romance". En el romance perviven el metro octosílabo y la tendencia narrativa. Sin embargo, tenemos versos anafóricos ("noche fiel con verde viento", "noche fiel con viento eterno") que introducen estructuras circulares en el poema, y tenemos aliteraciones ("resue*n*as como en *mi seno*", $\boxed{s-n} - \boxed{m-m} - \boxed{s-n}$) y sinfonías vocálicas ("*eco* del *sueño* del b*eso*", $\boxed{é-o} -$ e — $\boxed{é-o} -$ e — $\boxed{é-o}$), procedimientos más propios de la "canción" que del "romance". En cuanto a la canción, los versos anafóricos son mucho más frecuentes: "No los colores" (vv. 4, 7 y 10); "Otros colores" (vv. 16, 25 y 31); "Yo sé de dónde" (vv. 37 y 40); "Los pájaros han estado / cantándome sus colores" (vv. 2-3 y 29-30), etc.; la circularidad de la canción se superpone a la estructura narrativa, inmovilizándola. El uso del octosílabo en los versos 2 y 3 de cada tercerilla, las apariencias narrativas, y sobre todo la ausencia de estribillo, imprimen en el poema rasgos de no-canción.

"romántica", "canción", etc., hemos recurrido a términos que aparecen en muchos trabajos críticos sobre el poeta, incluidos los del propio Juan Ramón, que pasó mucho tiempo reflexionando sobre su Obra e intentando catalogarla. El problema de estas denominaciones, y la causa de nuestro desorden expositivo, es que se apoyan en parámetros de naturaleza muy diferente. Así, al hablar de poesía "ingenua", "reflexiva", "erótica" y "romántica", estamos recurriendo a una clasificación temática; mientras al hablar de "canción", "poesía desnuda", "esteticista" y "hermética", estamos pensando en presencia o ausencia de ciertos procedimientos formales. Los dos puntos de referencia insoslayables se han entremezclado, como en una preceptiva literaria neoclásica, para oscurecer el problema al intentar resolverlo.

Cambiando de óptica, y sustituyéndola por una clasificación que tenga en cuenta el móvil dominante para poetizar en los diferentes caminos juan-ramonianos, obtenemos el siguiente cuadro:

$$
\textit{Móvil dominante}
\begin{cases}
-\text{Concepto o hecho} \\ \quad (\text{"ello"})
\begin{cases}
\text{"ingenua"} \\
\text{"reflexiva" o "desnuda"}
\end{cases} \\[2em]
-\text{Esquema estético} \\ \quad (\text{"ello subjetivado"})
\Big\} \ \text{"esteticista"}
\begin{cases}
\text{musical} \\
\text{colorista} \\
\text{erótica} \\
\text{decadente}
\end{cases} (\text{canción}) \\[2em]
-\text{Emoción} \\ \quad (\text{"yo"})
\begin{cases}
\text{"romántica" - "idealizadora"} \\
\text{"hermética"}
\end{cases}
\end{cases}
$$

No podemos esperar; naturalmente, que los móviles se encuentren en estado puro; de hecho suelen confluir las tres motivaciones o al menos dos en cada poema. Pero lo importante es que siempre hay una dominante, una que organiza desde dentro el material expresivo; el interés por la aprehensión de una idea o por la narración de un hecho llama a ciertas formas métricas —verso libre y romance, respectivamente—, y se plasma en un determinado tipo de lenguaje, más o menos claro según la intención comunicativa sea más o menos pronunciada. La emoción (la participación afec-

tiva del poeta en el hecho o en la reflexión) existe también, y la esquemati-
zación estética de la materia verbal existe igualmente (sin ella el poema no
tendría calidad), pero emoción y arte son secundarios en ese caso. Y lo
mismo podríamos decir de las otras dos grandes divisiones. Unos colores,
unos sonidos, una imagen erótica o una melancólica imagen paisajística,
desencadenan en el poeta ritmos de canción o monotonía de alejandrinos.
La emoción no está ausente, ni los puntales narrativos o descriptivos que
hagan referencia a esa impresión concreta y la reproduzcan en el lector,
pero lo esencial es la visión subjetiva, inédita, que ha dejado en el espíritu
del poeta una luz, un color, un sonido o una imagen. Y en el caso de la motivación emocional, ya hemos visto en análisis precedentes —"Criatura
afortunada", "Viento negro, luna blanca"— cómo lo que moviliza el poema
entero es la emoción concreta; cómo las pinceladas narrativas desorgani-
zadas actúan como sugerencias para el lector y no explicaciones; cómo la
organización artística del material (próximo a la forma canción por la
presencia de estribillos, reiteraciones, anáforas, aliteraciones, vocabulario
restringido, etc., pero prefiriendo la forma de verso libre en la segunda
época y la simili-arromanzada en la primera), cómo esta organización
artística nace al calor de la emoción y dependiente de ella.

Y ahora, para finalizar esta serie de análisis, uno más, el último: el que
nos revele de modo aplicado, a nivel de vocabulario, algunas diferencias
entre la primera y segunda época del poeta. A través de dos versiones del
mismo poema, una de *Elegías,* poema XXIII (*P.L.P.,* p. 813) y otra de
Cuadernos, p. 18, el lector adivinará en seguida cuál es la correspondiente
a cada uno de los dos momentos:

> 1   *Ruiseñor de la noche, ¿qué lucero hecho trino,*
> *qué rosa hecha harmonía en tu garganta canta?*
> *Pájaro de la luna, ¿de qué prado divino*
> *es la fuente de oro que surte en tu garganta?*

> 5   *¿Es el raso del cielo lo que envuelve la urna*
> *de tus joyas azules, temblorosas y bellas?*
> *¿Llora en tu pecho un dios, o a qué antigua y nocturna*
> *primavera has robado tus aguas con estrellas?*

> 1   *Ruiseñor de la noche, ¿qué lucero hecho trino,*
> *qué rosa hecha harmonía en tu garganta canta?*
> *Pájaro del placer, ¿en qué prado divino*
> *bebes el agua pura que moja tu garganta?*

5   *Para que tu voz sea la gloria, único dueño*
de la noche de mayo, ¿qué desnudez de sones
ves ante ti y levantas con tu pecho pequeño,
inmensa como un cielo o un mar de encarnaciones?

¿Es el raso lunar lo que forra la urna
10   *de tus joyas azules, temblorosas y bellas?*
¿Llama a tu pecho un dios? ¿O a qué antigua y nocturna
eternidad robó tu pico las estrellas?

Sí, efectivamente la versión primera es la primitiva, de 1907, y la segunda es la de 1924 (sabemos ambas fechas con precisión por haberlas indicado Juan Ramón en los *Cuadernos*). El "mar de *encarnaciones*" del verso 8 y la "antigua y nocturna / *eternidad*" (vv. 11-12) nos ponen en la pista; esas palabras son claves en su segunda época, palabras conductoras de su problemática profunda en todo el período que va desde 1916 hasta 1956. No hubiera podido escribirlas antes, cuando el erotismo le acuciaba y cuando el hallazgo de bellezas formales era su último horizonte.

Otras palabras de la versión segunda nos inclinan también a situarlo en la segunda época: "la gloria" (en la primera época dice "el cielo", mientras en la segunda alternan ambas); y, sobre todo, "desnudez de sones". La primera época está llena de desnudos femeninos, pero la palabra "desnudez", sustantivo abstracto, aparece poco, y sobre todo nunca aparece —que recordemos— con sentido metafórico, como aquí. En cambio, en la segunda época es palabra frecuentísima y metafórica.

No nos detendremos en las restantes modificaciones estilísticas; son secundarias para el tema que aquí nos ocupa, la conexión directa y continua entre "los estilos" de Juan Ramón y su vida. Su primer estilo, en sus mejores momentos, es ingenuo; el poeta adolescente cuenta con sencillez de medios expresivos simples anécdotas de su vida o habla de lo que le rodea; y en sus momentos menos felices es pomposamente alegórico: ingenuidad de muchacho que ahueca la voz para parecer hombre maduro, como sus amigos modernistas.

Pero la voz va naturalmente madurando, y desde *Arias tristes* el aislamiento que su enfermedad le aporta le permite cantar el "mundo mejor", el reino vegetal. El hiriente mundo de los hombres está lejos, y sólo ciertos poéticos seres de él encuentran cabida en los versos del joven poeta, sus "pobres" y dulces novias. Cantará y cantará estos temas en versos progresivamente más refinados y estilizados, en la poesía "esteticista", donde el color y la música organizan las palabras y se adueñan de los temas. Y casi al mismo tiempo, el erotismo, la culpabilidad y la autodepreciación le llevarán hacia el refugio de la poesía decadente, elegíaca.

Al final de su primera época y principio de la segunda, motivando el profundo cambio estilístico, tenemos uno de los pocos "acontecimientos" de la vida de Juan Ramón: su amor hacia una extraordinaria mujer que cambia (por poco tiempo) su vida. Así surgen dos libros singularmente vivos y frescos en la atemporal Obra: *Estío* y el *Diario de un poeta reciencasado.* Pero a partir de *Eternidades,* es decir, de la instalación del poeta en la rutina matrimonial, vuelve con más fuerza la "intemporalidad". El amor de Zenobia protege al poeta contra el mundo externo mucho más eficazmente que los hospitales psiquiátricos, el campo moguereño y la devoción de su familia. En consecuencia, el poeta, tranquilizado incluso el aguijón carnal, eleva el vuelo a regiones metafísicas para resolver en la Obra una problemática que no podía resolver en el ruidoso y difícil mundo. Lógicamente, la línea reflexiva es la que domina al principio de esta larga vía, y se produce una especie de vuelta a sus comienzos poéticos mejores: la poesía "desnuda". Pero llega un momento en que la lógica agota sus posibilidades combinatorias, al tiempo que la emoción —incidiendo siempre, como antes la lógica, sobre su cambiante humor— le conduce por unos derroteros supralógicos, absolutamente personales y solitarios, a la poesía "hermética". Las cumbres de esta poesía hermética son seguramente *La estación total* y *Animal de fondo,* momentos en que el poeta roza lo sobrenatural. Entre una y otra cumbre, conjuntos poemáticos indudablemente bellos, originalísimos, poco estudiados hasta la fecha, que revelan puntualmente los altibajos del espíritu juanramoniano en sus vuelos por las zonas últimas del espíritu.

La clave de los estilos juanramonianos se encuentra en sus vivencias, y el estudio de sus procedimientos de estilo, si no queremos convertirlo en catálogo desarraigado, necesita apoyarse en la temática que recogen, y esta temática a su vez en las vivencias, pocas pero humanamente esenciales. En último término, si Juan Ramón es el Lírico absoluto, es porque vivió exclusivamente *para* su Obra, *en* su Obra, y *a través de* ella: el estilo es su proyección.

Balance: Salvación por la palabra

Juan Ramón, el inadaptado esencial (por voluntad y por constitución psíquica), el que siempre encontró (porque las buscó oscura y tenazmente) condiciones ideales de invernadero, ¿hasta qué punto benefició a su Obra con su actitud, y hasta qué punto la perjudicó?

Dentro de la subjetividad y toma de partido que todo juicio crítico implica, he aquí nuestro balance:

La primera gran ventaja para la Obra estriba en el *desarrollo total de las capacidades contemplativas del poeta*. Juan Ramón es contemplativo, pero un montón de circunstancias le permiten seguir siéndolo. Y convertirse en el poeta "inefable", el de la sensibilidad tendida al máximo, el que encuentra en las cosas matices insospechados, palabras y formas nuevas, correspondencias entre el mundo interno y externo, acordes inéditos bajo la diversidad apariencial del universo.

Más que un pensador, decíamos, Juan Ramón es un sentidor, un *cuerpo* extraordinariamente receptivo y expresivo. Recuérdese que la neurosis histérica se caracteriza "por la hiperexpresividad *corporal* de las ideas, de las imágenes y de las pulsiones inconscientes". A través de la enorme receptividad y reactividad de su cuerpo, el poeta acoge una vasta y matizada gama de sensaciones internas y externas. Y con su subjetividad a ultranza y su certero sentido de la belleza, las organiza en figuras estéticas personalísimas. En otras palabras, es el "ser diferente" de Juan Ramón lo que en último término posibilita su enorme originalidad.

La segunda gran ventaja del huir el poeta de la vida, es la dialéctica del *vivir a través de la Obra*. En la Obra plantea sus problemas existenciales, y en la Obra intenta resolver interrogantes vitales como el amor, la eternidad o la experiencia mística. Naturalmente, fracasa *como hombre* en estas sucesivas aventuras, (excepto en la del amor, gracias a Zenobia), porque el planteamiento mismo es inadecuado. Pero, en cambio, el hecho de habérselo propuesto, da a la Obra una trascendencia y una humanidad que la salvan ante el tiempo. En este vivir a través de la Obra, la Poesía pasa a ser el aura envolvente total del poeta, la polifacética respuesta a su angustia: Es poesía-expresión (de sus vivencias más profundas); poesía-consuelo (de vivir); poesía-sustituto de vida; poesía-aprehensión de problemas fundamentales (la Obra como aventura, o, si se prefiere, poesía-exploración); incluso poesía-comunicación (con "la *inmensa* minoría") y poesía-salvación (de la muerte).

Las desventajas del estar separado de la vida, son la impresión de desvitalización e inhumanidad que a veces produce la Obra; la limitación en el número de experiencias del autor y su consiguiente reiteración excesiva en la Obra; la sustitución de la realidad por la fantasía, con el peligro de "cursilería", de "no vivido"; y, sobre todo, el egocentrismo:

> Si nó nos rozamos continuamente con nuestros semejantes, nos ponemos raros, no le quepa á Vd. duda. Nó raros por tener dentro algo mucho mejor que los demas, sino raros porque nuestro aislamiento siempre nos hace creer que somos superiores y nos endurecemos en todos nuestros defectos.

Son palabras de Zenobia al poeta, en carta de 1913. Este es el lado poco favorecedor de Juan Ramón. El de las viperinas agresividades hacia los que le rodeaban; el de versos insoportables como: "Al ver este oro en el pinar sombrío / *me he acordado de mí tan dulcemente,* / que era más dulce el pensamiento mío / que toda la dulzura del poniente". Este egocentrismo es también el que le dificulta o impide *amar,* dificultad enmascarada en superficial sentimentalidad. Y tal vez las numerosas defensas de su "sentimentalidad" en los aforismos, e incluso su exhibicionismo sentimental en la primera época, sean protecciones del poeta contra su sospecha de carecer de afectos profundos:

> *A veces me acomete*
> *un momentáneo horror.*
> *Grito desesperado*
> *a lo invisible: "¡No,*
> *no!"*
> *(...Si yo hubiera sido*
> *un hombre "¡No!" sin corazón...)*

Por otra parte, la enorme sensorialidad juanramoniana a que aludíamos antes, tiene como contrapartida el "capricho": el imperio absoluto del humor del instante sobre toda norma objetiva. Y el humor del momento puede estar condicionado hasta por nimiedades climatológicas: el calor, la humedad, etc. Como ejemplo de esta hipersensibilidad corporal, citaremos sólo tres aforismos de "La alameda verde": "El pensamiento, ¡cómo se amolda sucesivamente a las horas del día!"; "En verano, la nostalgia se mitiga, las cosas con sol parecen más grandes, se alumbra la miseria, se pierden los contornos duros del dolor."; "Tengo miedo a despertarme temprano. Las primeras horas del día —¡tan afanosas!— me abruman." Y como ejemplo de reactividad corporal a las ideas, este aforismo involuntariamente cómico: "Cuando siento una idea en la frente, un peso hondo me obliga a sentarme." (*Libros de Prosa,* p. 763.)

Al adueñarse el "capricho" del pensamiento juanramoniano, la extraordinaria riqueza en el análisis de sensaciones se contrarresta con una pobreza casi igualmente extraordinaria en la síntesis ideológica. De aquí las numerosas contradicciones que tanto nos irritan a los críticos del poeta...

Pero, a fin de cuentas, defectos y cualidades de la Obra tienen un origen común, y sin los unos no podrían existir las otras. Como en la parábola evangélica, si quisiéramos arrancar la cizaña del campo, arrancaríamos al mismo tiempo su trigo. Y esto, que suele valer para cualquier creador, se agudiza en el caso de Juan Ramón porque defectos y cualidades radican en su yo, no en cuestiones formales o de moda literaria. Como acertadamente ha escrito R. Gullón: "La grandeza y también la limitación de Juan Ramón fue reducir la belleza al reflejo del propio ser." (*Estudios sobre Juan Ramón Jiménez*, p. 202.)

Y partiendo de esta base tenemos que decir que, para nosotros, las numerosas paradojas de Juan Ramón —sobre las que hemos ido basando nuestro estudio— se completan con esta paradoja final: Juan Ramón el inútil socialmente, el retirado de la vida, el de la torre de marfil, ha hecho, sin proponérselo, más por la Humanidad que un honrado, hacendoso y amable profesional (aunque personalmente, claro está, prefiramos tener como vecino al honrado profesional antes que a Juan Ramón). Porque la Poesía, como el resto de las artes, sirve para la vida también, da relieve —profundidad y altura— al vivir de los hombres, consuela, ilusiona, acompaña, y su acción atraviesa las distancias y los tiempos mientras haya un espíritu humano capaz de recibirla.

Refiriéndose a su Obra, Juan Ramón había escrito en "Una colina meridiana":

> *Dios, ¿quién será el que la vea*
> *llena toda de mi historia?*
> *¡Pobres los que este venir*
> *suyo de mí desconozcan!*

En nuestro libro hemos intentado precisamente cristalizar ese "venir", esa procedencia incesante de la Obra: el propio poeta con sus vivencias en problematismo continuo. Nuestra esperanza es haber descifrado en buena parte la Obra, y haber acercado la personalidad —conflictiva, pero humanísima— del poeta hasta la humanidad del lector.

Pero, a fin de cuentas, defectos y cualidades de la Obra tienen un origen común, y sin los unos no podrían existir las otras. Como en la parábola evangélica, si quisiéramos arrancar la cizaña del campo, arrancaríamos al mismo tiempo su trigo. Y esto, que suele valer para cualquier creador, se agudiza en el caso de Juan Ramón porque defectos y cualidades radican en su yo, no en cuestiones formales o de moda literaria. Como acertadamente ha escrito R. Gullón: "La grandeza y también la limitación de Juan Ramón fue reducir la belleza al reflejo del propio ser." (*Estudios sobre Juan Ramón Jiménez*, p. 202.)

Y partiendo de esta base tenemos que decir que, para nosotros, las numerosas paradojas de Juan Ramón —sobre las que hemos ido basando nuestro estudio— se completan con esta paradoja final: Juan Ramón el inútil socialmente, el retirado de la vida, el de la torre de marfil, ha hecho, sin proponérselo, más por la Humanidad que un honrado, bienhechor y amable profesional (aunque personalmente, claro está, prefiramos tener como vecino al honrado profesional antes que a Juan Ramón). Porque la Poesía, como el resto de las artes, sirve para la vida también, da relieve —profundidad y altura— al vivir de los hombres, consuela, ilusiona, acompaña, y su acción atraviesa las distancias y los tiempos mientras haya un espíritu humano capaz de recibirla.

Refiriéndose a su Obra, Juan Ramón había escrito en "Una colina meridiana":

> Dios, ¿quién será el que la lea
> lleno todo de mi historia?
> ¡Pobres los que este venir
> sino de mí desconozcan!

En nuestro libro hemos intentado precisamente cristalizar ese "venir", esa procedencia incesante de la Obra: el propio poeta con sus vivencias en problematismo continuo. Nuestra esperanza es haber descifrado en buena parte la Obra, y haber acercado la personalidad —conflictiva, pero humanísima— del poeta hasta la humanidad del lector.

FECHAS IMPORTANTES EN LA VIDA DE JUAN RAMÓN

1881. Nace Juan Ramón Jiménez Mantecón en Palos de Moguer (Huelva), el 23 de diciembre, en una familia de terratenientes dedicados a la elaboración y exportación del vino. El padre, Víctor Jiménez, se había casado en segundas nupcias con Purificación Mantecón, y con ella tiene tres hijos: Victoria, Eustaquio y Juan Ramón; del primer matrimonio tenía una hija, Ignacia.

1890. Juan Ramón va interno al colegio de los jesuitas de Puerto de Santa María (Cádiz). Primeros versos.

1896. Terminado el bachillerato, se traslada a Sevilla para estudiar Pintura por gusto y Leyes en la Universidad por imposición paterna. Primeros poemas publicados en periódicos sevillanos y onubenses. Enfermedad al final del curso académico. Suspende los estudios y se dedica a la literatura exclusivamente.

1900. Tras recibir una tarjeta estimulante firmada por Rubén Darío y Villaespesa, va a Madrid en abril y permanece allí dos meses. Vuelve a Moguer. Aparecen en Madrid sus dos primeros libros: *Ninfeas* y *Almas de violetas.* Muere su padre ese mismo verano. La "enfermedad" de Juan Ramón se agrava.

1901. En la primavera, la familia interna al poeta en el Sanatorio (manicomio) del Dr. Lalanne, en Castel d'Andorte (Bordeaux). Lecturas del movimiento simbolista. Escribe el poeta *Rimas,* que aparecerá en Madrid, 1902. Regresa a España, al Sanatorio del Rosario (Madrid) dirigido por el Dr. Simarro.

1902 y 1903. Continúa en el Sanatorio del Rosario. *Arias tristes,* el primer gran libro juanramoniano, aparece en 1903. Funda la revista *Helios* (abril 1903-febrero 1904) con Gregorio Martínez Sierra, Ramón Pérez de Ayala, Agustín Querol, Pedro González Blanco y Carlos Navarro Lamarca. Amistad con los hermanos Machado.

1903-1905. Al enviudar el Dr. Simarro y mejorar Juan Ramón, éste va a vivir con el doctor, el cual influye en su ideología. En la magnífica biblioteca de Luis Simarro y en la de la Institución Libre de Enseñanza (que Simarro frecuentaba) Juan Ramón lee a Nietzsche, Schopenhauer, Hegel, Loisy, etc. *Jardines lejanos,* 1904.

1905-1911. Al enfermar Simarro, regresa Juan Ramón a Moguer, donde el patrimonio familiar está, desde la muerte del padre, cada vez más menguado. Son años alegres al principio (muchas lecturas, noviazgo reposado con Blanca Hernández-Pinzón, y sobre todo, mucha vida campestre en la finca familiar de Fuentepiña). Esta es la época de *Platero, Baladas de primavera,* etc. Pero desde 1908 *(Elegías),* el ánimo del poeta se ensombrece y la preocupación religiosa —de signo cristiano— se hace más fuerte que nunca. En su conjunto, estos seis años son los de más intensa creatividad en el poeta: *Pastorales, Baladas de primavera, Elegías puras, La soledad sonora, Elegías intermedias,* "Arte menor", "Esto", *Poemas mágicos y dolientes, Elegías lamentables, Melancolía, Laberinto,* "Poemas agrestes", "Poemas impersonales", "Historias", "Libros de amor", "Apartamiento (I: Domingos; II: El corazón en la mano; III: Bonanza)"; "La frente pensativa", "Pureza" y "El silencio de oro". Todo esto en verso. En prosa escribe durante este período: "Palabras románticas", "Ideas líricas", "Baladas para después", "Las flores de Moguer", "El poeta en Moguer", "Paisajes líricos", "Diálogos", "Crítica", y, sobre todo, empieza y escribe la mayor parte de *Platero y yo.*

1911-1916. Vuelta a Madrid. Desde 1912 pasa Juan Ramón a vivir en la Residencia de Estudiantes, cuyas Publicaciones dirige. Allí, un ciclo de conferencias le pone en contacto con Zenobia Camprubí Aymar, de la que se enamora inmediatamente. Zenobia traduce *La Luna Nueva* de R. Tagore, y Juan Ramón colabora con un poema y asesoramiento. Este amor, difícil porque Zenobia tardó en corresponder al poeta, es el origen de los *Sonetos Espirituales, Estío,* "Monumento de amor" y parte de "Idilios".

1916-1936. Matrimonio de Zenobia y Juan Ramón el 2 de marzo de 1916 en la iglesia de St. Stephen, en Nueva York, donde Zenobia pasaba una temporada con su familia. El *Diario de un poeta reciencasado* recoge las impresiones de Juan Ramón en su primer viaje marítimo y su primer contacto con la vida norteamericana. El matrimonio se instala en Madrid. Empieza el enclaustramiento juanramoniano agudo, rehuyendo toda vida social, mientras Zenobia se convierte en su "embajadora de buena voluntad" (G. Palau). Esta actitud del poeta le vale numerosos ataques de los medios literarios madrileños, ataques a los que el poeta responde con virulencia; cantidad de anécdotas nacen así, creando la imagen más malhumorada y antisocial de Juan Ramón (imagen que culmina entre los años 24 y 36). Paradójicamente, en estos mismos años la Obra en prosa se abre más que nunca a la comprensión de los demás, en la espléndida serie de retratos de *Españoles de tres mundos* y *La corriente infinita.* Con estas joyas literarias (como antes —1917— con la publicación de *Platero y yo)* el arte juanramoniano abre horizontes nuevos en la historia de la prosa española. Otras prosas de este período, de carácter más autobiográfico, son las recogidas póstumamente en libro bajo los títulos *La colina de los chopos* y *Por el cristal amarillo.*

En el verso, los primeros años de matrimonio son muy fructíferos para Juan Ramón: *Poesías Escojidas* (1899-1917); *Diario de un poeta reciencasado* (1916); *Eternidades* (1917); *Piedra y cielo* (1917-18); *Segunda Antolojía Poética* (1898-1918); *Poesía y Belleza* (1917-23). En cambio, desde 1924 disminuye la productividad y el deseo de publicar en el poeta: es la época de los *Cuadernos,* la del "cansancio de su nombre" (llegó a escribir poemas con el seudónimo de Jaime Luis Piquet), y la época de máxima obsesión ordenadora y reordenadora de su Obra. Esta obsesión produce un fruto magnífico: *Canción* (1936), y la parquedad de publicaciones, otro: *La estación total* (1924-1936; publicado en 1946).

1936-1939. Salen de España Juan Ramón y Zenobia con pasaporte diplomático, primero a Nueva York y después a Puerto Rico, donde el poeta da algunas conferencias. A continuación pasan a Cuba, residiendo allí dos años. Los escritos de este período —prosa sobre todo, crítica en torno a su propia poesía y a la poesía cubana— están recogidos en *Estética y ética estética* y *La corriente infinita*.

1939-1951. Invitado Juan Ramón por The Hispanic American Institute de la Universidad de Coral Gables, Miami, para dar conferencias, se traslada allí el matrimonio. Juan Ramón vuelve a escribir poesía: *Romances de Coral Gables* y "Espacio". Se agrava la enfermedad psíquica de Juan Ramón con repetidas depresiones que necesitan hospitalización. Entre unas y otras consigue escribir los citados poemas y dar cursos de verano en la Universidad de Duke (North Carolina, 1942) y Vassar (1948). Contratada Zenobia por la Universidad de Maryland para dar cursos de conversación española, el matrimonio se traslada a Riverdale, Maryland. Juan Ramón pasa a su vez a formar parte del profesorado desde 1948. En el verano de este año va Juan Ramón —con Zenobia siempre— a dar unas conferencias a la Argentina y Uruguay ("Límites del progreso", "Poesía abierta y poesía cerrada", "El trabajo gustoso" y "La razón heroica"). Recibimiento apoteósico. En el viaje de vuelta, en el barco, escribe *Animal de fondo*. Se recrudece luego su neurosis, y las hospitalizaciones se suceden. Zenobia piensa, inducida por la benéfica experiencia argentina, que el ambiente hispánico podrá ayudar a Juan Ramón a recuperarse, y en el verano de 1950 pasan casi dos meses en Puerto Rico, volviendo a Maryland para el curso académico.

1951-1958. Por gestiones de Zenobia, regresan definitivamente a Puerto Rico en marzo del 51. Desde 1952 Juan Ramón queda incorporado, como su esposa, al profesorado de la Universidad de Río Piedras. Colabora activamente en el periódico *Universidad* y en la vida intelectual de la isla. Estos trabajos están parcialmente recogidos en *La corriente infinita* y en *Estética y ética estética*. En 1953, la Universidad pone a disposición del matrimonio la "Sala Zenobia y Juan Ramón Jiménez" de su Biblioteca, que se llena con manuscritos, cartas, libros, cuadros, etc., del poeta. Zenobia enferma de cáncer; la operan en Boston en 1952, pero se le reproduce más tarde la enfermedad y muere el 28 de octubre de 1956. El 25 de este mismo mes otorgan a Juan Ramón el Premio Nobel. La neurosis de Juan Ramón, que le había aquejado intermitentemente durante estos años, se agrava al morir Zenobia, necesitando nuevamente hospitalización el poeta en 1957. Recuperado psíquicamente, el 26 de mayo de 1958 enferma de bronconeumonía, y muere en la madrugada del 29. Su cadáver y el de Zenobia reposan en Moguer.

Los poemas escritos después de 1936 aparecen recogidos, bajo el título "En el otro costado", en la *Tercera Antolojía Poética,* preparada por Zenobia y completada por Eugenio Florit. Las conferencias de Juan Ramón y su curso de 1953 sobre el Modernismo fueron editados póstumamente, en 1961 y 1962. Y siguen apareciendo obras juanramonianas hasta hoy, recogidas principalmente por Francisco Garfias y por Ricardo Gullón: los *Libros Inéditos de Poesía,* 2 vols., las *Cartas* de Juan Ramón, 2 vols., una edición ampliada de *Españoles de tres mundos,* y los libros de prosa *La corriente infinita, Estética y ética estética, Por el cristal amarillo,* y *La colina de los chopos.*

La publicación de la Obra Completa de Juan Ramón, agobiante obsesión de sus años de madurez, avanza gracias a estas recolecciones póstumas, pero la edición completa y definitiva parece aún lejana.

BIBLIOGRAFÍA CONSULTADA

LIBROS DE JUAN RAMÓN JIMÉNEZ

Primeros libros de Poesía. (I Rimas - II Arias tristes - III Jardines lejanos - IV Pastorales - V Olvidanzas: Las hojas verdes - VI Baladas de primavera - VII Elegías [Elegías puras, Elegías intermedias, Elegías lamentables] - VIII La soledad sonora - IX Poemas mágicos y dolientes - X Laberinto - XI Melancolía - XII Ninfeas - y XIII Almas de violetas.) Recopilación y prólogo de F. Garfias, Madrid, Aguilar, 1967^3.

Libros Inéditos de Poesía, 2 vols. (I: Primeras poesías - Arte menor - Esto - Poemas agrestes - Poemas impersonales - Historias - y Libros de amor. II: Apartamiento [1) Domingos. 2) El corazón en la mano. 3) Bonanza.)]- La frente pensativa - Pureza - El silencio de oro - Idilios - Ornato - Monumento de amor - y Prólogos a Tagore. Selección, ordenación y prólogo de F. Garfias, Madrid, Aguilar, 1964.

Libros de Poesía. (I Sonetos Espirituales - II Estío - III Diario de un poeta reciencasado - IV Eternidades - V Piedra y cielo - VI Poesía - VII Belleza - VIII La estación total con las Canciones de la nueva luz - y IX Dios deseado y deseante.) Recopilación y prólogo de Agustín Caballero, Madrid, Aguilar, 1959^2.

Segunda Antolojía Poética, Madrid, Espasa-Calpe, 1956.

Tercera Antolojía Poética (1908-1953), Madrid, Biblioteca Nueva, 1970^2.

Canción, Madrid, Aguilar, 1961.

Cuadernos. Edición de F. Garfias, Madrid, Taurus, 1960.

Libros de Prosa: 1 (I *Primeras prosas:* 1 Prosas varias, 2 Palabras románticas, 3 Críticas, 4 Comentario sentimental, 5 Ideas líricas, 6 Baladas para después, 7 Paisajes líricos, 8 Las flores de Moguer, 9 El poeta en Moguer, 10 Diálogos, 11 La alameda verde, 12 Crítica, 13 Odas libres. - II *Platero y yo.* - III *La colina de los chopos:* 1 Madrid posible e imposible, 2 Disciplina y oasis, 3 Diario vital y estético, 4 Sanatorio del Retraído, 5 Un andaluz de fuego, 6 Aforismos. - IV *Por el cristal amarillo:* 1 Sevilla, 2 Hombro compasivo, 3 Entes y sombras de mi infancia, 4 Olvidos de Granada, 5 Edad de Oro, 6 El calidoscopio prohibido, 7 Casa azul marino, 8 Mano amiga, 9 Vida y época, y 10 Poesía en prosa.) Ordenación y prólogo de F. Garfias, Madrid, Aguilar, 1969.

Españoles de tres mundos. Viejo mundo, Nuevo mundo, Otro mundo. Caricatura lírica, 1914-1940. Edición y estudio preliminar de R. Gullón, Madrid, Aguilar, 1969.

Estética y ética estética. Crítica y complemento. Selección, ordenación y prólogo de F. Garfias, Madrid, Aguilar, 1967.

La corriente infinita. Crítica y evocación. Recopilación, selección y prólogo de F. Garfias, Madrid, Aguilar, 1961.

El trabajo gustoso. Conferencias. Selección y prólogo de F. Garfias, Madrid, Aguilar, 1961.

El Modernismo. Notas de un curso. Edición, prólogo y notas de R. Gullón y E. Fernández Méndez, México, Aguilar, 1962.

Cartas (1.ª selección). Recopilación, selección y prólogo de F. Garfias, Madrid, Aguilar, 1962.

Cartas (2.ª selección). Recopilación de F. Garfias, Barcelona, Ed. Picazo, 1973.

TRABAJOS CRÍTICOS CITADOS

Luis ALONSO SCHÖKEL, *Estética y estilística del ritmo poético,* Barcelona, Juan Flors editor, 1959.

Albert BÉGUIN, *L'âme romantique et le rêve,* Paris, Corti, 1960.

Juan Alfredo BELLÓN CAZABÁN, *La poesía de Luis Cernuda. Estudio cuantitativo del léxico de "La realidad y el deseo"* (resumen de tesis doctoral), Universidad de Granada, 1973.

Maryse BERTRAND DE MUÑOZ, "Almoraduj del monte. (Ensayo de un comentario de texto)" *La Torre,* XVIII, núm. 69, julio-sept. 1970, pp. 115-127.

Germán BLEIBERG, "El lírico absoluto: Juan Ramón Jiménez", *Clavileño,* 1951, núm. 10, pp. 33-38.

Carlo BO, *La poesía de Juan Ramón Jiménez,* Madrid, Edit. Hispánica, 1943.

Maud BODKIN, *Archetypal Patterns in Poetry. Psychological Studies on Imagination,* London-Oxford-New York, Oxford University Press, 1974.

Antonio CAMPOAMOR GONZÁLEZ, "Bibliografía fundamental de Juan Ramón Jiménez", *La Torre,* 1969, núm. 63, pp. 177-213; *ibid,* núm. 64, pp. 1113-1145; *ibid,* núm. 65, pp. 145-179; *ibid,* núm. 66, pp. 131-168.

Ernst CASSIRER, *Filosofía de las formas simbólicas,* México, Fondo de Cultura Económica, 1971.

Luis CERNUDA, "Juan Ramón Jiménez", *Estudios sobre poesía española contemporánea,* Madrid-Bogotá, Guadarrama, 1957, pp. 119-135.

Luis CERNUDA, *Crítica, ensayos y evocaciones,* Barcelona, Seix Barral, 1970. (J. R. J., en pp. 175-193. Estudio publicado en *Bulletin of Spanish Studies,* XIX, 1942, y reproducido en *El Hijo Pródigo,* México, 1, núm. 3, junio 1943.)

Leo R. COLE, *The Religious Instinct in the Poetry of Juan Ramón Jiménez,* Oxford, Dolphin Book, 1967.

Joseph CHIARI, *Symbolisme from Poe to Mallarmé. The Growth of a Myth,* London, Rockliff, 1956.

Guillermo DÍAZ-PLAJA, *Juan Ramón Jiménez en su poesía*, Madrid, Aguilar, 1958.

Enrique DÍEZ-CANEDO, *Juan Ramón Jiménez en su obra*, México, El Colegio de México, Fondo de Cultura Económica, 1944.

H. EY, P. BERNARD, et Ch. BRISSET, *Manuel de Psychiatrie*, Paris, Masson, 1963[2].

Eugenio FLORIT, "La poesía de Juan Ramón Jiménez", *La Torre*, V, núms. 19-20, 1957, pp. 301-310.

Donald F. FOGELQUIST, "Juan Ramón Jiménez. Vida y obra. Bibliografía. Antología", *Revista Hispánica Moderna*, XXIV, 1958, núms. 2-3, pp. 105-177.

M.ª Teresa FONT, *Espacio: Autobiografía lírica de Juan Ramón Jiménez*, Madrid, Ínsula, 1972.

Arturo A. FOX, "Angustia y secularismo de Juan Ramón en *Romance de Coral Gables*", *Explicación de textos literarios*, California, vol. II-2, 1974-75, pp. 173-177.

Domenico FRATTAROLI, *El símbolo del "jardín" en la obra de Juan Ramón Jiménez*, Tesis de M. A., Universidad de Montreal, 1973.

Sigmund FREUD, *Psicopatología de la vida cotidiana*, en *Obras Completas*, I, Madrid, Biblioteca Nueva, 1948, pp. 627-766.

Hugo FRIEDRICH, *Estructura de la lírica moderna*, Barcelona, Seix Barral, 1974.

Vicente GAOS, "Introducción", en *Juan Ramón Jiménez: Antología poética*, Salamanca, Anaya, 1969.

Francisco GARFIAS, *Juan Ramón Jiménez*, Madrid, Taurus, 1958.

Bernardo GICOVATE, *La poesía de Juan Ramón Jiménez. Obra en marcha.* Barcelona, Ariel, 1973.

Angel GONZÁLEZ, *Juan Ramón Jiménez*, Madrid, Ediciones Júcar, 1973.

A. J. GREIMAS y colaboradores, *Essais de sémiotique poétique*, Paris, Larousse, 1972.

Juan GUERRERO RUIZ, *Juan Ramón de viva voz*, Madrid, Ínsula, 1961.

Ricardo GULLÓN, *Estudios sobre Juan Ramón Jiménez*, Buenos Aires, Losada, 1960.

Ricardo GULLÓN, *El último Juan Ramón Jiménez*, Madrid, Alfaguara, 1963.

Ricardo GULLÓN, *Conversaciones con Juan Ramón Jiménez*, Madrid, Taurus, 1958.

Ricardo GULLÓN, "Monumento de Amor, Epistolario y lira (correspondencia Juan Ramón-Zenobia)", *La Torre*, n.º 27, julio-sept. 1959, pp. 151-246.

Ricardo GULLÓN, "Relaciones entre Juan Ramón y Manuel Machado" y "Relaciones entre Juan Ramón y los Martínez Sierra", en *Direcciones del Modernismo*, Madrid, Gredos, 1963, pp. 176-194 y 195-234.

Homenaje a Juan Ramón Jiménez, *La Torre*, V, 1957, núms. 19-20.

Homenaje a Juan Ramón Jiménez, *Insula*, 1957, núms. 128-129.

Homenaje a Juan Ramón Jiménez, *Revista Hispánica Moderna*, XXIV, 1958, núms. 2-3.

Homenaje a Juan Ramón Jiménez, *Poetry*, 82, july 1953.

Roman JAKOBSON, *Questions de poétique*, Paris, Éditions du Seuil, 1973.

A. JUILLAND y E. CHANG RODRÍGUEZ, *Frequency Dictionary of Spanish Words*, The Hague, Mouton, 1964.

Wolfgang KAYSER, *Interpretación y análisis de la obra literaria*, Madrid, Gredos, 1961⁴.

Arthur KOESTLER, *Le cri D'Archimède. L'Art de la Découverte et la Découverte de l'Art*, Paris, Calmann-Lévy, 1965.

Raimundo LIDA, "Sobre el estilo de Juan Ramón Jiménez", en *Letras hispánicas*, Méjico, Fondo de Cultura Económica, 1958, pp. 165-178.

Guy MICHAUD, *Message poétique du Symbolisme*, Paris, Librairie Nizet, 1961.

Carlos MURCIANO, "Notas en torno a la obra en prosa de Juan Ramón Jiménez", *La Estafeta Literaria*, 15 dic. 1970, p. 14.

Tomás NAVARRO TOMÁS, *Métrica Española*, New York, Las Américas Publishing Co., 1966.

Tomás NAVARRO TOMÁS, "Juan Ramón Jiménez y la lírica tradicional", en *Los poetas en sus versos: desde Jorge Manrique a García Lorca*, Barcelona, Ariel, 1973, pp. 259-289.

Emmy NEDDERMANN, *Die Symbolistichen Stilelemente im Werke von Juan Ramón Jiménez*, Hamburg, Seminar für Romanische Sprachen und Kultur, 1935.

Emmy NEDDERMANN, "Juan Ramón Jiménez, sus vivencias y sus tendencias simbolistas", *Nosotros*, Buenos Aires, abril de 1936, pp. 16-25.

Ana Rosa NÚÑEZ, *La Florida en Juan Ramón Jiménez*, Ediciones Universal, P. O. Box 353, Miami, Florida, (en el Décimo Aniversario de la muerte de Juan Ramón Jiménez), 1968.

Paul R. OLSON, *Circle of Paradox. Time and essence in the poetry of Juan Ramón Jiménez*, Baltimore, The John Hopkins Press, 1967.

Basilio de PABLOS, *El tiempo en la poesía de Juan Ramón Jiménez*, Madrid, Gredos, 1965.

Graciela PALAU DE NEMES, *Vida y obra de Juan Ramón Jiménez*, Madrid, Gredos, 1957 (2.ª ed. en 2 vol., 1974).

Graciela PALAU DE NEMES, "Juan Ramón Jiménez", *Books Abroad*, 26, núm. 1, 1952, pp. 16-19.

Graciela PALAU DE NEMES, "La elegía desnuda de Juan Ramón Jiménez: 'Ríos que se van'", *Papeles de Son Armadans*, L, n.º CXLIX, agosto 1968, pp. 101-112.

Graciela PALAU DE NEMES, "Of Tagore and Jiménez", *Books Abroad*, 35, núm. 4, pp. 319-323.

Graciela PALAU DE NEMES, "Zenobia en la vida y la Obra de Juan Ramón Jiménez", *Revista Interamericana de Bibliografía*, vol. X, núm. 3, julio-sept. 1960, pp. 244-260.

Graciela PALAU DE NEMES, "Prosa prosaica y prosa poética en la obra de Juan Ramón Jiménez", *PMLA*, LXXIV, 1979, pp. 153-156.

Graciela PALAU DE NEMES, "La casa sola de Juan Ramón Jiménez", *La Torre*, V, núms. 19-20, julio-dic. 1957, pp. 181-195.

Isabel PARAÍSO DE LEAL, "El verso libre de Juan Ramón Jiménez en 'Dios deseado y deseante' ", *Revista de Filología Española*, 1971, LIV, pp. 253-269.

Isabel PARAÍSO DE LEAL, *Las formas fronterizas entre prosa y verso en Juan Ramón Jiménez*, Montreal, 1971. (Estudio subvencionado por el Conseil des Arts du Canada.)

Isabel PARAÍSO DE LEAL, "Juan Ramón Jiménez, el iconoclasta. (Autocrítica de su primera época a través de un poema.)", *Explicación de Textos Literarios*, vol. III-2, 1974-75, pp. 161-165.

W. T. PATTISON, "Mystic of Nature", *Hispania*, 33, núm. 1, 1950, pp. 18-22.

Michael P. PREDMORE, *La obra en prosa de Juan Ramón Jiménez*, Madrid, Gredos, 1966.

Michael P. PREDMORE, *La poesía hermética de Juan Ramón Jiménez. El "Diario" como centro de su mundo poético*, Madrid, Gredos, 1973.

Antonio ROMERALO, "Juan Ramón Jiménez en su fondo de aire", *Revista Hispánica Moderna*, XXVII, 1961, pp. 299-319.

María Antonia SALGADO, *Españoles de tres mundos. El arte polifacético de las "caricaturas líricas" juanramonianas*, Madrid, Insula, 1968.

Antonio SÁNCHEZ BARBUDO, *La segunda época de Juan Ramón Jiménez*, Madrid, Gredos, 1962.

Antonio SÁNCHEZ BARBUDO, *Cincuenta poemas comentados*, Madrid, Gredos, 1963.

Ceferino SANTOS, "Proceso evolutivo de interiorización lírica en Juan Ramón Jiménez (desde los paisajes exteriores hasta la interioridad del alma)", *Humanidades*, IX, núm. 17, 1957, pp. 79-103.

Carlos del SAZ-OROZCO, *Desarrollo del concepto de Dios en el pensamiento religioso de Juan Ramón Jiménez*, Madrid, Razón y fe, 1966.

Max SCHELLER, *Le sens de la souffrance*, Paris, Aubier, s. f.

Gonzalo SOBEJANO, "Juan Ramón Jiménez a través de la crítica.", *Romanistisches Jahrbuch*, VIII, 1957, pp. 341-366; IX, 1958, pp. 299-317.

Emil STAIGER, *Conceptos Fundamentales de Poética*, Madrid, Rialp, 1966.

Francesco TENTORI, *La poesia di Juan Ramón Jiménez*, Parma, 1946.

Sabine R. ULIBARRI, *El mundo poético de Juan Ramón. (Estudio estilístico de la lengua poética y de los símbolos.)*, Madrid, Edhigar, 1962.

Luis Felipe VIVANCO, "La palabra en soledad de Juan Ramón Jiménez", en *Introducción a la poesía española contemporánea*, Madrid, Guadarrama, 1957, pp. 33-71.

Howard T. YOUNG, *Juan Ramón Jiménez,* New York, Columbia University Press, 1967.

Howard T. YOUNG, *The Victorious Expresion: A Study of Four Contemporary Spanish Poets,* Madison, University of Wisconsin Press, 1964. (Juan Ramón Jiménez, pp. 75-135.)

Concha ZARDOYA, "El dios deseado y deseante de Juan Ramón Jiménez", en *Poesía española del siglo XX,* II, Madrid, Gredos, 1974, pp. 8-31.